JEUX-TESTS
DE LA PERSONNALITÉ

Pino Gilioli

JEUX-TESTS
DE LA PERSONNALITÉ

Dessins de Aldo Ripamonti

FRANCE LOISIRS
123, bd de Grenelle, Paris

Édition du Club France Loisirs, avec l'autorisation des Éditions Solar
Titre original de cet ouvrage:
GIOCHI DELLA PERSONALITÀ
Traduit et adapté de l'italien par Elisabeth de Lavigne
© Arnoldo Mondadori, Milan, 1984
© Éditions Solar, Paris, 1985, pour la traduction-adaptation française
ISBN édition française: 2-7242-2642-9
Numéro d'éditeur: 10688
Imprimé en Italie par Officine Grafiche Arnoldo Mondadori, Vérone.

Sommaire

Avant-propos

L'Éditeur, devant l'intérêt grandissant suscité dans les journaux, les revues et à la télévision par les tests-jeux faisant appel aux techniques projectives, m'a encouragé à rédiger cet ouvrage.

Pendant dix ans, je me suis consacré à l'élaboration de tests-jeux inédits pour différentes revues et publications : ce sont ces diverses expériences que je résume ici, en les regroupant en six chapitres.

Après une introduction à la fois historique et explicative, le premier chapitre est consacré à des tests-jeux reposant essentiellement sur l'interprétation libre de dessins, où l'imagination du lecteur est sollicitée pour opérer des choix spontanés. Le deuxième chapitre a pour sujet les psycho-contes, c'est-à-dire des récits originaux se déroulant dans des mondes imaginaires, dont le but est de nous ramener à l'innocence émotive et au divertissement propres à l'enfance. Après avoir pris connaissance du psychoconte, le lecteur est invité à répondre à un certain nombre de questions se rapportant à des personnages et à des situations spécifiques du récit.

Le troisième chapitre est consacré à l'examen de certains comportements professionnels particulièrement intéressants. Dans la pratique, il s'agit de découvrir et d'évaluer les aptitudes psychologiques d'un sujet à l'exercice d'une profession donnée.

Le quatrième chapitre porte sur l'examen des rapports entre langage et comportement. C'est là une étude originale, dont l'intérêt est de mettre en relief les relations entre la personnalité et la communication orale.

Le cinquième chapitre propose une série de tests associés entre eux par un récit à suspense. Dans la pratique, chaque lecteur peut choisir au préalable l'intrigue la plus adaptée à son tempérament, et il trouvera plus loin l'explication de certains aspects prometteurs de sa personnalité.

Enfin, seize photos réparties dans l'ouvrage constituent la trame d'un jeu original et passionnant portant sur la sexualité et mettant en œuvre des objets de notre existence quotidienne, dûment photographiés.

Tous ces tests-jeux exploitent la méthode des techniques projectives élaborée par la psychologie : ce sont autant d'épreuves destinées à souligner certains aspects du caractère et du comportement.

En étant invité à faire un choix parmi divers stimuli visuels ou des sollicitations rationnelles ou émotives, le lecteur projette de la sorte des idées, des attitudes, des besoins, des conflits et des comportements, voués le plus souvent à rester inexpliqués, alors qu'il serait du plus grand intérêt de connaître leurs motivations. Ainsi, tout en se divertissant à choisir entre des images et des questions, entre des inventions et des jugements, le lecteur se livre à une opération tout à la fois libératrice et révélatrice de certains éléments de sa personnalité.

En parcourant les tests-jeux proposés dans ce livre, certains seront frappés par l'apparente contradiction des réponses; mais il ne faut pas oublier qu'en chacun de nous coexistent des aspects opposés qui tendent à s'intégrer même à travers des contrastes. Ces jeux se bornent à indiquer quelques-uns des traits distinctifs d'une personnalité, ceux que révèlent une grande partie des comportements habituels, sans exclure naturellement l'existence de composantes autres, qui peuvent par ailleurs être sujettes à des modifications au cours des années. A l'issue de ce test, le lecteur plus motivé pourra regrouper dans un tableau général les résultats obtenus au fur et à mesure des choix opérés. En bref, si l'on additionne chacun des traits de caractère révélés par les différents jeux, on aboutit à une synthèse que l'on peut considérer comme révélatrice de sa propre personnalité. Toutefois, s'agissant de jeux, le résultat doit toujours être apprécié avec une certaine implication émotive (et même un peu de contestation). Cela fait précisément partie du jeu.

La prudence indispensable dans les procédures et conclusions de la psychologie scientifique a donc été négligée ici pour condenser en quelques phrases des aspects de la personnalité, des comportements, des aptitudes professionnelles.

Chaque conclusion, cependant, ne doit être prise que comme une indication de base, comme une suggestion pour interpréter quelques éléments de la personnalité et du comportement. Le jeu peut révéler, par exemple, que l'on est foncièrement trop sûr de soi : alors qu'en réalité seuls quelques indices indiquent un excès de confiance en soi. De même, un score modeste dans une épreuve destinée à tester vos aptitudes professionnelles dans un secteur donné peut être pris soit comme un signal d'alerte, soit comme un prétexte à en rire avec vos amis. Il peut aussi susciter l'étonnement, mais on n'y verra certainement pas la révélation complète de vos potentialités dans ce domaine. Toujours est-il que chaque stimulus a son importance : de tous les mystères de l'univers, l'homme est le plus complexe, et tout ce qui peut contribuer à sa connaissance paraît digne d'attention.

N'oublions jamais, en effet, que chaque manifestation de l'homme va au-delà des apparences, signifie toujours quelque chose d'autre et quelque chose de plus. A mon sens, c'est dans cet «autre» et ce «plus» que se trouve la signification la plus intéressante de notre existence.

Introduction

De tout temps, des hommes ont tenté d'interpréter l'avenir en regardant les nuages ou en scrutant les entrailles d'animaux sacrifiés. Certains, en observant de nuit la voûte céleste, crurent y déceler des signes mystérieux : un char, deux poissons, un scorpion, un lion, une balance et autres éléments familiers. Ainsi naquirent les signes du Zodiaque, auxquels on attribua par la suite une valeur de présages astrologiques. Dans la pratique, l'homme a toujours projeté sur les stimuli extérieurs son propre monde intérieur pour y chercher une explication et, le plus souvent, pour se rassurer. A une époque plus récente, Léonard de Vinci conseillait à ses élèves d'observer les taches sur un vieux mur quelconque ou les striures de certaines pierres marbrées, pour y découvrir des paysages, des scènes de bataille, des têtes ou des figures. Excitée par ces stimuli, l'imagination créatrice de l'artiste débouchait sur des images originales selon une méthode déjà mise en pratique par le grand peintre Botticelli. Léonard de Vinci conseillait en fait à ses disciples de se soumettre à ce que l'on pourrait appeler aujourd'hui une « projection ».

Le besoin de se connaître et de s'enrichir intérieurement en réagissant aux stimuli extérieurs est précisément le propre de l'homme. Cette tendance a été de même à l'origine du test, conçu il y a environ un siècle en tant qu'instrument de diagnostic psychologique (psychodiagnostic). Destiné à analyser un ou plusieurs facteurs de la personnalité, il suppose une tâche à remplir et une technique précise d'appréciation. Le terme anglais « test » est passé dans le langage courant grâce à James MacKeen Cattell, un scientifique qui propagea aux États-Unis la méthode de la psychologie expérimentale à la fin du siècle dernier et au début du nôtre. Détail curieux, le terme anglais « test » est dérivé de l'ancien français « test »,

Voici un exemple du « test de frustration » de Rosenzweig, basé sur une situation frustrante possible. Vous devez imaginer que le personnage de gauche est en train de prononcer à votre intention la phrase figurant dans la bulle. Le personnage de droite, c'est vous, et vous êtes censé inscrire votre réaction dans la bulle laissée en blanc. Nous vous suggérons trois types de réponses différentes,

parmi lesquelles vous êtes invité à choisir celle qui se rapproche le plus de la réponse que vous feriez.
1) C'est de ta faute. C'est toi qui as toujours voulu le placer à l'endroit le plus en vue. 2) Cela devait fatalement arriver.
3) Que puis-je faire pour que tu me pardonnes ?

(explications page 12)

Susciter des projections dans le monde réel, comme le conseillait Léonard de Vinci à ses élèves, renforce notamment l'une des qualités humaines les plus stimulantes, que l'on désigne par le terme général de « créativité », c'est-à-dire la capacité d'imaginer et de saisir des rapports nouveaux dans la réalité. A ce titre, nous vous proposons 15 stimuli visuels sous forme de signes, accompagnés d'autant de concepts. A vous d'opérer le rapprochement entre stimulus visuel et mot-concept. Voici 15 mots-concepts à associer à chaque signe.

bruit   sexe   océan   doute   peur   douceur   danse   espace

rage   soif   adoration   repos   chaud   hurlement   affectation

♦ *(explications page 12)*

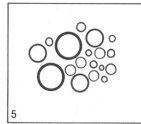

1

2

3

4

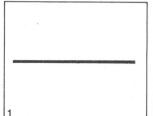

5

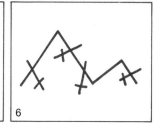

6

7

8

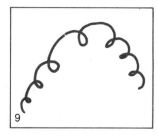

9

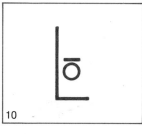

10

11

12

13

14

15

qui désignait un vase utilisé par les alchimistes dans leur recherche de l'or; l'ancien terme français «test» étant lui-même dérivé du latin «testum» qui signifiait précisément «vase». Ce qui revient à dire qu'un test est un vase que chacun d'entre nous doit remplir avec ses propres épreuves. Le test n'est pas l'invention d'un seul homme; en effet, l'intérêt pour une méthode scientifique d'étude et d'investigation de la personnalité est né lorsque, dans la seconde moitié du XIXᵉ siècle, quelques spécialistes prirent conscience de la nécessité de mettre au point des «instruments-étalons» pour mesurer la diversité des intelligences.

Les premiers procédés de mesure de l'intelligence, élaborés vers 1905 par le Français Binet à des fins pédagogiques, seront par la suite appliqués à grande échelle dans de nombreux pays, avant d'être tout naturellement modifiés et mis à jour par la suite. Au cours de la Seconde Guerre mondiale, des spécialistes américains mirent au point des méthodes d'analyse qui furent appliquées avec succès à la sélection des militaires. Aujourd'hui, rares sont les examens psychologiques qui ne font pas appel aux tests.

L'un des plus célèbres psychanalystes, Carl Gustav Jung, d'abord disciple puis rival de Freud, élabora en 1904 une méthode d'investigation d'un intérêt considérable, le «test des mots associés», portant sur les associations de mots. L'épreuve se présente sous forme d'une liste de mots-stimuli auxquels le sujet examiné doit associer les mots lui venant spontanément à l'esprit.

Parmi les tests de personnalité, l'un des plus célèbres est le test dit de Rorschach, psychiatre et neurologue suisse: en 1921, soit un an avant sa mort, survenue à 37 ans, il réussit à définir une méthode d'examen psychologique reposant sur l'interprétation libre de formes réalisées par des taches d'encre, les unes noires, les autres de couleur.

Un autre test très connu est le T A T (Thematic Apperception Test), test d'imagination créatrice mis au point en 1949 par l'Américain Murray: le matériel de ce test se compose de 20 planches, dont une blanche, qui sont soumises au sujet examiné. Sur 19 de ces planches sont dessinées des scènes, à partir desquelles le sujet doit bâtir autant d'histoires. Dans la dernière planche, la blanche, il s'agit pour le sujet de donner libre cours à son imagination en inventant une scène. Un autre test très intéressant, bien qu'un peu compliqué, est le M A P S (Make a Picture Story), élaboré en 1952 par Schneidman. Destiné à apprécier l'imagination d'un individu en même temps que ses capacités créatrices et son aptitude à la relation avec autrui, il se compose de 22 scénarios de base: par exemple une pièce, une forêt ou le vide, et de 67 figures: 19 masculines, 11 féminines, 2 personnes de sexe indéterminé, 12 enfants, 10 individus de races différentes, 6 personnages de l'Histoire et de la mythologie, 1 chien, 1 serpent et 5 profils sans visage. Le sujet est invité à choisir un scénario et quelques personnages, et, à partir de là, à construire son récit.

Le test des «Blacky Pictures», imaginé en 1950 par Blum, fait appel à une série de planches dans le style des bandes dessinées pour jeunes, dont le chien Blacky est le héros principal.

Parmi les tests des «phrases ou scènes à compléter», les plus courants sont le R I S B (Rotter Incomplete Sentences Blanck), constitué de 40 phrases à compléter, et le Test of Insight into Human Nature, qui contient des intrigues également à compléter.

Un autre test assez répandu est le P F Test (Picture Frustation Test), ou test de frustration, élaboré entre 1947 et 1949 par Rosenzweig. Ce test est destiné à apprécier la réaction d'un sujet confronté à des situations pénibles ou vraiment embarrassantes. On présente 24 planches au sujet examiné; sur chacune sont dessinées deux personnes ou plus placées dans une situation donnée. Le personnage de gauche fait une observation, dont les paroles figurent dans une «bulle» au-dessus de sa tête, et le sujet examiné doit, en s'identifiant au personnage de droite, répondre dans une «bulle» laissée en blanc.

Un test très discuté est celui de Szondi, mis au point en 1952, où, parmi 48 photographies de malades mentaux, le sujet examiné doit choisir celui qui lui inspire le plus de sympathie ou au contraire le plus d'antipathie. En 1942, Karen Machover imagina le Draw-A-Person Test, destiné à étudier la personnalité des sujets à l'âge de l'évolution. On remet à l'enfant une feuille de papier et un crayon, puis on lui demande de dessiner une figure, puis une autre du sexe opposé, et enfin d'inventer une courte histoire sur les deux personnages.

Le World Test de Lowenfeld, adapté aux enfants comme aux adultes, se compose de quelque trois cents objets miniatures tels que maisons, personnages, voitures, animaux et autres, à partir desquels il faut construire les histoires les plus variées.

Il existe également des tests dits de «mise en ordre», dans lesquels il s'agit précisément de remettre dans l'ordre les éléments d'un groupe, des mots surtout, présentés dans le désordre.

En 1937, Stern imagina le test des nuages, dans lequel diverses formes de nuages sont présentées au sujet, qui est invité à les interpréter librement.

En 1949, Mme Baumgartner imagina deux tests, l'un basé sur un catalogue de 430 titres de livres, parmi lesquels le sujet examiné doit choisir 10 titres, et un autre où le choix porte sur 190 proverbes.

En 1962, Jacqueline Boyer prépara le «test des métamorphoses», dans lequel le sujet est invité à préciser ce qu'il aimerait être ou ce qu'il lui déplairait d'être, en expliquant ses raisons.

La liste des tests élaborés au cours des cinquante dernières années, et couramment utilisés dans la méthode de diagnostic psychologique, est longue; cet ouvrage n'a pas pour but d'illustrer les plus célèbres, mais d'intéresser le lecteur aux tests-jeux spécialement créés pour la circonstance. Un aperçu général des tests et quelques exemples pratiques suffisent, il me semble, pour que le lecteur saisisse tout ce que les tests-jeux doivent aux techniques projectives et aux expériences du passé. Je suis par ailleurs convaincu que le sens du jeu facilite l'introspection psychologique, car il représente une sorte de libération: sous une apparence de légèreté, le jeu peut donc avoir une signification profonde.

Explications

Première hypothèse : « C'est de ta faute. C'est toi qui as toujours voulu le placer le plus en vue. » Cette réponse fait ressortir une tendance à rejeter les fautes sur quelqu'un d'autre.

Deuxième hypothèse : « Cela devait fatalement arriver. » On peut y voir une tendance chez vous à toujours chercher à éviter d'accuser qui que ce soit, y compris vous-même.

Si vous choisissez d'écrire dans la bulle « Que puis-je faire pour que tu me pardonnes ? », on peut en déduire une tendance à vous sentir toujours responsable de ce qui arrive.

Explications

Voici les associations correctes :

1) espace	2) sexe	3) chaud
4) douceur	5) soif	6) rage
7) peur	8) repos	9) bruit
10) affectation	11) doute	12) adoration
13) hurlement	14) danse	15) océan

Si vous avez deviné les 15 associations, vous êtes doué d'une imagination hors du commun.

Si vous avez deviné de 14 à 8 associations, vous avez une bonne imagination.

Si vous avez deviné de 7 à 0 associations, vous n'avez guère d'imagination.

Tableau récapitulatif des choix successifs en vue d'une classification des caractères psychologiques

Certaines explications des tests-jeux proposés sont accompagnées de signes géométriques : un carré, un cercle, un rectangle, un losange, un triangle, tantôt blancs, tantôt noirs. Le lecteur qui souhaiterait connaître le résultat d'ensemble des épreuves subies, et donc d'en avoir une vue synthétique, est invité à inscrire dans ce tableau ses choix successifs. Pratiquement, vous devez cocher d'un trait au crayon, dans le tableau ci-dessous, la case correspondant au signe et à la couleur à côté de l'explication s'y rapportant et qui figure à certaines pages. En effet, si chaque signe est blanc ou noir, c'est de façon à se référer à deux traits de la personnalité antagonistes, dont l'un sera écarté. Vous trouverez ensuite aux pages 149-150 la méthode, d'ailleurs très simple, pour formuler ce qui pourrait être la synthèse de votre propre personnalité.

Jeux à base de dessins
et de questions

La jeune fille lisant

Test-jeu 1

Que fait cette jeune fille ?
Observez attentivement le dessin, puis choisissez la première des quatre solutions vous venant à l'esprit.

1. La jeune fille a interrompu sa lecture, parce que l'envie lui est venue d'aller à la discothèque.
2. On a frappé à la porte et la jeune fille n'aime pas être dérangée.
3. A la lecture du livre, la jeune fille se souvient d'un amour passé.
4. La jeune fille a décidé d'accepter une intéressante proposition de travail à l'étranger, qui l'obligera à quitter son foyer et les personnes qui lui sont chères.

Vous avez choisi l'une de ces quatre hypothèses, imaginez maintenant quelle en sera l'issue.

Quelle issue si vous avez choisi l'hypothèse 1 ?

A. La jeune fille change d'idée au dernier moment et part faire des courses.

B. La jeune fille va à la discothèque mais, comme presque toujours, elle s'y ennuie.

Quelle issue si vous avez choisi l'hypothèse 2 ?

A. La jeune fille fait croire qu'elle n'est pas à la maison.

B. La jeune fille va ouvrir et se résigne à parler avec le visiteur arrivé à l'improviste.

Quelle issue si vous avez choisi l'hypothèse 3 ?

A. La jeune fille pleure sur son passé et se sent toute triste.

B. La jeune fille sait qu'il suffirait d'un coup de fil pour renouer les relations, mais elle n'en prend pas l'initiative.

Quelle issue si vous avez choisi l'hypothèse 4 ?

A. La jeune fille prépare une liste d'amis et de relations susceptibles de lui être utiles le cas échéant.

B. Le soir même, la jeune fille communique sa décision irrévocable à la personne aimée.

(explications du test-jeu 1 page 31)

L'astronarche

Test-jeu 2

Imaginez que, tel un Noé moderne averti de l'arrivée d'un nouveau déluge, vous devez sauver, en les emmenant dans votre astronarche (astronef plus arche), le plus grand nombre possible d'animaux. La gigantesque astronarche est à présent surchargée et 14 animaux sont restés à terre : la fourmi (1), le papillon (2), le chameau (3), le cheval (4), l'aigle (5), l'éléphant (6), le chien (7), le koala (8), le lion (9), la girafe (10), le bœuf (11), la mouette (12), la gazelle (13) et le singe (14).

Noé ne peut faire monter à bord, et donc sauver de l'extermination, que sept de ces animaux. Si vous étiez Noé, lesquels sauveriez-vous ?

(explications du test-jeu 2 page 31)

Rédigez vous-même les bulles

Test-jeu 3

1   Un homme se sent tout seul dans la grande ville

2   C'est alors qu'il rencontre une femme

3   Et un jour...

4   Enfin...

A l'aide de ces quatre dessins, il est possible de bâtir une petite histoire. Mais, dans chacun des trois derniers rectangles, il manque une bulle. C'est à vous de la « rédiger », en choisissant l'une des deux répliques suggérées.

2A **Lui :** Non. Nous pouvons monter l'affaire en société.
     ou
2B **Lui :** Oui. Mais je t'aime et nous en triompherons.

3C **Elle :** Ils nous sont sans doute tous hostiles.
     ou
3D **Elle :** Ils pourront tous nous être utiles.

4E **Lui :** Tout cela m'a démoli.
     ou
4F **Lui :** Cela a été pour moi une expérience de plus.

(explications du test-jeu 3 page 32)

Test sur la sexualité

Vous êtes invité à un test sur le type de sexualité qui caractérise chacun d'entre nous. Le matériel de l'épreuve comprend seize photographies. Ce test est particulièrement facile : en effet, pour chacune de ces photographies, par exemple celle de la page de droite, il vous suffira de l'observer, puis de tourner la page pour examiner celle qui se trouve au verso. Pour chacune des huit doubles pages réparties tout au long de l'ouvrage, vous devez choisir entre les deux photos recto-verso, et seulement entre ces deux photos, en déterminant l'objet qui vous tente le plus. Ainsi, sur cette première double page, le premier objet photographié est indiqué par la lettre A, le second, au verso, par la lettre B. Lequel des deux objets, A ou B, préférez-vous ? Vous devez vous efforcer de répondre spontanément, sans vous préoccuper de leur valeur vénale ou affective, ni vous laisser guider par toute autre motivation. Choisissez l'objet pour sa forme, sa couleur, ce qu'il évoque à vos yeux. Votre choix étant fait, il vous suffira ensuite de noter votre réponse, A ou B. Vous en aurez besoin lorsque vous rencontrerez une autre double page avec deux autres objets photographiés.

Les embûches

Test-jeu 4

Notre route est semée d'embûches, qui ne sont pas seulement le fait d'autrui. Il arrive parfois que nous les suscitions nous-mêmes, inconsciemment, pour ensuite nous lamenter sur ce que nous avons irrémédiablement compromis. Or, certains obstacles pourraient probablement être évités grâce à une meilleure connaissance de nous-mêmes. A cet effet, nous vous proposons ce test, qui comporte une série de treize questions : vous êtes invité à choisir une seule réponse parmi les huit éventualités suggérées comme réponses possibles à chaque question. Vous devez ensuite reporter lettres et chiffres choisis sur le tableau figurant à la fin du test et vous préparer à connaître un trait fondamental de votre caractère.

1 Que pensez-vous de votre petit vice, genre tabac, alcool, etc. ?
— c'est en quelque sorte courir après les maladies   B4
— rien, s'il s'agit d'un « petit » vice   A3
— une vie sans faiblesses, quel intérêt ?   B8
— une façon comme une autre de se sentir fort   B6
— un peu de piment dans la vie de tous les jours   A1
— un danger social   A7
— rien que de très anodin   A5
— un dérèglement qui écarte du but   B2

2 Quelle opinion compte le plus à vos yeux ?
— celle de ma conscience   B2
— celle de moi-même   A1
— celle d'une personne qualifiée   A5
— celle de mes supérieurs   A7
— celle de la personne qui prend soin de moi   B8
— celle de la logique   A3
— celle de la majorité   B4
— celle des êtres qui me sont chers   B6

3 Que faites-vous lorsque vous avez de la température ?
— j'appelle le médecin   B4
— je prends conseil auprès de mon entourage   B8
— je peste   A1
— je m'alite   B6)
— je me résigne   B2
— je règle sans tarder les affaires les plus urgentes   A7
— je ne m'en fais pas trop   A3
— j'attends la suite des événements   A5

4 Que pensez-vous de votre première expérience sexuelle, bien entendu souhaitée et normale ?
— un acte naturel réussi   A1
— une expérience plutôt maladroite   A3
— un signe concret de maturité   A5
— la sensation merveilleuse de se donner   B8
— une expérience bouleversante   B2
— une sensation de force inconnue   A7
— la sensation enivrante de rompre avec un tabou   B6
— le début d'ennuis sans fin   B4

5 Pour vous, qu'est-ce que Dieu ?
— le créateur de la vie   B2
— quelque chose dont on n'aurait pas besoin dans la pratique   A3
— une croyance   A1
— un appui   B4
— l'autorité suprême   B8
— le père   B6
— une image liée surtout à l'enfance   A5
— s'il était véritablement l'autorité suprême, les choses iraient mieux   A7

6 Au téléphone, laquelle de ces sensations éprouvez-vous le plus fréquemment ?
— la curiosité de ce qui va découler de la conversation   B8
— l'envie de crier intérieurement et de vous défouler   A7
— rien, sinon le fait que c'est bien commode   A5
— un certain soulagement devant la possibilité de ne rien laisser paraître de vos émotions   B4
— le sentiment aigu de la distance et probablement aussi du temps   A1

— une sorte de crainte vis-à-vis de cet instrument
qui vous débusque au pire moment   B2
— le sentiment de vous montrer tel que vous êtes,
chose impossible dans un face-à-face   B6
— une certaine gêne de parler ainsi sans voir l'interlocuteur
   A3

7 **Comment jugez-vous votre comportement passé à l'égard de vos parents ?**
— ils ont choisi leur voie, moi la mienne   A3
— je les ai aimés, tout en restant lucide sur leurs défauts   A1
— j'ai toujours vu (ou voulu voir) en eux mes éducateurs   B2
— ni bon, ni mauvais   A5
— je n'ai probablement jamais compris ce qu'ils
attendaient de moi   B4
— je les ai déçus   B6
— je les ai toujours respectés   A7
— je leur ai toujours obéi   B8

8 **Qu'éprouvez-vous, tout seul dans une forêt épaisse ?**
— je me sens tout petit, en proie aux peurs de mon
enfance   B6
— je mets mon courage à l'épreuve   A7
— je souhaite la présence de quelqu'un près de moi   B8
— un grand respect pour la nature   A1
— je cherche à m'orienter   A3
— l'envie de traduire ce que je ressens par des mots,
sur la toile ou par tout autre moyen artistique   A5
— je me sens plus proche du Créateur   B2
— je ne me sens pas très tranquille   B4

9 **Choisissez l'un de ces adjectifs pour qualifier vos fantasmes sexuels les plus secrets et inavouables.**
— coupables   B2
— contradictoires   B4
— naturels   A1
— abjects   B6
— irréalisables   A7
— nécessaires   A3
— libérateurs   A5
— dangereux   B8

10 **Vous attendez d'être reçu par quelqu'un d'important à qui vous devez demander une grande faveur. Quelle est, ou serait le cas échéant, votre attitude juste avant d'être introduit ?**
— je touche un porte-bonheur   B2
— je me mets à penser du mal de cette personne
pour me sentir son égal   A1
— j'éprouve une légère appréhension   B4
— je me recommande aux êtres qui me sont chers,
en particulier défunts   B6
— je fais de mon mieux pour me persuader que nous
nous entendrons bien   A3

— je ressasse, dans leurs grandes lignes, mes arguments   A5
— j'affiche une attitude déférente et humble   B8
— j'essaie de savoir s'il n'y a pas plus important que lui   A7

11 **Parmi ces secrets, lequel avez-vous ou pourriez-vous avoir ?**
— un fait lié à l'enfance   A5
— j'en ai tellement que je m'en souviens même plus   B4
— aucun... et si j'en avais, je ne le dirais pas   A3
— une faute, comme tout un chacun   B2
— quelque chose en rapport avec le sexe   B6
— la crainte de la mort   A1
— l'envie de tout démolir   B8
— une quelconque faiblesse   A7

12 **Vous avez été mêlé à une affaire mystérieuse, apparemment impossible à éclaircir par la seule logique. Si vous aviez à la commenter, laquelle de ces phrases choisiriez-vous ?**
— j'ai vraiment eu peur   B4
— c'est une bêtise   A1
— c'est à vous donner des frissons   B6
— c'est l'époque qui veut ça   A7
— j'aimerais bien qu'on me l'explique   B8
— l'important est de ne pas y attacher trop d'importance   A5
— c'est une énigme qui donne à réfléchir   B2
— c'est une histoire sans queue ni tête   A3

13 **Quel bruit ou son écoutez-vous le plus volontiers ?**
— la rumeur de la ville qui s'éveille   A3
— le murmure de l'eau   B6
— les voix de la nature   A5
— la musique qui me tente sur le moment   A1
— le tintement des cloches   B2
— un vieux disque   B4
— des sonneries de trompette   A7
— la sonnette de l'entrée   B8

Portez ici vos réponses

Inscrivez en face de chaque question la lettre et le chiffre correspondant à votre réponse. Faites ensuite le total de toutes les lettres (total des A et des B) et de tous les chiffres (total des 1, des 2, des 3, etc.) que vous avez notés.

1	_____		8	_____
2	_____		9	_____
3	_____		10	_____
4	_____		11	_____
5	_____		12	_____
6	_____		13	_____
7	_____			

Total des lettres _____
Total des chiffres _____

(explications du test-jeu 4 page 32)

A l'aube arrive une barque

Test-jeu 5

Sur cette plage déserte, arrive une barque. Qui est sur cette barque ?

Choisissez, parmi les quatre éventualités suggérées, celle que vous retenez spontanément.

1. C'est une barque chargée de touristes portant dans leurs sacs un déjeuner.
2. Ce sont une jeune fille et un jeune homme, qui s'isolent sur cette plage déserte.
3. C'est un pêcheur solitaire.
4. C'est un petit groupe de plongeurs à la recherche d'objets archéologiques enfouis.

Maintenant que votre choix est fait entre les quatre hypothèses, imaginez-en l'issue.

Quelle issue si vous avez choisi l'hypothèse 1 ?

A. Les touristes, en partant, laissent la plage polluée avec leurs détritus.
B. Leur déjeuner terminé, les touristes font un feu avec leurs détritus et dansent tout autour.

Quelle issue si vous avez choisi l'hypothèse 2 ?

A. Les deux jeunes gens retardent le moment de faire l'amour pour ramasser des coquillages rares qu'ils rapporteront à leurs amis.
B. Malgré leur attirance l'un pour l'autre, les deux jeunes gens ne font pas l'amour, retenus par la pensée de déplaire à quelqu'un ou de faire quelque chose de défendu.

Quelle issue si vous avez choisi l'hypothèse 3 ?

A. Après plusieurs essais infructueux pour attraper le poisson, le pêcheur, bravant l'interdiction, utilise une charge d'explosif.
B. Le pêcheur réussit une pêche exceptionnelle et porte quelques poissons à une famille pauvre du village.

Quelle issue si vous avez choisi l'hypothèse 4 ?

A. Avec leurs trouvailles, les plongeurs ouvrent un petit musée, qui attire les touristes dans la région.
B. Les plongeurs, qui ont découvert un endroit encore si tranquille, vont le signaler comme but de promenade à une agence de tourisme, qui leur donne quelque chose en échange.

(explications du test-jeu 5 page 33)

Qu'arrive-t-il au Petit Chaperon Rouge ?

Test-jeu 6

Qui ne connaît le conte du Petit Chaperon Rouge *que le méchant loup, qui a déjà dévoré sa mère-grand, menace de croquer à son tour ?*
Qu'est-il arrivé à la fillette, après que les chasseurs eurent tué le loup et extrait, saine et sauve, de son ventre la mère-grand, *vous l'êtes-vous déjà demandé ? Quelle fin a connu le Petit Chaperon Rouge ? Quelle existence a été la sienne au cours des années qui ont suivi ?*

Choisissez, parmi les quatre éventualités illustrées par le dessin, la première qui vous vient à l'esprit.

[1] Rendue prudente par cette triste expérience, le Petit Chaperon Rouge persuade sa mère-grand de lui léguer en héritage la maisonnette à l'orée du bois, et tous les terrains autour.

[2] Le Petit Chaperon Rouge, maintenant que le loup est mort, met sur pied, avec des enfants de son âge, une organisation, évidemment à but lucratif, de transport de paquets et lettres par la forêt.

[3] Le Petit Chaperon Rouge arrange le mariage de sa mère, restée seule pendant des années, avec l'un des farouches chasseurs qui ont abattu le loup.

[4] Les chasseurs mettent à profit l'expérience et la ruse du Chaperon Rouge pour appâter et tuer les loups qui infestent la région.

Cependant, pour mieux cerner certains aspects de votre personnalité, il est bon d'aller plus loin encore. A cet effet, imaginez quel a été le sort du Petit Chaperon Rouge une fois les quatre hypothèses précédentes réalisées.

Si vous avez choisi l'hypothèse 1, que se passe-t-il ensuite ?

[A] Le Petit Chaperon Rouge met sa mère-grand dans un bon hospice pour ne pas avoir à retraverser la forêt quand elle lui rend visite.

[B] Bien que désormais riche, le Petit Chaperon Rouge n'arrive pas à secouer la tutelle de sa mère et se résigne à vieillir à ses côtés.

Si vous avez choisi l'hypothèse 2, que se passe-t-il ensuite ?

[A] Le Petit Chaperon Rouge entreprend de gérer les gains provenant des transports effectués par les enfants de son âge. Du coup, comme elle ne traverse plus la forêt, elle reste inactive, engraisse un peu et gagne beaucoup d'argent.

[B] Au bout de quelque temps, les enfants finissent par se lasser de cette occupation et le Petit Chaperon Rouge reste seule à faire toutes les courses dans la forêt. Elle a toujours peur, mais ne peut renoncer à ce gagne-pain, qui fait vivre aussi sa mère et sa mère-grand.

Si vous avez choisi l'hypothèse 3, que se passe-t-il ensuite ?

[A] Les rapports du Petit Chaperon Rouge avec son beau-père se dégradent vite, car c'est un homme violent, et la fillette persuade sa mère de vivre à nouveau seule.

[B] Une fois dans la maison, le beau-père se fait servir en tout par le Petit Chaperon Rouge. Mais celle-ci est bien contente, du moment qu'il y a un homme dans la maison.

Si vous avez choisi l'hypothèse 4, que se passe-t-il ensuite ?

[A] Le Petit Chaperon Rouge s'éprend du fils d'un chasseur et, celui-ci répondant à son amour, elle le persuade de fuir avec elle pour échapper à cette vie de misère.

[B] Le Petit Chaperon Rouge se lie d'amitié avec un contre-bandier qui vit dans la forêt, l'aide à se cacher et lui porte en secret de la nourriture dérobée à sa mère-grand.

(explications du test-jeu 6 page 34)

2

4

Deux situations

Test-jeu 7

Un jeune marié fait part à sa femme de son intention de quitter son travail actuel pour se consacrer à une activité nouvelle. Il se montre naturellement très optimiste sur les conséquences de son geste. Cependant, pour celle qui vit à ses côtés, cette décision paraît, à certains égards, préoccupante, du moins de prime abord.

Si vous étiez la femme, comment réagiriez-vous ?

1. Tu as toujours été d'une inconscience !
2. Je serai à tes côtés quoi qu'il arrive.
3. J'espère que tu as en vue une solution de rechange concrète.
4. Je vais chercher du travail, comme ça je pourrai t'aider.

Deux amis se retrouvent après de nombreuses années. L'un d'eux prononce la phrase inscrite dans la bulle, l'autre...

Si vous étiez l'autre, que répondriez-vous ?

A. Tout de suite. J'annule un rendez-vous.
B. Je ne sais pas. Pas aujourd'hui. Demain non plus. Je suis débordé en ce moment.
C. Maintenant que je sais où te joindre, je te ferai signe dès que possible.
D. Je t'inviterai chez moi. Tu verras tout. Et j'ai des tas de choses passionnantes à te raconter.

(explications du test-jeu 7 page 34)

Un crime mystérieux

Test-jeu 8

En lisant le journal, votre attention est attirée par l'annonce d'un mystérieux crime. Sous le titre figurent les portraits de quatre suspects : l'un d'entre eux est l'assassin. Et tandis que vous regardez les quatre portraits-robots, vous en venez spontanément à choisir le visage de la personne qui, selon vous, a commis le crime. Sans donner d'explications logiques, vous devez à présent déterminer lequel est, selon vous, l'assassin.

Votre choix étant fait, essayez d'imaginer le mobile du crime. Choisissez parmi ces quatre éventualités.

1 Par un brusque coup de folie.
2 Par intérêt.
3 Par amour.
4 Par vengeance.

A   B   C   D

(explications du test-jeu 8 page 37)

Le portrait

Test-jeu 9

Vous avez l'occasion de faire faire votre portrait par un peintre célèbre. Dans quelle pose préféreriez-vous être portraituré ?

Le choix de la pose étant fait, quelle toile de fond choisiriez-vous pour votre portrait ?

(explications du test-jeu 9 page 37)

Le banc vide

Test-jeu 10

Parfois, ce sont les choses qui nous attendent. Qui attendent que nous les animions au gré de nos émotions.
Ce banc vide, perdu au milieu d'un parc désert, à la nuit tombée, semble attendre quelqu'un. Selon vous, qui viendra s'asseoir sur le banc ? Choisissez entre ces deux éventualités.

A Un couple âgé qui, d'habitude à cette heure, donne à manger aux oiseaux du parc.
B Un couple de jeunes tendrement enlacés.

Ayant choisi l'une des deux éventualités suggérées, efforcez-vous à présent d'en imaginer le prolongement.

Quel prolongement si vous avez choisi l'hypothèse A ?
1 Les deux vieillards sont rejoints par trois autres couples du même âge. Et tous ensemble, ils rédigent un brouillon de statut d'une association pour la défense du troisième âge.
2 Le couple enregistre le chant des oiseaux sur un petit magnétophone portatif.
3 Le couple discute avec un jeune drogué, visiblement dans le besoin, qui leur a demandé de l'argent.

Quel prolongement si vous avez choisi l'hypothèse B ?
1 Les deux jeunes gens sont rejoints par le père de la fille, qui la ramène à la maison à coups de trique.
3 Une bande de jeunes de leur âge les entoure d'un air menaçant et les deux adolescents s'enfuient.

(explications du test-jeu 10 page 37)

Répondez à cette fillette

Test-jeu 11

Vous êtes seul en compagnie d'une fillette de six à sept ans, qu'un couple de votre connaissance vous a confiée quelques heures. L'enfant vous pose à l'improviste la question inscrite dans la bulle : « Qu'est-ce que le sexe ? »
Voici trois types de réponses différentes, parmi lesquelles vous êtes invité à choisir celle qui se rapproche le plus de la réponse que vous feriez, et, au contraire, celle que vous ne feriez jamais.

A Écoute-moi, tu ne veux pas jouer plutôt à cache-cache ? Tu verras, c'est très amusant.

B Le sexe est l'une des choses les plus importantes dans la vie. Si tu veux que je te l'explique, tu dois arrêter de jouer. J'ai besoin d'un peu de temps et de beaucoup d'attention.

C Mais où donc as-tu entendu parler de ces choses-là ? Ce n'est pas de ton âge.

D Demande à tes parents. C'est à eux de te l'expliquer. Plus on aime une personne, et mieux on s'explique avec elle.

(explications du test-jeu 11 page 38)

Une image venue de l'espace
Test-jeu 12

Au cours d'une liaison télévisée avec une navette spatiale naviguant dans l'espace, une image indéchiffrable du cosmos apparaît sur l'écran.
Que vous suggère-t-elle spontanément ?
Parmi les éventualités que nous vous proposons, choisissez-en deux : la plus proche, selon vous, de votre sensibilité, et celle qui vous semble la plus improbable.

[A] La surface d'une planète sur laquelle brillent d'étranges minéraux précieux.

[B] Une matière visqueuse, avec des yeux mystérieux qui vous fixent.
[C] De l'eau noire et stagnante, sur laquelle se reflètent de lointaines lueurs étoilées.
[D] Une enveloppe renfermant un feu qui ne fait pas mal mais, au contraire, insuffle de la force.

(explications du test-jeu 12 page 38)

Votre démarche

Test-jeu 13

La façon de marcher, comme tout autre geste ou comportement extérieur, peut révéler certaines particularités du caractère.

Quatre aspects de la démarche ont été examinés ici, représentés par la tête, le tronc, les bras et les jambes.

Vous devez trouver, parmi les types de démarches reproduits dans les dessins, celui qui se rapproche le plus du vôtre. Notez-le ou rappelez-vous le choix opéré pour chacun des quatre aspects.

(explications du test-jeu 13 page 39)

A

tronc rigide

1

tête immobile légèrement inclinée sur le menton

tête mobile, légèrement en avant ou dressée

B

tronc flexible

2

C

jambes ne quittant quasiment pas le sol, pieds plus glissés que la normale

3

bras généralement le long du corps

D

jambes lancées en avant, allure rapide

4

bras fortement balancés

Explications

Test-jeu 1 (La jeune fille lisant)

△ Si vous avez choisi 1+A, ce peut être la signature d'un être dont l'énergie est davantage tournée vers l'extérieur, doté d'un tempérament ouvert et expansif. Vous possédez une grande faculté d'adaptation aux circonstances et une puissance de réalisation considérable qui vous porte à aborder avec confiance les situations les plus délicates, en négligeant les doutes émis par autrui. Parfois même, votre absence de préjugés vous pousse à changer brusquement de route, votre entourage ayant alors du mal à vous suivre.

△ Si vous avez choisi 1+B, il en ressort une grande capacité à prendre des décisions immédiates, lorsque la réalité extérieure l'exige. Mais vous risquez de ne pas analyser la situation, et une certaine impulsivité vous pousse à en négliger certains aspects. Vos impulsions sont toujours vives et généreuses mais vous risquez d'en rester au stade des intentions, car vous êtes légèrement velléitaire et vous ne vous décidez pas toujours à achever ce que vous avez entrepris.

▲ Si vous avez choisi 2+A, vous êtes doté d'un tempérament réfléchi, naturellement enclin à la solitude, avec une tendance à rester sur la défensive. Si vous n'êtes pas porté à l'action au point de prendre la réalité à bras le corps, du moins êtes-vous suffisamment égoïste pour ne pas dépendre d'autrui. Vous avez l'art d'esquiver les situations délicates, si bien que, de votre coin, vous imaginez des astuces, qui vous permettent souvent de prendre l'avantage sans trop de mal.

▲ Si vous avez choisi 2+B, c'est le signe d'une vie intérieure très intense, que vous vous refusez à gâcher en la confrontant à la réalité. Vous avez un certain mal à vous adapter aux situations pratiques, d'où une tendance à rester souvent sur vos gardes, en limitant les rapports avec le monde extérieur. En contrepartie, vous allez au fond des choses et, comme de plus vous êtes généreux, ces qualités vous permettent d'établir des rapports intenses et affectifs avec les rares personnes que vous jugez dignes de votre confiance.

▲ Si vous avez choisi 3+A, vous êtes doté d'un tempérament sentimental, d'une sensibilité toujours prête à saisir les aspects émotifs de toute situation. Il s'y ajoute une vision pessimiste de la réalité, qui vous porte à limiter vos expériences. Votre vie sentimentale gagne ainsi en intensité ce qu'elle perd en élargissement et vous réussissez souvent à évaluer la situation de façon intelligente, bien que très personnelle.

▲ Si vous avez choisi 3+B, vous êtes un tantinet paresseux, et, à force de vivre enfermé dans votre monde, vous finissez par le trouver commode. Vous placez la tranquillité au-dessus de tout, même si, en ce qui vous concerne, il s'y glisse en réalité une pointe d'égoisme et de timidité. Vous avez une tendance à ne voir souvent que le côté négatif des choses, et votre regard désenchanté scrute à distance une réalité que vous méprisez souverainement.

△ Si vous avez choisi 4+A, vous avez une grande confiance dans votre intelligence à saisir ce qui permet d'agir efficacement sur la réalité, d'où une tendance à reléguer au second plan les exigences du sentiment. Face à une situation donnée, vous adoptez une attitude offensive, en tirant profit de vos expériences et de celles d'autrui. Mais vous agissez souvent impulsivement, ce qui complique un peu les choses, car vous n'êtes pas toujours en mesure de contrôler les conséquences de vos actes.

△ Si vous avez choisi 4+B, vous êtes doté d'un solide bon sens et d'une capacité à affronter toutes les situations avec suffisamment de réalisme. D'une façon générale, vous êtes voué au succès, car vous alliez à une intelligence pratique une bonne dose d'absence de scrupules qui vous permet de vous servir des autres pour parvenir à vos fins. Vous considérez les sentiments comme des faiblesses et vous ne restez donc pas englué dans des situations que vous n'êtes pas en mesure de maîtriser par la logique. Toutefois, vous devez éviter un excès de cynisme, qui ne se révèle pas toujours payant.

Test-jeu 2 (L'astronarche)

☐ Si vous avez choisi les animaux 2 (papillon), 4 (cheval), 7 (chien), 8 (koala), 10 (girafe), 12 (mouette) et 13 (gazelle), ou encore si votre choix comporte une majorité de ces animaux (au moins 5), vous êtes doté d'une forte émotivité et vos comportements sont liés essentiellement à la vie sentimentale. Vous êtes très sensible à tout ce qui touche aux sentiments : vous témoignez donc d'une impulsivité qui peut confiner à l'inconstance. Cette tendance à donner la primauté aux sentiments vous confère un tempérament légèrement anxieux, car votre raison ne parvient pas toujours à commander vos instincts. Vous avez beaucoup à donner sur le plan des relations sentimentales, mais on ne peut guère se fier à vous en toute certitude.

■ Si vous avez choisi les animaux 1 (fourmi), 3 (chameau), 5 (aigle), 6 (éléphant), 9 (lion), 11 (bœuf) et 14 (singe), ou si votre choix comporte une majorité de ces animaux (au moins 5), votre conduite est principalement dictée par la raison, instincts et sentiments étant relégués au second plan. Vous avez un caractère réfléchi, et vous faites donc preuve d'un comportement généralement équilibré, constant, responsable. Vous n'avez pas de graves motifs d'anxiété, car votre force logique vous confère sûreté et sérénité. Parfois, vous donnez l'impression d'une certaine sécheresse, toutefois votre réalisme est une garantie à la fois pour vous-même et pour votre entourage.

Si dans votre choix ne dominent ni les numéros 2-4-7-8-10-12-13 ni les numéros 1-3-5-6-9-11-14, autrement dit si vous avez 4 numéros dans un groupe et 3 dans l'autre, vous oscillez entre émotivité et logique, entre les choix sentimentaux et ceux dictés par la raison. Cet état contradictoire se révèle inconfortable. Vous êtes à la fois impulsif et réfléchi, inconstant et cohérent, irresponsable et responsable. On ne s'ennuie jamais avec vous, même si on a parfois bien du mal à vous suivre. Mais, d'un autre côté, vous êtes très humain, en raison précisément de cette richesse latente en vous. Et il y aurait de l'injustice à faire preuve à votre égard de préjugés ou à porter sur vous un jugement sommaire.

Test-jeu 3 (Rédigez vous-même les bulles)

☐ Si vous avez choisi les bulles A-D-F, c'est le signe d'une tendance à profiter des occasions perpétuellement offertes par la vie à ceux qui, comme vous, sont à l'affût. Vous êtes pratique et expéditif, efficace et même agressif le cas échéant. Chaque fois que cela est possible, vous essayez d'exploiter les circonstances, toujours à votre avantage, sans trop vous soucier de cohérence. Vous êtes subtil et peu porté aux concessions.

■ Si vous avez choisi les bulles B-C-E, vous avez un tempérament idéaliste et vous vous souciez moins des avantages matériels que des possibilités d'enrichissement intérieur. Vous agissez toujours en conformité avec votre choix fondamental, à savoir mettre à profit les circonstances pour connaître et vous connaître, pour aller au fond des choses, et même donner libre cours à votre imagination. Vous donnez parfois une impression de naïveté et vous témoignez souvent d'une prodigalité excessive. En revanche, vous êtes imbattable sur le plan des idées. Avec toutefois le risque de voir ces idées verser à la longue dans une certaine abstraction.

■ Si vous avez choisi les bulles A-C-E, B-C-F ou B-D-E, vous avez tendance à approfondir de préférence les aspects qui font progresser la connaissance, dans une certaine mesure au détriment des aspects liés au bien-être. Pourtant, le succès ne vous est pas indifférent, loin de là. Vous n'avez que mépris pour les prophètes aux mains nues incapables d'affronter les véritables problèmes. Vous êtes un idéaliste, mais animé de la volonté de traduire concrètement vos idéaux et vous savez tempérer votre imagination par un peu de concret. Vous êtes toujours capable de combiner astuce et audace avec la confiance ingénue qui est votre principale constante. Pour toutes ces raisons, vous êtes en mesure de réaliser concrètement vos idéaux, aussi êtes-vous très stimulant.

☐ Si vous avez choisi les bulles A-C-F, A-D-E ou B-D-F, vous êtes un esprit essentiellement pratique et vous attachez une grande importance au succès matériel. Mais vous avez également des idéaux, ainsi votre esprit pratique s'enrichit-il d'une juste proportion de fantaisie et de cohérence. Vous êtes de ces tempéraments forts qui, derrière maintes attitudes concrètes, efficaces et agressives, dissimulent une veine subtile de fantaisie, voire une certaine naïveté. Et des faiblesses de ce genre ne nuisent en rien à celui qui court après les séductions de la réalité.

Test-jeu 4 (Les embûches)

Explications du choix des lettres A ou B
◇ Si votre choix comporte une majorité de A, vous avez une tendance à compter presque exclusivement sur vos capacités aussi bien logiques que sentimentales. Vous êtes doté d'un tempérament sobre, en ce sens du moins que vous n'avez pas besoin de recourir à des expédients pour avoir confiance en vous. Vous ne cherchez pas au-dehors ce que vous savez ne trouver qu'en vous-même. Votre

intelligence et votre maturité vous portent à un optimisme modéré, car vous ne voyez pas pourquoi vous iriez vous prendre pour ce que vous auriez pu être mais que vous n'êtes pas et n'avez jamais été. Face à une situation donnée, vous avez tendance à garder une attitude indépendante, sans vous laisser conditionner ni par l'enfance ni par des superstitions ou fausses croyances. D'où un comportement fréquemment autoritaire qui fait que vous ne tolérez aucune forme de faiblesse ou de sujétion. Pour vous, ce que l'on peut attendre de la réalité doit être bien clair, aussi ne perdez-vous pas de temps en des pensées aussi compliquées que vaines, tout juste bonnes, à vos yeux, à empêcher d'aller de l'avant.

♦ Si votre choix comporte une majorité de B, cela dénote un besoin chez vous de vous appuyer constamment sur quelque chose ou quelqu'un, car vous êtes profondément conscient de votre faiblesse et de votre indécision. Parfois, vous vous autorisez un petit vice, un moyen pour vous de soulager vos tensions internes. D'autres fois, vous vous grisez de grandes idées, croyant ainsi vous mettre à l'abri de toutes les incertitudes. Vous êtes attiré par tout ce qui est mystérieux et inconnaissable, la réalité vous semblant trop limitée pour vous y cantonner. Rêver les yeux ouverts, telle serait en réalité votre véritable dimension. Vous êtes profondément attaché au passé, en particulier à l'enfance, soit que vous la considériez comme un âge mythique, soit que vous regrettiez de ne pas l'avoir vécue avec l'insouciance qui lui est propre.

Explications du choix des chiffres
Vos réponses comportent une majorité de A :
– Si avec les A dominent les 1, votre refus de toute forme de sujétion, logique ou sentimentale, s'exprime avec force dans la négation de toute forme de religion ou de superstition. Votre logique s'exerce en premier lieu contre toutes les attitudes irrationnelles et sortant du domaine de la réalité, d'où votre hostilité contre tout dogmatisme et toute dépendance spirituelle.

– Si avec les A dominent les 2, votre indépendance s'arrête au seuil de l'inconnaissable. C'est que, probablement, vous avez très peur de la mort, qui représente à vos yeux la négation même de la réalité, et vous vous efforcez donc de la récuser par tous les moyens.

– Si avec les A dominent les 3, ce peut être la signature d'un esprit indépendant et sûr de lui. Indépendance et assurance se traduisent chez vous par un comportement qui vous fait paraître cohérent, voire autoritaire. Dans les situations où la logique l'emporte, vous êtes gagnant. Tandis qu'une certaine sécheresse d'esprit vous dessert dans les circonstances exigeant une petite dose de sentiment.

– Si avec les A dominent les 4, il en ressort que votre esprit d'indépendance vous fait défaut à certains moments où vous ne savez plus quoi faire et vous vous laissez gagner par une certaine angoisse. Après tout, il n'est pas donné à tout le monde de se conduire perpétuellement en héros, et un peu de crainte de temps à autre est un signe d'humanité.

– Si avec les A dominent les 5, c'est le signe d'un esprit foncièrement indépendant, mûri dans l'épreuve. Au fond, vous ne dépendez de rien ni de personne. Une attitude durement forgée par les difficultés, ce qui explique la force de vos convictions, contrairement à tant de personnes faussement autoritaires. On peut sans crainte s'appuyer sur vous.

– Si avec les A dominent les 6, c'est le signe d'un esprit plutôt indépendant, du moins quand il n'est pas trop esclave du passé. Là réside en quelque sorte votre point faible; votre attachement excessif à certaines valeurs passées, notamment celles liées à votre enfance, soit que vous l'ayez vécue dans l'insouciance, soit que vous souhaitiez qu'il en ait été ainsi. On peut donc affirmer qu'un éternel enfant sommeille en vous, toujours prêt à se réveiller.

– Si avec les A dominent les 7, il en ressort que vous êtes libre de toute dépendance. Vous avez l'étoffe d'un chef ou d'un guide et votre vocation est, ou pourrait être, d'exercer votre autorité sur les autres, sans toujours tenir compte de leurs droits.

– Si avec les A dominent les 8, cela révèle le fond d'un caractère tiraillé entre des tendances contradictoires. Car si vous vous efforcez de satisfaire votre goût de l'indépendance et de vous suffire à vous-même, par ailleurs vous vous laissez dominer par la volonté d'un autre ou par des idées. Vos comportements trahissent parfois l'anxiété, l'incertitude, voire l'insatisfaction, car vous avez du mal à concilier votre goût de la liberté avec un besoin de vous laisser dominer.

Vos réponses comportent une majorité de B :
– Si avec les B dominent les 1, vous aimez dépendre d'une idée ou d'une personnalité, mais sur un plan purement pratique. Gare à celui qui tente de vous faire croire au mystère et aux superstitions, votre réaction peut alors être terrible et inattendue et, de toutes vos forces, vous combattez l'illogisme. Bref, il vous plaît de vous appuyer sur quelque chose ou quelqu'un, mais cette attitude s'arrête au seuil de l'inconnaissable et de l'irrationnel. Là où on ne comprend pas, on peut également avancer seul, pensez-vous. D'autant que, dans ces moments-là, on ne peut rien, ni pour soi ni pour personne.

– Si avec les B dominent les 2, votre dépendance se manifeste surtout dans le domaine de l'irrationnel et vous avez tendance à penser que la réalité de tous les jours a également des aspects mystérieux et inexplicables. Cette attitude commode ne vous facilite l'existence qu'en apparence, en réalité elle contribue à vous la compliquer un peu.

– Si avec les B dominent les 3, votre attitude n'est contradictoire qu'en apparence, car vous recherchez les appuis et, quand vous les avez trouvés, vous affichez une confiance enviable. En réalité, vous êtes profondément humain. Vous vous sentez faible, mais quelqu'un ou quelque chose vous tend-il la main, aussitôt vous retrouvez la démarche confiante de celui qui a les idées claires. Peu de gens naissent héros, mais beaucoup comme vous le deviennent lorsque c'est nécessaire au service d'un idéal ou d'une personne qui en est digne.

– Si avec les B dominent les 4, vous êtes perpétuellement en quête d'appuis extérieurs, mais alors même que vous les avez trouvés, vous ne réussissez pas toujours à vous sentir sûr de vous. La réalité vous angoisse dans tous ses aspects, particulièrement ceux sur lesquels le sentiment ne suffit pas à faire un peu de lumière.

– Si avec les B dominent les 5, vous éprouvez le besoin de vous appuyer sur quelque chose ou quelqu'un de présent ou de réel. Par exemple, vous avez horreur d'être prisonnier du passé, et surtout il ne vous viendrait pas à l'idée de vous tourner vers votre enfance pour y puiser de stériles consolations. Vous aimez affronter la réalité présente, là où les regrets sont vains. A tout prendre, vous êtes plus mûr que ne le donneraient à penser vos comportements de dépendance.

– Si avec les B dominent les 6, votre dépendance s'exerce surtout à l'égard du passé, en particulier de l'enfance. L'enfance, celle que vous avez réellement vécue, ou simplement que vous auriez souhaitée, constitue pour vous une référence constante. Il vous plaît de vous appuyer sur quelqu'un ou quelque chose et vous allez jusqu'à prétendre que les appuis ont la saveur et la couleur d'autres temps mythiques. Vous êtes foncièrement rêveur.

– Si avec les B dominent les 7, vous faites preuve d'une étrange attitude, car, une fois que vous avez puisé votre confiance en vous dans un quelconque appui, vous affichez alors une attitude des plus impérieuses. C'est le signe qu'en vous sommeille un autoritaire, qui n'attend qu'une occasion pour se manifester.

– Si avec les B dominent les 8, vous ne pouvez vous targuer ni d'indépendance ni d'autorité. A titre de consolation, il faut dire que les faiblesses ne sont pas toutes négatives. L'essentiel est de bien savoir s'entourer.

Test-jeu 5 (A l'aube arrive une barque)

○ Si vous avez choisi 1+A ou 3+A, vous avez une tendance à tout ramener à vous et, dans la majorité des cas, vous suivez votre instinct, qui vous pousse à exploiter au maximum toutes les circonstances, le cas échéant au détriment d'autrui. D'où votre mépris pour toutes les idées susceptibles de tempérer votre égoïsme, que vous considérez comme des formes de faiblesse inutiles. Vous êtes bien tel que vous êtes et préférez suivre vos impulsions, qui ne vous détournent jamais de l'unique route à suivre à vos yeux : votre intérêt.

○ Si vous avez choisi 1+B ou 3+B, vous suivez vos impulsions, qui vous poussent immanquablement à mettre votre « moi » au centre de vos préoccupations. Toutefois, il n'entre aucune méchanceté dans votre comportement, car cet égocentrisme, inné, vous met par ailleurs à l'abri de toute mesquinerie et, dans une certaine mesure, vous oblige à voir grand. Bref, vous êtes fort et sincère, qualités appréciées par votre entourage, même s'il doit par ailleurs subir les conséquences de votre égocentrisme. Toujours est-il que vous êtes de ces tempéraments forts, capables de se faire valoir et de faire face à toute situation avec détermination, sans faiblesses sentimentales.

● Si vous avez choisi 2+A ou 4+A, loin d'être centré uniquement sur vous-même, vous cherchez fréquemment à concilier vos intérêts avec les besoins des autres, surtout lorsque vos mobiles sont dictés par un idéal qui vous pousse à dominer vos instincts. En résumé, vous considérez que tout enrichissement spirituel est indispensable pour améliorer les rapports avec autrui et atténuer votre égoïsme primitif.

● Si vous avez choisi 2+B ou 4+B, vous n'êtes pas foncièrement égoïste, puisque vous vous efforcez de comprendre et de respecter les besoins et désirs d'autrui. Aussi accueillez-vous volontiers tout ce qui est susceptible de vous enrichir sur le plan culturel et de vous éloigner des impulsions les plus frustes. Mais vous n'agissez pas toujours avec la détermination voulue et parfois vous imaginez mille ruses pour vous faire passer pour ce que vous n'êtes pas en réalité.

Test-jeu 6 (Qu'arrive-t-il au Petit Chaperon Rouge ?)

◇ Si vous avez choisi 1+A ou 2+A, vous êtes du genre à mener tout seul votre barque : vous êtes libre de toute dépendance et agissez sans vous laisser dominer par les sentiments et les idées. Vous possédez une grande maturité de caractère et affichez un certain désenchantement vis-à-vis du passé. D'où, chez vous, une assurance foncière, qui confine parfois à l'autoritarisme. Votre interlocuteur vous donne parfois l'impression d'être prisonnier d'idées et d'émotions, susceptibles de le détourner de ses objectifs, aussi cherchez-vous à balayer ce que vous jugez des enfantillages inutiles. Votre tempérament plutôt emporté vous amène parfois à manquer de l'objectivité indispensable, et du coup vos interventions peuvent être pénibles, voire peu justifiées. Vous êtes d'un caractère susceptible et chatouilleux.

♦ Si vous avez choisi 3+B ou 4+B, il en ressort une tendance à vous mettre au service d'une idée ou d'un sentiment, inconsciemment, au détriment de votre propre intérêt. Vous avez un fond mélancolique, qui vous pousse à rechercher des appuis, et vous ne témoignez pas toujours d'une maturité suffisante pour faire face seul à la réalité, ne serait-ce que parce que vous êtes conditionné par votre passé, en particulier par certaines expériences sentimentales vécues dans l'enfance. D'où une tendance à vous laisser fréquemment porter par les autres, au risque de brider votre personnalité la plus secrète et authentique. Ayez davantage foi en vos possibilités et laissez-vous guider plus souvent par votre sensibilité et votre richesse sentimentale.

Si vous avez choisi 1+B ou 2+B, votre comportement est constamment contradictoire, car vous partez avec l'intention de vous débrouiller tout seul et, finalement, vous n'arrivez pas à vous affranchir de vos sentiments et de vos idées, qui parfois vous détournent du but. Bref, votre goût de l'indépendance est très relatif. Vous croyez être mûr et responsable, alors qu'en réalité vous êtes conditionné par le passé et les expériences vécues dans l'enfance. Et quand vous vous réfugiez dans le cynisme, si ironique et intelligent soit-il, vous n'en retirez guère de satisfaction car, et vous le savez, le succès n'est acquis qu'à celui qui ne doute pas.

Si vous avez choisi 3+A ou 4+A, tout d'abord vous acceptez volontiers une certaine subordination, commode à vos yeux, ensuite vous cherchez à vous rebiffer pour recouvrer une attitude d'indépendance, pas toujours convaincante. Confronté à des situations nouvelles, vous manquez de confiance en vous, car vous êtes toujours sous la dépendance de votre passé, et notamment de votre enfance. Mais, à l'épreuve des faits, vous retrouvez une assurance et une maturité dont, au début, vous n'aviez pas suffisamment tenu compte. L'envie vous prend alors de changer totalement d'attitude, et vous risquez de tomber dans l'autoritarisme le plus intransigeant.

Test-jeu 7 (Deux situations)

☐ Si vous avez choisi 1+A ou 2+A, vous êtes doté d'un tempérament impulsif, c'est-à-dire que vous agissez de façon spontanée et

irréfléchie, sans que votre volonté puisse intervenir. Naturellement vous êtes aussi prompt à changer de décision qu'à en prendre, au risque de vous contredire. Ce qui fait que vous donnez l'impression d'être instinctif et versatile, même si vous attribuez vos brusques changements de comportement à votre imagination, toujours prête à vous stimuler. Dans le fond, vous êtes inconstant. Mais la versatilité n'est pas toujours un défaut, quand la réalité est elle-même si changeante.

☐ Si vous avez choisi 1+B ou 2+B, c'est l'indice d'une nature prompte à prendre des décisions irréfléchies, au risque de buter contre des obstacles, qu'un peu plus de réflexion aurait permis de prévoir aisément. Vous agissez le plus souvent guidé par votre instinct, et vous en êtes conscient, mais une fois que vous avez pris une décision, si irréfléchie soit-elle, vous la défendez avec une opiniâtreté qui peut paraître déraisonnable.

☐ Si vous avez choisi 1+C ou 2+C, c'est le signe d'un tempérament porté à agir spontanément, sous l'impulsion du moment. Il ne faudrait toutefois pas en déduire que vous êtes fantasque ou imprévisible, car vos comportements sont dictés par une intuition particulière qui vous trompe rarement. Vous donnez l'impression d'une personne pratique, dotée d'un jugement sûr et immédiat. Dans le fond, malgré votre impulsivité, avant de vous risquer à porter un jugement, vous faites appel à votre expérience et à celle des autres, ce qui vous sauve dans maintes circonstances. Ensuite, quand vous passez à l'action, vous le faites sans crier gare mais avec un grand sens pratique, et vous atteignez ainsi votre objectif.

☐ Si vous avez choisi 1+D ou 2+D, vous êtes doté d'un tempérament impulsif, et vous faites appel à votre imagination pour adopter des attitudes susceptibles de déconcerter les autres. Vous ne pouvez pas toujours vous fier à votre intuition, car souvent s'y mêlent de multiples motifs surgis du plus profond de vous-même. Avec une facilité déconcertante, vous lancez en l'air idées et projets, ne serait-ce que pour brouiller les cartes. Aussi votre entourage ne peut-il guère compter sur votre cohérence et doit-il surtout se montrer disposé à vous croire aveuglément.

■ Si vous avez choisi 3+A ou 4+A, vous ne prenez une décision qu'après l'avoir mûrement réfléchie. C'est-à-dire que vous freinez vos impulsions et que vous vous efforcez toujours de prévoir les conséquences de vos actes. Toutefois, vous êtes incapable de rester fidèle à votre décision et vous en changez à la première occasion.

■ Si vous avez choisi 3+B ou 4+B, c'est la signature d'une nature réfléchie, qui se méfie donc de l'imagination, que ce soit la sienne ou celle des autres. L'imagination, selon vous, empêche de se sentir ancré à la réalité et n'est bonne qu'à embrouiller les idées. Mais une fois que vous avez fait vos choix, vous les défendez avec une

Voici, à droite, la deuxième double page entrant dans le cadre du test de la sexualité. Vous rappelez-vous votre choix précédent : A ou B ? A présent c'est entre I, correspondant à l'objet photographié sur cette page, et II, celui figurant au verso, que vous devez choisir. Notez votre choix entre I et II, en l'ajoutant au premier opéré entre A et B. Vous trouverez page 180 les significations psychologiques de ces deux premiers choix.

opiniâtreté excessive. Selon vous, il ne faudrait jamais se fier à son instinct, mais à force d'être raisonnable à tout prix et de garder toujours la tête sur les épaules, on finit par mécontenter tout le monde, à commencer par soi-même. Un peu plus de souplesse vous serait salutaire, ainsi qu'aux autres. Sinon, comment se sortir de toutes les contradictions des sentiments ?

■ Si vous avez choisi 3+C ou 4+C, c'est le signe que vous pesez longuement une décision avant de la prendre, aussi limitez-vous les risques. Vos raisonnements sont simples et clairs et l'on peut se fier à vous, d'autant que vous ne négligez à aucun moment le côté pratique des choses. Au fond, vous aimez percer le caractère de votre interlocuteur et vous êtes généralement très fort pour tirer profit des expériences d'autrui, et pas seulement des vôtres. Vous vous méfiez des débordements d'imagination, mais ne les évitez pas automatiquement, conscient que, parfois, même les échecs peuvent être salutaires.

■ Si vous avez choisi 3+D ou 4+D, c'est l'indice que vous attachez une grande valeur à la réflexion, quand il s'agit de prendre une décision. Mais, comme vous êtes très satisfait de vous-même et de vos idées, c'est surtout sur vous que vous réfléchissez, sur vos expériences et — pourquoi pas ? — sur votre génie. Aussi donnez-vous l'impression d'être un peu trop sectaire dans vos jugements, parfois même autoritaire. Vous aimez les complications, particulièrement dans les rapports sentimentaux, et vous ne vous laissez jamais aller complètement. Cet excès de confiance en vous ne vous pèse-t-il pas, parfois ?

Test-jeu 8 (Un crime mystérieux)

○ Si vous avez choisi A+2, A+4, D+2 ou D+4, c'est le signe que vous placez votre «moi» au centre de vos préoccupations et que vous ramenez tout à vous. Vous préférez suivre votre instinct plutôt que de vous laisser entraver d'une quelconque façon par vos sentiments. D'où cette impression de force et de détermination que vous donnez. Toutefois, votre point faible réside dans votre méfiance à l'égard de la culture qui, à vos yeux, comporte trop d'incertitudes. Quand vous laissez parler votre nature, vous êtes authentique et affichez vos qualités sans hypocrisie, c'est le moins qu'on puisse dire.

● Si vous avez choisi B+1, B+3, C+1 ou C+3, vous avez tendance à confronter vos instincts aux exigences de la réalité extérieure. En résumé, votre égoïsme est modéré, en ce sens qu'il prend en compte les droits des autres. Aussi, avant d'écouter vos impulsions, vous efforcez-vous en toutes circonstances de saisir et d'approfondir un problème sous toutes ses faces. Vous êtes attiré par tout ce qui est lié à la culture, que vous considérez comme un moyen de vous élever. Parfois un excès de logique vous pousse à vous conduire avec une pointe d'opportunisme et à régler votre comportement selon les circonstances. La culture, lorsqu'elle est utilisée à des fins trop individualistes, peut devenir un habile instrument de mimétisme.

Si vous avez choisi A+1, A+3, B+2, B+4, C+2, C+4, D+1 ou D+3, vous êtes tiraillé entre des tendances contradictoires, qui vous poussent d'un côté à imposer coûte que coûte votre volonté, de l'autre à respecter dûment les droits de votre prochain. Vous pouvez parvenir à une facilité d'adaptation tout à fait exceptionnelle si vous

réussissez à conjuguer vos instincts égoïstes et vos bonnes intentions. En revanche, si vous n'arrivez pas à garder le juste milieu, vos contradictions apparaissent alors au grand jour et vous donnez l'impression d'être tour à tour égoïste et respectueux des autres, avec le risque d'être incompris et de finir par avoir du mal à vous juger vous-même à votre juste valeur.

Test-jeu 9 (Le portrait)

△ Si vous avez choisi B+1, B+2, C+1 ou C+2, vous êtes doté d'une nature très sociable et vous recherchez la compagnie de vos semblables, principalement dans l'espoir de vous singulariser. Vous vous jetez dans les situations nouvelles et stimulantes avec une audace frisant parfois la témérité. Vous êtes prêt à tout quand il s'agit de vous affirmer, et c'est ce besoin perpétuel de vous mesurer aux autres qui constitue le trait principal de votre caractère.

▲ Si vous avez choisi A+3, A+4, D+3 ou D+4, vous n'êtes guère sociable, vous aimez la solitude au point de paraître parfois timide aux yeux de votre entourage.

▲ Si vous avez choisi A+1, A+2, D+1 ou D+2, vous êtes réservé et peu sociable de prime abord. Mais ensuite, si les circonstances sont propices et stimulantes, vous vous montrez ouvert et cordial. Somme toute, vous affichez tout d'abord un mélange d'idéalisme et d'égoïsme pour finir avec un réalisme frisant l'enthousiasme. Ces comportements contradictoires, s'ils ne vous étonnent pas vous-même, car vous vous connaissez bien, risquent en revanche de déconcerter votre entourage.

△ Si vous avez choisi B+3, B+4, C+3 ou C+4, vous prenez d'abord plaisir à vous mesurer avec les autres ou avec la réalité, puis votre enthousiasme du début faiblit, et vous vous repliez sur vous-même, risquant alors de paraître à la fois orgueilleux et timide. Vos feux d'artifice du début sont voués à s'éteindre rapidement s'ils ne sont pas alimentés par quelqu'un ou quelque chose. Mais les autres ne sont pas toujours disposés à jouer ce rôle.

Test-jeu 10 (Le banc vide)

■ Si vous avez choisi A+1, vous avez confiance en vos facultés spirituelles et aspirez à une existence conforme à certains idéaux. Loin de capituler devant la réalité, vous cherchez à lui imprimer la marque de votre pensée. Fort de votre conviction que la vie est en perpétuel mouvement, vous jugez qu'il ne faut pas trop s'attacher aux valeurs du passé. Votre fantaisie vous pousse à combattre tous préjugés et conformismes. Pour vous, suivre la logique du progrès se révèle une exigence primordiale.

■ Si vous avez choisi A+2, vous donnez, dans vos comportements, la priorité à vos idéaux sur les faits concrets. Il vous plaît de comprendre d'abord, de réaliser ensuite, et vous agissez en conformité avec les valeurs qui inspirent votre existence. Vous tombez parfois dans le dogmatisme et n'admettez aucune discussion touchant à vos certitudes. Votre capacité de réalisation, déjà faible au départ, est entravée par une forte imagination, qui vous porte à courir après les utopies et vous berce de l'illusion de pouvoir mépriser les réalités.

■ Si vous avez choisi A+3, vous agissez toujours en conformité avec vos idées et vous vous contredisez rarement, aussi votre attitude normale est-elle marquée par la cohérence. Vous êtes idéaliste, porté à comprendre et approfondir divers problèmes et situations, et vous manquez de l'imagination indispensable pour changer d'attitude lorsque l'adaptation continue de vos idéaux l'exige. Parfois, vous témoignez d'une certaine intransigeance dans la défense de vos intérêts et vous finissez même par apparaître un peu naïf. Du moins, vous ne surprenez jamais votre entourage par vos contradictions.

□ Si vous avez choisi B+1, vous attachez plus de prix au bien-être matériel qu'à l'approfondissement des problèmes. Votre esprit positif et pratique est le gage de vos succès matériels. Un tantinet opportuniste, vous êtes toujours prêt à envisager toutes les alternatives. Toutefois, vous êtes plus conservateur que rénovateur, ce qui vous pousse à épouser les idées de la majorité, qui, à vos yeux, sont des instruments commodes de succès. Votre code moral est donc celui de la majorité qui vous entoure.

□ Si vous avez choisi B+2, vous êtes doté d'un grand sens pratique et d'un esprit positif. Vous ne vous fatiguez pas à rechercher des idées ou des modèles de comportement; ceux de la majorité vous suffisant, vous les adoptez sans discuter. Vous êtes plutôt opportuniste, prompt à tirer parti des circonstances, naturellement toujours à votre avantage. Efficace, rusé même, vous avez l'étoffe d'un homme d'action, d'un réalisateur ne s'embarrassant pas trop d'idéalisme.

□ Si vous avez choisi B+3, vous agissez avec beaucoup de réalisme et attachez un prix plus élevé au bien-être matériel qu'à la connaissance abstraite. Vous êtes doté d'un solide sens pratique qui vous pousse à des réalisations concrètes, et vous êtes suffisamment efficace pour mener à terme vos projets. Vous êtes un opportuniste, toujours prêt à utiliser les circonstances à votre avantage.

Test-jeu 11 (Répondez à cette fillette)

□ Si vous avez choisi A ou C et écarté B ou D, vous êtes foncièrement émotif, doté d'une profonde sensibilité, mais vos tendances inconscientes vous poussent à réagir négativement aux stimulations du monde extérieur. Vous êtes impulsif et, surtout, vous ne prenez pas à cœur les responsabilités qui vous incombent, et vous ne vous souciez pas des conséquences préjudiciables de votre fragilité. Étant dépourvu de logique, vous êtes ébloui par les personnes responsables, comme si vous étiez le seul à ressentir ces émotions qui vous conditionnent si fortement.

■ Si vous avez choisi B ou D et écarté A ou C, vous possédez une puissance de logique considérable, si bien que vos jugements sont toujours équilibrés et vos décisions stables. Vous vous estimez à votre juste valeur, aussi êtes-vous le plus souvent serein et sûr de vous. Doté d'un sens profond des responsabilités, vous éprouvez une méfiance instinctive envers ceux qui sont le jouet de leurs émotions et font preuve d'impulsivité et de manque d'assurance.

Votre entourage sait qu'il peut compter sur votre pouvoir de réflexion, même si parfois le résultat peut être une certaine sécheresse d'esprit.

Si vous avez choisi B et écarté D, et si vous avez choisi D et écarté B, vous avez une tendance à mesurer toute chose avec le mètre de la logique et de la réflexion. Toutefois, vous êtes également prompt à vous contredire en cédant à vos émotions et vos incertitudes sentimentales. Vous vivez donc dans un état de tension perpétuelle qui, à certains égards, vous rend disponible et humain. Si vous donnez une impression d'équilibre et de réalisme, au fond de vous-même vous vous livrez un perpétuel combat contre vos impulsions et certaines formes d'irresponsabilité.

Si vous avez choisi A et écarté C, ou si vous avez choisi C et écarté A, vous êtes de ces émotifs passant leur existence à souhaiter devenir logique et réfléchi. Vous avez un tempérament impulsif, inconstant, peu sûr, mais il y a en vous une aspiration à la maîtrise de soi, l'assurance et la sérénité. Surtout, vous faites preuve d'un comportement irresponsable, même si cette exigence contradictoire de responsabilité demeure en vous. Somme toute, vous êtes en proie aux contradictions d'une grande partie de l'humanité, ce qui vous rend si sympathique.

Test-jeu 12 (Une image venue de l'espace)

◇ Si vous avez choisi A et écarté B, vous vous sentez sûr de vous, signe d'une grande indépendance d'esprit : vos facultés mentales et sentimentales vous suffisent, de sorte que vous n'avez besoin de rien ni de personne. Et vous éprouvez un certain agacement envers les personnes soumises à une quelconque forme de dépendance.

◇ Si vous avez choisi A et écarté C, vous avez un goût prononcé de l'indépendance, de sorte que pour agir vous n'avez besoin de rien ni de personne. Vous ne recherchez que ce qui est en conformité avec vos sentiments et vos idées logiques. Vous n'avez que mépris pour ceux qui professent un attachement particulier à leur enfance, une attitude qui cache une sorte de refus de vos premières expériences. D'où un certain manque de chaleur dans vos comportements.

◇ Si vous avez choisi A et écarté D, vous témoignez d'une grande confiance en vous et n'agissez certes pas en fonction de facteurs étrangers à votre expérience, rationnelle ou sentimentale. Vous éprouvez un certain agacement envers les personnes complètement détachées de leur enfance, signe que vous attachez de l'importance à votre passé et que votre assurance n'exclut pas une certaine chaleur. Dans un certain sens, vous avez un comportement contradictoire.

◆ Si vous avez choisi B et écarté C, vous manquez intérieurement d'assurance, de sorte que vous vous sentez tranquillisé si vous pouvez vous appuyer sur les idées d'autrui ou sur quelqu'un en mesure de vous rassurer. Cependant, vous éprouvez une certaine répugnance à revenir sur le passé, en particulier sur votre enfance, signe qu'elle vous a marqué négativement.

◆ Si vous avez choisi B et écarté D, vous ressentez le besoin de vous appuyer continuellement sur quelque chose ou quelqu'un pour acquérir de l'assurance. Vous êtes particulièrement attaché aux expériences de votre enfance, que vous êtes vraisemblablement enclin à idéaliser.

♦ Si vous avez choisi C et écarté D, c'est le signe d'un profond sentiment d'insécurité. Pour le surmonter, vous cherchez à vous appuyer de préférence sur les expériences du passé, surtout de l'enfance, que vous ressentez comme un âge heureux et mythique. Le présent vous conduit souvent au pessimisme.

♦ Si vous avez choisi B et écarté A, vous êtes en quête d'appuis extérieurs dans le domaine sentimental aussi bien que rationnel. D'un côté, vous êtes attiré par les personnes sûres d'elles, car vous en avez besoin, de l'autre vous éprouvez un certain agacement à leur égard car vous les considérez comme des êtres durs et insensibles face auxquels votre nature pessimiste est presque toujours perdante.

♦ Si vous avez choisi C et écarté A, vous êtes de ces personnes très attachées à leur passé, en particulier à l'enfance. Vous éprouvez un certain agacement à l'égard des gens sûrs d'eux. Vous vous consolez en pensant que ceux qui n'ont pas besoin des autres sont généralement des individus dépourvus de sensibilité.

◊ Si vous avez choisi D et écarté A, vous affichez une bonne dose de confiance en vous, que certains jugent un peu cynique, car vous êtes souvent détaché de tout lien avec l'enfance. Mais il y a en vous une certaine contradiction, car vous éprouvez quelque agacement envers les personnes possédant votre assurance. Parfois, cependant, votre confiance en vous révèle des failles, dans le domaine du sentiment ou de la logique.

♦ Si vous avez choisi C et écarté B, vous êtes profondément attaché à votre passé, notamment à votre enfance. Cette attitude est, dans une certaine mesure, signe d'immaturité, ne serait-ce que parce que vous affichez le plus parfait mépris pour tous les êtres peu sûrs d'eux et qui ressentent le besoin de s'appuyer sur quelque chose ou quelqu'un.

◊ Si vous avez choisi D et écarté B, vous possédez une grande confiance en vous qui vous porte à vous affranchir de votre passé, en particulier des expériences de votre enfance. On peut voir une autre preuve de votre maturité dans ce léger agacement que vous éprouvez à l'égard des êtres qui se laissent dominer par quelque chose ou quelqu'un, que ce soit dans le domaine des sentiments ou celui des idées.

◊ Si vous avez choisi D et écarté C, vous possédez une confiance en vous enviable, qui vous rend libre de toute dépendance du passé, notamment des liens de votre enfance. Autre preuve de votre indépendance d'esprit et de votre maturité, votre agacement devant toute forme de dépendance, logique ou sentimentale, liée notamment au passé.

Test-jeu 13 (Votre démarche)

▲ Si vous avez choisi A+1 + C+3, vous ne montrez guère d'enthousiasme quand il s'agit d'affronter la réalité extérieure. Vous

préférez vous isoler dans vos pensées, à l'écart des autres.

▲ Si vous avez choisi A+1 + C+4, vous n'êtes guère sociable et vous préférez vous replier sur vous-même pour réfléchir. Cela étant, vous n'aimez pas rester à vous tourner les pouces et vous vous engagez sérieusement, quand la situation vous semble présenter de l'intérêt, surtout sous l'angle culturel et sentimental.

▲ Si vous avez choisi A+1 + D+3, vous n'aimez guère affronter les situations concrètes et vous préférez observer la réalité et porter sur elle un jugement subjectif. Toutefois, vos conclusions, lorsque vos jugements s'expriment dans le domaine culturel ou sentimental, sont souvent positifs, vous parvenez même à conserver un fond d'optimisme. Aussi, même si vous n'êtes pas très sociable, réussissez-vous à bâtir du solide.

Si vous avez choisi A+1 + D+4, vous êtes peu sociable et vous affichez une grande réserve dans vos contacts avec les autres. Mais, par ailleurs, vous aimez vous engager activement chaque fois que la situation vous stimule. Vous professez alors un optimisme en mesure de vous attirer le succès dans le domaine culturel ou sentimental. Vous êtes incontestablement la proie de contradictions, et c'est surtout votre entourage qui subit les conséquences de cette attitude.

▲ Si vous avez choisi A+2 + C+3, vous n'aimez guère être aux prises avec les réalités, du fait surtout de votre attitude pessimiste, qui freine souvent vos élans. Vos profondes contradictions se manifestent surtout vis-à-vis des autres, car vous vous montrez tantôt.ouvert et confiant, tantôt renfermé et obstinément replié sur vous-même.

Si vous avez choisi A+2 + C+4, vous êtes la proie de contradictions internes, avec lesquelles vous devez compter chaque fois qu'il vous faut affronter des situations concrètes. Tantôt vous débordez d'activité, tantôt vous sombrez dans le pessimisme et renoncez avant même d'essayer. Vous êtes également déconcertant dans vos contacts humains, car vous passez brusquement d'une attitude peu sociable, voire hostile, à une cordialité débordante. Le résultat est que les autres ne vous comprennent pas, pas plus que vous-même.

Si vous avez choisi A+2 + D+3, vous possédez des qualités et des défauts qui, dans le meilleur des cas, s'équilibrent, et, dans d'autres, vous poussent à certaines contradictions. D'un côté, vous êtes foncièrement optimiste et donc enclin à considérer les situations avec un certain enthousiasme. De l'autre, le courage vous manque pour vous engager trop ou trop longtemps. Aussi restez-vous souvent au stade des intentions. De même, dans vos contacts avec les autres, vous apparaissez tour à tour ouvert et disponible, peu sociable et renfermé.

△ Si vous avez choisi A+2 + D+4, vous avez de bonnes chances de jouer vos meilleures cartes sur la table de la réalité, car vous aimez prendre la réalité à bras le corps, ce que vous faites avec un optimisme foncier qui vous facilite presque toujours les choses. Votre point faible serait les contacts humains; car si, au départ, vous êtes disponible et ouvert, vous vous repliez vite sur vous-même, de façon à préserver votre intimité.

▲ Si vous avez choisi B+1 + C+3, vous n'êtes guère enclin à prendre la réalité à bras le corps et préférez vous isoler dans vos pensées et les ruminer. Du coup, vous donnez l'impression d'être réservé dans vos contacts humains. Et si parfois vous éprouvez brusquement le besoin de communiquer avec les autres, alors vous vous lancez avec un rien d'improvisation.

Si vous avez choisi B+1 + C+4, vous êtes enclin à prendre la réalité à bras le corps, mais c'est parfois le pessimisme qui prend le pas sur un enthousiasme naturel. Dans ce cas, vous stoppez toujours vos premiers élans. Vos contradictions se manifestent également dans vos contacts avec autrui, car vous passez d'une cordialité excessive à la réserve la plus farouche. A ces moments-là, vous n'êtes pas très clair avec vous-même et il vous devient très difficile de vous faire comprendre de votre entourage.

Si vous avez choisi B+1 + D+3, malgré une bonne dose d'optimisme, qui devrait suffire à stimuler votre élan naturel, vous n'arrivez pas toujours à trouver en vous la force indispensable pour mener à terme les initiatives qui vous tiennent à cœur. A cela s'ajoutent certaines contradictions dans vos rapports avec les autres, qui sont déconcertés par votre attitude tour à tour sociable et renfermée.

△ Si vous avez choisi B+1 + D+4, vous avez une grande facilité à affronter la réalité, ne serait-ce que parce que vous êtes foncièrement optimiste, et cette attitude vous facilite les choses lorsque vous abordez une situation nouvelle. Vous auriez tendance à être très sociable dans vos contacts avec les autres, si vous n'étiez freiné par une certaine réserve, dont vous ne parvenez pas à vous défaire et qui vous pousse sans raison à vous replier sur vous-même.

Si vous avez choisi B+2 + C+3, vous avez un grand besoin des autres, d'où cette aisance dans vos contacts humains, qui, chez vous, sont ouverts et spontanés, du moins au début. A la longue, le pessimisme revient, alors toutes vos bonnes intentions tombent à l'eau.

△ Si vous avez choisi B+2 + C+4, vous avez la faculté d'affronter les situations franchement et avec une détermination suffisante. Il vous plaît de vous mesurer loyalement avec les autres, aussi donnez-vous l'impression d'être ouvert et sociable. On vous reproche un certain pessimisme, qui freine de temps à autre vos élans. Mais vous avez fait l'expérience qu'une certaine prudence évite bien des erreurs, c'est donc par calcul que vous adoptez cette attitude.

△ Si vous avez choisi B+2 + D+3, vous débordez de vitalité dans vos contacts humains et vous donnez l'impression d'être ouvert, sociable, voire disponible. De plus, vous êtes foncièrement optimiste, ce qui explique qu'on recherche volontiers votre compagnie. Aux prises avec la réalité, vous réussiriez mieux si vous étiez un peu moins paresseux et moins enclin à vous replier sur vous-même.

△ Si vous avez choisi B+2 + D+4, vous avez toutes les qualités requises pour bien vous intégrer dans la réalité et en retirer le plus grand nombre de satisfactions. Vous prenez plaisir à aborder les situations toute nouvelles et vous le faites avec un rien de témérité qui ne peut faire de mal. Votre forte dose d'optimisme vous met à l'abri des découragements et vous pousse à faire preuve d'une attitude constructive et réaliste devant les difficultés. Dans vos rapports humains, vous êtes ouvert et sociable, une attitude qui vous facilite les choses dans les domaines pratique et sentimental.

Les psychocontes

Pour mettre en évidence un aspect de la personnalité, il existe un autre moyen, qui consiste à commenter un événement ou un comportement et à porter sur eux un jugement, spontané ou raisonné. A partir de là, j'ai imaginé quatre contes. Lisez-les sans arrière-pensée, en vous abandonnant à votre imagination et au plaisir que vous procure leur lecture. A la fin de chaque conte figure une méthode, très simple, destinée à faire de chaque récit un « psychoconte » : en d'autres termes, à convertir en un véritable test un petit monde de faits et de comportements. En substance, une série de questions est présentée, se rapportant chacune à tel fait ou tel personnage du conte. Vous êtes invité à y répondre spontanément par OUI, par NON ou par JE NE SAIS PAS.
Vous découvrirez alors plusieurs traits de votre personnalité, mais je ne vous dis pas lesquels, pour ne pas vous retirer le plaisir de la surprise. Comme tous les véritables jeux, ces tests sont plus valables si on les aborde sans être sur ses gardes.

Révolte à la cuisine

Psychoconte 1

Dans le château du puissant Cratipone, une scène se renouvelait souvent, qui mettait tout le monde mal à l'aise. Lorsqu'un invité honorait sa table, Cratipone, à la fin du repas, posait invariablement la même question :
– Que pensez-vous de ma table ?
– Fantastique ! Exceptionnelle ! Surtout le gibier.
Telle était pratiquement chaque fois la réponse. Alors Cratipone insistait avec une angoisse non dissimulée :
– Et que dites-vous des vins ?
– Pour être franc, ils ne sont pas à la hauteur des mets.
Cette critique unanime de la médiocre qualité de ses vins mettait Cratipone dans une belle colère, homme très gourmand, qui ne vivait que pour manger. Et dire que, depuis si longtemps, Cratipone avait engagé comme cuisinier un magicien du nom de Briccardin, très habile dans toutes les pratiques de magie. A la fin de chaque repas, Cratipone lui demandait :
– Me diras-tu pourquoi tu ne réussis jamais à me faire du bon vin ?
Et, invariablement, Briccardin répondait :
– Les vins ne sont pas mon fort, noble seigneur. Tout artiste a son point faible.
Cet aveu ne faisait qu'attiser la fureur de Cratipone, qui menaçait Briccardin de châtiments terribles. Celui-ci s'en retournait à la cuisine, tout mortifié et chagrin. La cuisine était une immense salle, qu'emplissaient feux et fumée, où le magicien évoluait avec solennité, comme dans un antre magique. En réalité, il jugeait sa condition indigne de lui : alors qu'il possédait un diplôme supérieur de magicien, il en était réduit à pratiquer de la magie de cuisine. Et, surtout, ce problème insoluble des vins le plongeait dans une angoisse indicible. Il avait beau expérimenter chaque jour quelque nouvelle mixture avec ses alambics, jamais il n'arrivait à faire un vin convenable.
Un jour, un étranger vint s'asseoir à la table de Cratipone. Et, à la question finale sur les vins, il répondit :
– Vos vins, noble seigneur, ne sont pas à la hauteur des mets.
Et, voyant la mine déconfite de Cratipone, l'hôte poursuivit :
– Je connais le noble Magazou, qui en fait d'exceptionnels.
– Où habite-t-il ? s'enquit anxieusement Cratipone.
– Loin d'ici.
– Je puis envoyer un messager. Croyez-vous qu'il sera disposé à m'en vendre ?
– Impossible. Il est terriblement jaloux de ses vins, qui sont uniques au monde.

Découragé, Cratipone rentra la tête dans les épaules. Mais l'hôte poursuivit :
— Il y aurait peut-être un moyen d'avoir ses vins.
— Lequel ?
— Il est veuf depuis quelque temps et s'est mis en quête d'une femme jeune pour adoucir ses vieux jours.
— J'ai une fille, cria Cratipone.
L'hôte eut un sourire.
— J'ai eu justement la chance de la rencontrer en pénétrant dans le château. Elle est en effet très belle. Si vous réussissiez à arranger le mariage, vous pourriez échanger vos spécialités. Vous, votre délicieux gibier, et Magazou, ses vins incomparables. C'est alors que votre table deviendrait véritablement digne des dieux.
Cratipone accueillit avec enthousiasme l'idée de l'hôte étranger. Il délégua aussitôt, chez le vieux et noble Magazou, un messager chargé de lui proposer la main de sa fille, dont il vantait la jeunesse et la beauté. Le noble Magazou fit répondre qu'il accepterait volontiers pour épouse la fille de Cratipone. A une condition toutefois : pouvoir admirer son visage avant de signer le contrat de mariage.

En somme, il demandait un portrait de la jeune fille comme condition préalable au mariage. Cratipone donna aussitôt l'ordre de rechercher un peintre de talent, capable de faire un portrait ressemblant de sa fille qui, de caractère docile, n'oserait pas s'opposer à la volonté paternelle.

La nouvelle que l'on recherchait un bon peintre se répandit comme une traînée de poudre dans la région et parvint ainsi aux oreilles d'un jeune noble, beau mais sans le sou, qui répondait au nom de Hans. Un jour qu'il chassait en cachette dans les réserves de Cratipone, il avait vu passer à cheval la fille du noble seigneur et en était aussitôt tombé éperdument amoureux.

L'idée vint à Hans qu'en se faisant passer pour peintre, il pourrait approcher la fille de Cratipone et, qui sait, lui déclarer son amour. Il n'avait jamais tenu un pinceau de sa vie, mais qu'importe, il se fit enseigner deux ou trois trucs du métier par un vieux barbouilleur. Puis, avec un incroyable toupet, il se présenta au château de Cratipone, tenant la bride d'un vieux canasson croulant sous les toiles, pinceaux, couleurs, huiles et autres étrangetés nécessaires à l'art difficile de la peinture.

A la vue du beau jeune homme, à la mine insolente, qui se présenta pour faire le portrait de sa fille, des doutes assaillirent Cratipone. Mais le portrait était urgent et, jusqu'alors, ses messagers n'avaient réussi à dénicher que de médiocres barbouilleurs de toiles. Il se promit de garder les yeux bien ouverts et fit préparer une pièce pour le jeune Hans, où il conduisit personnellement sa fille pour la première pose.

A sa vue, Hans se sentit défaillir. La jeune fille lui parut infiniment plus belle que dans son souvenir. Elle, de son côté, tomba aussitôt sous le charme du jeune peintre.
— Commencez, ordonna Cratipone.
Et il alla s'asseoir sur une chaise à haut dossier. Hans s'approcha de la jeune fille et la conduisit sous la grande fenêtre, à l'autre extrémité de la pièce, pour l'exposer à la lumière du jour.

— Comment t'appelles-tu ?
— Alicia. Et toi ?
— Hans.
— Tu es bon peintre ?
— Jamais je ne réussirai à rendre tant de beauté. De ma vie, je n'ai rien vu de comparable.
— Ne me fais pas trop belle, je t'en prie.
— Pourquoi ?
— On m'oblige à épouser un vieillard et je n'en veux pour rien au monde. Peut-être que, me voyant très laide, il renoncera au projet.
— Fais-moi confiance. Je te sauverai.
— Eh bien, qu'attends-tu, jeune homme ? s'impatienta Cratipone qui n'entendait pas un mot de la conversation que les deux jeunes gens échangeaient à voix basse.
Alors, Hans dut se mettre à peindre. Mais, comme il ne savait même pas par quel bout commencer, il prit une toile et, patiemment, la coloria tout en rose, lançant de temps à autre des clins d'œil malicieux à Alicia, qui, en retour, lui lançait des regards très doux.
Après une heure de cet échange de regards, Cratipone perdit patience, d'autant que le résultat était une toile entièrement coloriée d'un rose uniforme. Il s'enquit, de fort mauvaise

grâce :
— Peut-on savoir ce que tu fais ?
— Le portrait de votre fille.
— Je sais. Mais ma fille, où est-elle là-dedans ?
— Pour l'instant, je prépare le fond. C'est là un travail délicat, qui exige beaucoup de patience.

Et, comme de patience, Cratipone n'en avait guère, il écourta chaque fois un peu plus le temps qu'il passait à surveiller Alicia. Si bien que, pendant quelques jours, on ne le vit plus, absorbé qu'il était par de délicates affaires d'Etat : en réalité parties de chasse et repas.

Cependant, Hans avait atteint son objectif. Les deux jeunes gens avaient pu rester ensemble des après-midi entiers sans être dérangés. Et, peu à peu, Alicia s'était éprise du jeune artiste, qui l'étourdissait de mots d'amour.

Un jour, Cratipone entra dans la pièce où Alicia posait et il jeta un regard sur la toile, espérant la voir enfin terminée. Il eut beau regarder, il ne remarqua qu'une seule nouveauté par rapport à la dernière fois : un petit trait blond.

— Ce trait blond, c'est ma fille, d'après toi ? demanda-t-il, très irrité.
— C'est un cheveu de votre fille, répondit Hans.
— Et après dix jours de pose, tu en es encore au premier cheveu ?
— L'art a besoin de temps, noble seigneur. De toute façon, il faut bien commencer par une partie. J'ai choisi les cheveux. Cependant, si vous préférez autre chose, ça m'est indifférent. J'efface tout et je recommence. En débutant par les pieds, par exemple.

Cratipone sentit monter en lui une de ces violentes colères qui le laissaient ensuite sans forces. Alors, faisant effort pour se contenir, il signifia :
— Dans vingt jours, le portrait de ma fille doit être terminé. Sinon, je te ferai jeter dans le plus noir de mes cachots, avec tes maudits pinceaux et tes maudites toiles.
— La vérité est que je ne peux pas peindre dans cette pièce.
— Et où donc voudrais-tu peindre ?
— En plein air. Au clair de lune. Votre fille a un teint incomparable, que seule la clarté de la lune peut rehausser.

Si vous voulez un portrait ressemblant, laissez-moi peindre au clair de lune.

Cratipone se plia au chantage, se promettant de garder les yeux plus ouverts que jamais. Cependant, il ne put éviter que, l'un en face de l'autre au clair de lune, les deux jeunes gens ne finissent par se déclarer leur amour. La lune est un auxiliaire précieux dans ces cas-là.

Un soir, Cratipone les surprit de loin, alors qu'ils s'embrassaient au clair de lune, désormais insouciants du monde alentour. Un instant, il songea à tuer de ses mains ce peintre qui faisait le joli cœur. Mais il se contint et se retira dans sa chambre pour méditer sur la conduite à tenir. Le portrait d'Alicia lui tenait trop à cœur. Il lui fallait trouver une solution ménageant la chèvre et le chou, autrement dit le portrait et le mariage d'Alicia et de Magazou. Il y pensa et y repensa et, de bon matin, convoqua le magicien Briccardin, chef cuisinier du château. Et il lui dit d'un ton léger :
— Voilà, l'envie m'est venue de manger la lune. Apporte-la-moi ce soir à table.

Tandis que le magicien devenait très pâle et s'appuyait sur la commode sans trouver la force de le contredire, un sourire se dessina sur les lèvres de Cratipone, ravi d'enlever aux deux amoureux la principale complice de leurs amours.

Briccardin le magicien attendit qu'apparût dans le ciel, à la nuit tombée, la première pâleur de la lune. Alors, il se rendit dans la forêt, récita une formule magique. Aussitôt, deux sapins géants plièrent leurs cimes et touchèrent ensemble la terre. Briccardin s'assit sur leurs pointes, puis il prononça une autre formule et les deux sapins dressèrent à nouveau leurs cimes dans les airs, projetant le magicien vers la lune. C'est ainsi qu'au dîner, Briccardin servit un beau croissant de lune à son seigneur Cratipone.

Cratipone la goûta et dit :
— Pas mauvais. Mais pourquoi ne me l'as-tu pas rapportée pleine ?
— J'ai eu beau essayer tous mes artifices de magie, je n'ai pas réussi à la détacher tout entière. Sans doute est-elle attachée avec quelque chose de spécial. C'est pourquoi j'ai décidé d'en rapporter un morceau chaque jour, que je servirai au dîner à mon seigneur.

Cratipone acquiesça de la tête. Le fait est qu'il préférait n'en avaler qu'un peu à la fois : la lune n'était guère appétissante, toute spongieuse et avec un goût de plâtre.
— L'essentiel, décida-t-il, est que tu me la ramènes jusqu'au dernier morceau.
— Tôt ou tard, vous verrez, il n'en restera plus une miette dans le ciel.

C'est ainsi que, plusieurs soirs de suite, apparut sur la table de Cratipone un quartier de lune, tandis que, là-haut dans le ciel, l'astre rond devint une moitié de lune, puis un quartier et finit par disparaître complètement du ciel, le laissant noir et menaçant.

Dès lors, Alicia et Hans ne trouvèrent plus de prétexte pour se voir. Cratipone ordonna alors au jeune peintre de s'installer dans la cour, en plein soleil, pour faire le portrait de sa fille, surveillée de toutes les fenêtres du château.

Hans ne se tint pas pour battu. Il médita une vengeance, résolu à attaquer Cratipone dans son point faible : la gourmandise.

Un jour que le magicien Briccardin s'était absenté pour étudier quelque nouvelle mixture de vin, Hans se présenta à la cuisine et tint ce discours :

– Sachez que votre tyran Cratipone n'aura bientôt plus besoin de vous et vous congédiera tous. Il a déjà avalé la lune, bientôt ce sera le soleil et Dieu seul sait où il va s'arrêter. Vous resterez sans occupation, sans lune, sans soleil, sans compter tout le reste. Révoltez-vous et affamez le tyran, avant que ce ne soit lui qui vous affame, vous et vos familles.

Hans avait parlé un peu au hasard, mais il avait indiscutablement du charme et il sut se montrer si convaincant que, lorsque le magicien Briccardin revint à la cuisine pour préparer le repas, il entendit un grand tumulte.

Toute la cuisine refusa de collaborer. Le feu ne s'allumait pas, les poêles ne chauffaient pas, les broches ne tournaient pas, les couteaux ne coupaient pas, les moulins à café ne broyaient pas, le hachoir ne hachait pas, le pilon à viande n'aplatissait pas, les écumoires ne passaient pas et jusqu'à la crème qui ne montait pas, tandis que le lait tournait.

Briccardin courut prévenir Cratipone.

– Noble seigneur, s'écria-t-il avec désespoir, la cuisine est en pleine révolte.

Cratipone se sentit perdu, mais il était courageux.

– J'enverrai mes troupes, cria-t-il.

Ce qu'il fit. Mais ses soldats ne réussirent même pas à franchir l'entrée de la cuisine. Tout se déchaîna contre eux : les flammes bondissaient sur quiconque tentait d'entrer, les broches se mirent à s'agiter telles des épées sous le nez des soldats, les batteries de poêles à tirer des tomates, pommes de terre, noix et tout autre projectile à leur portée, les robinets à déverser de l'eau bouillante, les ustensiles à découper à couper, les rouleaux à pâtisserie à frapper, et même les chats, qui vivaient depuis des années des restes de la cuisine, se mirent à griffer.

Les soldats furent repoussés et personne ne parvint à forcer l'entrée de la pièce, qui resta aux mains de Hans et de ses alliés culinaires. La rébellion atteignit son paroxysme, si bien que la cuisine resta inutilisable pendant des jours et des jours.

Cratipone, privé des plaisirs suprêmes de la table et terrifié à la pensée de mourir de faim, se résigna à se nourrir d'herbes, de fruits sauvages, et même de racines récoltées dans les champs. Réduit à un squelette éternellement affamé, il finit par crier grâce et Hans posa ses conditions.

La cuisine reprendrait ses activités normales si Cratipone s'engageait à garantir à tous la considération qu'ils étaient en droit d'attendre, à ne congédier personne, et à permettre aux chats de toujours compter sur les restes de la cuisine. En outre, Cratipone devait consentir au mariage d'Alicia et de Hans.

Vaincu par la faim, Cratipone dut se plier aux conditions. Les noces furent célébrées séance tenante, immédiatement après la signature de la reddition : on dut remettre sur pied le chapelain qui s'était réfugié au lit en se laissant mourir de faim, car les herbes ne lui réussissaient pas du tout. Pour célébrer l'activité revenue dans la cuisine, Briccardin, en bon magicien de cuisine qu'il était, se mit en devoir de préparer un banquet de cent plats.

Le plus étonnant, c'est que Cratipone ne prit aucun plaisir à savourer les cent mets succulents. D'abord, parce que, à force de manger la lune, il avait perdu son goût, et ensuite, parce qu'il s'était habitué à la saveur naturelle des herbes et fruits sauvages : dès lors, il se convertit en un végétarien convaincu, à la grande joie de tout le gibier de la région. Il ne but plus une goutte de vin, si bien qu'il cessa d'être hanté par la pensée de trouver un vin à la hauteur de sa table. Enfin,

l'activité à la cuisine se fit moins frénétique qu'auparavant, et la vie s'écoula au château, heureuse et sans soucis, pour tous.

Cependant, Alicia et Hans attendaient toujours leur lune de miel : il n'y avait plus de lune dans le ciel et les solutions proposées avaient toutes été écartées. Il n'était pas question de se contenter, à la place, d'un soleil de luzerne ou d'une voix lactée de massepain.

Un jour, le magicien Briccardin, convoqué par Cratipone, s'entendit signifier la chose la plus incroyable jamais entendue tout au long de sa longue carrière :

– Remets la lune à sa place.

Briccardin pensa s'évanouir, puis il courut à la cuisine, et, un peu avec l'aide de son imagination, un peu grâce à la collaboration de tous, un peu par hasard, comme cela arrive dans la vie, il parvint à confectionner une belle tarte jaune, pour la suspendre, là-haut, en guise de lune.

La tarte était assez réussie, simplement il n'y avait pas de moule assez grand et Briccardin dut découper la lune en morceaux, puis les réunir.

Hans et Alicia s'en contentèrent et commencèrent sans tarder leur lune de miel, tandis que, là-haut dans le ciel, un croissant apparaissait d'abord, puis une moitié de l'astre, enfin la pleine lune.

Ils passèrent ainsi des journées entières de bonheur sans nuage. Mais, soudain, un soir ils s'aperçurent qu'un quartier manquait à la lune. Cratipone fit appeler Briccardin sur-le-champ.

– Que se passe-t-il, là-haut ? demanda le noble seigneur.

– C'est que je me suis aperçu que cette tarte, faite de morceaux assemblés, se rompt de temps à autre.

– Mais une lune qui n'est pas ronde n'est pas une lune.

– Noble seigneur, sachez qu'un autre quartier tombera, puis encore un autre, ensuite la lune disparaîtra entièrement du ciel.

– Je te ferai pendre, décréta Cratipone, qui maintenant ne voulait plus que la lune de miel d'Alicia et de Hans finisse. (Ne lui avaient-ils pas promis un petit-fils ?)

– Bien, je la suspendrai à nouveau dans le ciel, promit Briccardin.

Après un temps de réflexion, Cratipone dit :

– Mon cher Briccardin, tu as beau être magicien, toi aussi, un jour, tu ne seras plus. Quand tu mourras, qui donc songera à remettre la lune à sa place ?

Briccardin répondit sans une seconde d'hésitation :

– Je transmettrai à mes descendants la recette de ma tarte et le secret de mes formules magiques.

– Mais tes descendants mourront, eux aussi.

– Ceux à qui je les laisserai ne mourront jamais.

– Et qui sont-ils ?

– Les amoureux, noble seigneur. Lorsque les amoureux verront se détacher du ciel un croissant de lune, puis un autre, et encore un autre, et qu'à la fin, ils resteront sans lune, ils y songeront, eux.

Depuis ce jour, les choses allèrent comme Briccardin l'avait dit. Aujourd'hui encore, la lune se morcèle, une moitié apparaît d'abord, puis un croissant, puis plus rien. Mais il se trouve toujours sur la terre quelques amoureux pour ressusciter l'ancienne magie et recoller les morceaux de lune. Alors réapparaît d'abord un quartier, puis une moitié et enfin la sympathique pleine lune.

Cela jusqu'à la fin des temps. L'amour ne peut se passer de clair de lune : comme Alicia et Hans, qui vécurent ensemble sur cette terre avec le plus grand bonheur possible. Car si la lune résout beaucoup de choses, elle ne peut pas penser à tout. Le reste, c'est à nous de le mériter.

Voici une série de questions se rapportant au psychoconte que vous venez de lire. Vous êtes invité à y répondre spontanément par OUI, NON *ou* JE NE SAIS PAS.

1. Peut-on faire preuve de goût artistique lorsque, comme Cratipone, on ne vit pour ainsi dire que pour manger ?
OUI   NON   JE NE SAIS PAS

2. Le fait de reconnaître du premier coup d'œil la beauté d'une femme, comme le fait l'étranger devant Alicia, est-il en soi une preuve de goût artistique ?
OUI   NON   JE NE SAIS PAS

3. Peut-on apprendre en peu de temps à réaliser une œuvre d'art ?
OUI   NON   JE NE SAIS PAS

4. Au contraire, Hans a-t-il raison lorsqu'il affirme que l'art exige une grande patience ?
OUI   NON   JE NE SAIS PAS

5. Un teint particulier comme celui d'Alicia peut-il être rehaussé par le clair de lune ?
OUI   NON   JE NE SAIS PAS

6. Les mots d'amour paraissent-ils plus beaux au clair de lune ?
OUI   NON   JE NE SAIS PAS

7. Aimeriez-vous avoir une cuisine bizarre comme celle de Briccardin ?
OUI   NON   JE NE SAIS PAS

8. Les phases de la lune, au cours desquelles l'astre apparaît et disparaît par quartiers dans le ciel nocturne, la rendent-elles plus intéressante ?
OUI   NON   JE NE SAIS PAS

(explications du psychoconte 1 page 67)

Gerda Jambe-Folle

Psychoconte 2

Jadis, vivait dans un village une belle jeune fille du nom de Gerda, remarquablement habile dans l'art de modeler l'argile. Sa mère était morte en lui donnant le jour et elle habitait, seule avec son père Johannès, une chaumière au centre du village. Du jour où Gerda s'était mise à travailler l'argile, Johannès, quant à lui, s'était découvert des dons de magicien. Ils passaient leur vie à faire le bien à tous les habitants du village, et même des contrées voisines. De toutes parts, les gens accouraient. Et l'un disait à Gerda :
— Me ferais-tu un beau chat tigré ?
— Et pourquoi donc ? demandait la jeune fille.
— Les souris sont légion dans ma cave. Si je leur fais peur, elles finiront par s'en aller.
Alors, Gerda, de ses doigts de fée, modelait en un instant un beau chat tigré d'argile, puis le portait à son père. Et Johannès prononçait la formule magique qui accorde le don de la vie.
Une autre fois arrivait un paysan, qui disait à Gerda :
— Me ferais-tu quelques abeilles ?
— Et pourquoi donc ?
— J'aimerais confectionner une nouvelle ruche afin de donner du bon miel à mes enfants.
En un quart d'heure, les abeilles étaient prêtes, puis Johannès leur donnait vie. Bref, Gerda et Johannès exauçaient les désirs de tous ceux qui souhaitaient posséder un animal. A une condition toutefois : qu'il s'agisse d'un but louable. Certains désiraient un mulet pour se rendre au travail, d'autres deux vaches pour avoir du lait, d'autres encore un chien aux yeux tendres pour un peu de compagnie. C'est ainsi que des milliers d'animaux, aussi bons qu'utiles, quittaient la maison de Gerda et Johannès pour s'en aller au village ou dans les contrées alentour, remplir de leur mieux la tâche que leur avait assignée la Nature. Evidemment, si quelqu'un réclamait un cheval uniquement pour monter dessus et se pavaner, Gerda et Johannès refusaient. Ils ne voulaient rien entendre non plus si quelqu'un souhaitait une brebis de plus que son voisin, dans l'unique but de le faire enrager. Johannès était un magicien au grand cœur et Gerda, sa fille, possédait des doigts d'or. Et tous les gens à la ronde leur voulaient grand bien.
Un jour, une petite vieille, que personne ne connaissait dans la région, se présenta à Gerda. Elle lui dit :
— Belle jeune fille, me ferais-tu une bête avec cent yeux et cent pattes ?
— Et pourquoi donc ?
— C'est que j'habite une maison très spacieuse, bien que modeste, et j'ai besoin d'un animal de garde capable de voir dans chaque pièce et de me fermer portes et fenêtres, lorsque le vent les ouvre toutes grandes.
Gerda, très intéressée par le fait de modeler un animal inconnu, se mit au travail sans tarder. En quelques minutes, une bête étrange, affublée de cent yeux et cent pattes, pas belle du tout à voir, fut prête. Puis la jeune fille appela papa Johannès pour qu'il insuffle la vie à cet être bizarre fabriqué

en un clin d'œil. A la vue de cet animal insolite qui emplissait quasiment toute la pièce, Johannès resta interdit, hésitant à lui donner vie. Alors la vieille se fit pressante :

– Je suis âgée et mal en point. De jour en jour, il me devient plus difficile de surveiller tant de pièces. Sans compter qu'il me faut quinze jours pour monter au grenier. Et qui surveille mon blé et mes noix ?

Johannès, à son tour, se laissa convaincre et prononça la formule magique habituelle. Mais à peine l'animal s'anima-t-il que Johannès s'en repentit aussitôt. La bête se rua hors de la maison, défonçant les portes, tandis que la vieille courait derrière en ricanant.

Depuis ce jour, le village vécut des moments de cauchemar. La bête dévorait toutes les récoltes et dérobait tous les animaux domestiques, tandis que la vieille engraissait et riait à perdre haleine.

Alors Gerda et Johannès se résolurent à prendre une décision, en contradiction avec tous leurs principes. La jeune fille modela dix loups féroces, que Johannès anima et lâcha ensuite contre la bête. La lutte fut longue et sanglante. Cependant, les loups finirent par avoir le dessus et la bête fut déchiquetée en mille morceaux. Ensuite, sur ordre de Johannès, les loups se retirèrent dans les forêts pour vivre l'existence sauvage que leur avait assignée la Nature. Comme chacun sait, il faut des gens civilisés sur terre, mais quelques animaux sauvages sont également nécessaires. Prise d'une rage terrible à la vue de sa bête en lambeaux, la vieille courut à la maison de Gerda. Sitôt qu'elle aperçut la jeune fille, elle pointa un doigt dans sa direction et hurla :

« Jambes sans frein et sans pitié
  Faites-la aller de-ci de-là. »

Instantanément, les jambes de Gerda s'agitèrent frénétiquement, selon leur bon vouloir, sans qu'elle pût contrôler leurs mouvements désordonnés. La jeune fille se mit à crier :

– Mes jambes, arrêtez-vous !

Mais ses jambes de sauter et de bondir hors de la maison. Une nouvelle fois, Gerda hurla :

– Mes jambes, ramenez-moi à la maison !

Mais elles firent exactement le contraire et, par sauts et par bonds, entraînèrent la malheureuse en direction de la grand-route, à la sortie du village. Gerda se vit perdue et, à grands cris, appela papa Johannès au secours :

– A moi, papa ! On m'a jeté un sort !

Encore fallait-il, pour rompre l'enchantement, que Johannès pût la toucher. Mais comment la rattraper avec ses jambes de vieillard, alors que celles de Gerda étaient aussi rapides que les pattes d'un gros grillon ?

– Arrête-toi, Gerda, que je te touche ! s'égosillait Johannès, traînant péniblement les jambes derrière Gerda, sur la route poussiéreuse.

Mais la jeune fille l'entendait toujours plus loin, toujours plus loin, puis elle cessa de l'entendre. Ses jambes l'avaient entraînée loin du village et poursuivaient leur course folle, sans que la jeune fille pût s'en faire obéir.

Tout se passa très vite et, en un clin d'œil, Gerda fut loin. Elle traversa ainsi des pays inconnus, cheminant toujours au hasard, sautillant et courant toujours selon le bon vouloir de ses jambes enchantées. Si Gerda leur donnait un ordre, elles

faisaient exactement le contraire et, pour rester sans bouger, la malheureuse devait s'allonger sur le sol et serrer très fort ses jambes entre ses bras.

Gerda était d'un caractère sage et calme. Loin de perdre la tête, elle fit de son mieux pour s'adapter à l'étrange existence que lui imposaient ses jambes folles. Partout où elle passait, la jeune fille modelait de jolis animaux dans l'argile, qu'elle vendait ensuite, même s'ils restaient inanimés, papa Johannès n'étant plus là pour leur donner vie avec ses formules magiques. Gerda achetait ainsi de quoi se nourrir et dormait n'importe où, dans les granges surtout, ou dans les étables. Tous ceux qui la voyaient et la connaissaient depuis peu la surnommaient « Jambe-Folle ». Chaque jour qui passait augmentait sa tristesse, tandis qu'elle ne parvenait pas à chasser de son cœur la nostalgie de son père bien-aimé et de sa maison.

Un jour, au cours d'une de ses pénibles pérégrinations dans les lieux où la portaient ses jambes ensorcelées, Gerda rencontra un beau jeune homme, qui semblait aussi triste et affligé qu'elle-même. Étendu sur le sol, il avait beau faire, il ne parvenait pas à se relever. C'était un artiste de cirque, et il s'était trouvé séparé de ses compagnons, qui voyageaient dans une roulotte, de village en village. Le jeune homme suivait la roulotte sur un mulet, quand soudain l'animal, apercevant un grillon, avait fait un écart, et il s'était retrouvé à terre, les jambes paralysées. Le capricieux mulet s'était échappé, tandis que la roulotte du cirque s'éloignait, ses camarades n'ayant pas entendu ses appels au secours. A présent, le jeune homme gisait par terre, incapable de se déplacer, avec ses jambes paralysées. Et il sentait croître en lui le plus sombre désespoir. A la vue des jambes de Gerda, alertes et sautillantes, il soupira :

– Tu en as de la chance !

– Tu parles d'une chance ! rétorqua Gerda. Mes jambes sont enchantées et me portent au gré de leurs caprices. Je n'arrive plus à les commander.

– Les uns en ont trop, les autres pas assez, déclara sentencieusement le jeune homme, en se grattant pensivement la tête. Comme la vie est étrange !

– Le rêve serait que nous puissions échanger nos jambes, réfléchit Gerda à voix haute, tandis qu'une idée lui traversait l'esprit.

Elle aida le jeune homme à se soulever pour s'asseoir, l'adossa à un tronc d'arbre, puis s'allongea à ses côtés sur l'herbe et prit ses jambes entre ses bras pour les maintenir immobiles.

– Je vais me reposer un peu, moi aussi.

Elle gratifia le jeune homme d'un charmant sourire et celui-ci, à son tour, la fixa intensément comme s'il la voyait pour la première fois.

– Je m'appelle Jasmin. Et toi ?

– Gerda.

Et aussitôt, s'engagea entre eux une conversation facile et spontanée, comme seuls les jeunes en ont le secret. Les gens plus âgés se lient plus difficilement. Puis Gerda sortit du pain et du fromage achetés avec l'argent de deux animaux d'argile. Elle partagea le tout avec Jasmin, qui la remercia avec chaleur. A la fin du frugal repas, Gerda interrogea Jasmin :

– Où voudrais-tu aller, toi ?

– Retrouver mes compagnons de cirque.

– Et de quel côté sont-ils allés ?

– Au nord.

Gerda songea que sa maison se trouvait au sud et que, lorsqu'elle indiquait un chemin à ses jambes, celles-ci prenaient la direction opposée.

– Et si je te portais sur mon dos ? proposa la jeune fille avec un sourire.

Les yeux de Jasmin s'écarquillèrent, pleins d'espoir.

– Tu le ferais ?

– Bien sûr. Mes jambes ensorcelées sont assez fortes pour supporter une pyramide de personnes.

– Alors, en route, Gerda. Je t'en serai reconnaissant toute ma vie.

Sans plus attendre, Gerda chargea Jasmin sur ses épaules, qui, tout heureux, cria :

– Au nord, Gerda !

– Au nord, répéta la jeune fille.

Mais ses jambes folles se mirent à courir et sauter, par grands bonds, en direction du sud.

– Au nord, au nord, protesta Jasmin. En ce moment, nous nous éloignons de mes compagnons.

– Je n'y puis rien, rétorqua Gerda, qui commençait à franchement s'amuser, car les choses allaient comme elle le voulait. Répète où tu veux aller, on ne sait jamais.

Gerda savait parfaitement que ses jambes faisaient exactement le contraire de ce qu'on leur demandait, mais cela

rentrait dans son plan. Elle habitait au sud et, à ce train d'enfer, ses jambes folles la ramèneraient à sa maison en un rien de temps.

Elle ne se trompait pas. Johannès, à la nuit tombante, vit une jeune fille se dirigeant par grands sauts vers sa maison, tandis que, juché sur son dos, un jeune homme n'arrêtait pas de hurler d'une voix de plus en plus enrouée :

– Au nord, maudites jambes, au nord.

Lorsque l'étrange couple fut tout près, les yeux las de Johannès distinguèrent enfin les traits de la jeune fille et il reconnut Gerda, sa fille chérie. Alors, il courut le plus vite qu'il put, réussit à la toucher et à crier la formule magique qui la délivrerait de l'ensorcellement. Instantanément, les jambes de Gerda redevinrent comme par enchantement dociles et obéissantes. Elle fit descendre Jasmin de ses épaules, l'appuya contre un tronc d'arbre et put enfin serrer dans ses bras son père bien-aimé qui à présent pleurait, et dont le menton tremblait. Plus tard, on expliqua tout à Jasmin, sans rien dissimuler de la ruse imaginée par Gerda pour revenir

dans sa maison. Jasmin était un brave garçon, et il dit :

– Ça ne fait rien, je me réjouis pour toi, Gerda.

Et il était sincère. Alors la jeune fille se tourna vers son père et, avec un sourire, lui demanda de trouver la formule magique qui guérirait les jambes de Jasmin. Johannès y pensa toute la nuit, d'autant plus qu'il ne parvenait pas à trouver le sommeil, tant son émotion était grande d'avoir retrouvé sa fille. Au petit matin, alors que la brume régnait en maîtresse, il s'en fut dans la forêt, arracha une branche de sapin et, de retour à la maison, il la passa et repassa à plusieurs reprises sur les jambes de Jasmin, en prononçant une formule magique spéciale. Soudain, le jeune homme sentit la force revenir dans ses muscles et, d'un bond, il sauta du lit. Il ne se tenait plus de joie d'avoir retrouvé l'usage de ses jambes et remercia longuement Johannès et Gerda, qui insistèrent pour lui offrir l'hospitalité quelques jours encore. Hélas, ces jours-là passèrent comme un éclair, comme il en va toujours pour les choses qui nous tiennent le plus à cœur. Et arriva le moment du départ. Avant de prendre congé de ses hôtes, Jasmin essaya à plusieurs reprises de dire quelque chose de très important à Gerda, mais chaque fois le souffle lui manqua, tandis que sa voix lui jouait un mauvais tour. De son côté, Gerda aurait aimé lui dire des quantités de choses, mais n'en dit aucune, car quand on a trop à dire, on ne sait jamais par où commencer.

Ainsi Jasmin partit et s'en retourna auprès de ses compagnons, travailler dans le cirque. Gerda se remit à modeler ses jolis animaux et Johannès continua à leur accorder le don de la vie, à la grande joie de tous les habitants du pays. Mais ni Gerda, ni Jasmin, ni Johannès ne retrouvaient le bonheur d'autrefois. Jasmin ne prenait plus plaisir à travailler au cirque; souvent, il sentait comme une force mystérieuse qui lui arrachait de longs soupirs. Gerda, de son côté, se montrait fréquemment distraite dans son travail, regardant fixement au loin, par la fenêtre, quelque chose qu'elle était seule à voir. Jusqu'au jour où Johannès, se plantant devant sa fille, lui dit :
– Ma fille, fais-moi quelques colombes blanches.
– Des colombes blanches ? Et pourquoi donc, papa ?
– Je veux qu'elles volent très loin pour porter un message extrêmement important.
Gerda baissa les yeux, inexplicablement troublée, et, en peu

de temps, modela de belles colombes blanches, les plus belles jamais sorties de sa main. Johannès récita sa formule magique, les colombes s'animèrent et se mirent à battre des ailes. On eût dit qu'elles n'attendaient qu'une chose : voler très loin. Alors Johannès ouvrit la fenêtre et, toutes ensemble, les colombes s'envolèrent à tire-d'ailes vers le nord, comme des rêves.

Jasmin les vit approcher et se sentit bientôt enveloppé par un bruissement d'ailes. Les colombes voletaient autour de lui en une invite muette. Il comprit et, sans même prendre le temps de saluer ses camarades, il courut vers le sud, précédé par les colombes qui lui indiquaient le chemin.

Quand ils se revirent enfin, Gerda et Jasmin comprirent sans mot dire qu'ils s'aimaient d'amour, tandis que Johannès se félicitait de son heureuse initiative.

On raconte que, depuis ce jour, les deux jeunes gens ne se quittèrent plus et vécurent heureux, et qu'ils eurent beaucoup d'enfants. Mais les contes finissent toujours bien, aussi ne faut-il pas trop s'y fier.

Voici une série de questions se rapportant au psychoconte que vous venez de lire. Vous êtes invité à y répondre par OUI, NON *ou* JE NE SAIS PAS.

1. Pour faire une œuvre d'art, comme Gerda modelant ses animaux, l'amour est-il superflu ?
OUI   NON   JE NE SAIS PAS

2. Gerda et Johannès ont-ils tort de se fier à la petite vieille ?
OUI   NON   JE NE SAIS PAS

3. Etes-vous d'accord pour dire que quelques animaux sauvages dans le monde sont nécessaires ?
OUI   NON   JE NE SAIS PAS

4. Pour mieux vivre toute seule, Gerda Jambe-Folle aurait-elle dû chasser de son cœur la nostagie de son père et de sa maison ?
OUI   NON   JE NE SAIS PAS

5. Est-il vrai que plus on vieillit, plus on a de mal à se lier d'amitié ?
OUI   NON   JE NE SAIS PAS

6. A la place de Gerda et de Jasmin séparés l'un de l'autre, vous seriez-vous contenté d'être triste ?
OUI   NON   JE NE SAIS PAS

7. Si vous étiez Jasmin, que les colombes de Gerda invitent à les suivre, auriez-vous d'abord pris congé de vos camarades, avant de partir ?
OUI   NON   JE NE SAIS PAS

8. Trouvez-vous ridicule cette phrase par laquelle finissent presque tous les contes « Ils vécurent heureux et eurent beaucoup d'enfants » ?   OUI   NON   JE NE SAIS PAS

(explications du psychoconte 2 page 67)

Le chien vert

Psychoconte 3

Jadis, dans un petit village, vivait un beau jeune homme, âgé d'un peu plus de dix-huit ans, qui répondait au nom de Sébastien. Il n'avait plus personne au monde et était solitaire, mais heureux, car la Nature l'avait doté d'une voix mélodieuse, et il chantait des airs joyeux de sa composition à toutes les festivités, réunissant beaucoup de personnes. Tout le monde à la ronde le connaissait et se disputait l'honneur de l'inviter aux cérémonies familiales ou publiques, qui étaient l'occasion de réjouissances. Sébastien chantait ainsi dans les banquets, les mariages, les baptêmes et les inaugurations. Il gagnait bien sa vie et était l'ami de tous.

Un soir que Sébastien s'en revenait chez lui par la forêt, d'un village voisin où il avait chanté à l'occasion d'un mariage, il vit sur son chemin un gros chien à poil blanc qui semblait perdu et lui fit fête, comme s'il venait de retrouver son maître.

— Il a dû s'égarer, commenta le jeune homme à voix haute.

Et le chien se coucha par terre, fixant sur lui des yeux implorants.

— Qui sait où sont ses maîtres, se demanda Sébastien.

Et le chien allongea une patte pour le toucher, comme s'il voulait lui dire que désormais, c'était lui, son maître.

— Peut-on savoir au moins comment tu t'appelles ? plaisanta Sébastien.

Et le chien aboya quelque chose, impossible à traduire de la langue canine.

— J'ai compris. Tu veux venir avec moi ?

Le chien dressa les oreilles, inclina la tête, comme en signe d'acquiescement, et haleta à plusieurs reprises, gueule ouverte, pour exprimer son contentement.

— On dirait que tu es d'accord. Bien, je t'appellerai Olaf.

A ces mots, le gros chien à poil blanc se mit à sauter de joie de-ci de-là et prit joyeusement le chemin de la maison de Sébastien, comme si c'était déjà la sienne.

A partir de ce jour, Sébastien et Olaf devinrent inséparables. Les premiers temps, le jeune homme était tout content : jusqu'alors il avait vécu si seul. Et un chien tient toujours compagnie. Parfois, même davantage qu'un ami.

Sébastien ignorait que ses ennuis ne faisaient que commencer. La première fois qu'il remarqua quelque chose d'étrange chez Olaf, ce fut lorsqu'il se rendit avec lui au marché du village pour s'acheter des souliers.

— Tu as choisi là les plus belles chaussures du marché, assura le vendeur quand Sébastien prit une paire de souliers qui semblaient lui aller. Elles sont presque données et te dureront toute la vie.

Tout à coup, Olaf, de blanc qu'il était, devint tout vert. Le

marchand, interloqué, balbutia :
– Ce chien est à toi ?
– Oui.
– Me diras-tu pourquoi il devient vert, alors qu'il était tout blanc ?
– Je ne sais pas.
Sébastien resta songeur tandis qu'il s'en retournait chez lui, sans rien acheter, suivi d'Olaf, tout penaud, qui faisait semblant de flairer les fourmis par terre. Il faut noter que, entre-temps, son poil était redevenu tout blanc.
La seconde fois que le phénomène se renouvela, Sébastien, qui n'avait plus de voix, était allé consulter le médecin.
– Prends ces pilules ce soir avant d'aller au lit, et demain tu seras guéri.
Entendant les paroles du médecin, Olaf devint brusquement tout vert. Cette fois, le médecin fit comme s'il n'avait rien remarqué, sans doute parce que, comme tous ceux qui pensent posséder la science, il entendait montrer qu'il savait tout et ne s'étonnait de rien.
De retour chez lui, Sébastien se mit à réfléchir. Et, le lendemain, il eut la confirmation de ses soupçons en constatant que sa voix était toujours aussi enrouée, bien qu'il eût avalé les pilules prescrites par le médecin. Illuminé d'une idée subite, il s'écria :
– Je comprends. Olaf devient vert dès qu'un mensonge est proféré en sa présence.
Olaf se coucha par terre, le museau appuyé sur les pattes, et prit un air lugubre, comme s'il voulait faire comprendre à son maître qu'il avait deviné juste, mais que lui, en tant que chien, n'y pouvait rien.
Ce fut le début des ennuis pour Sébastien et Olaf. Un chien blanc qui se métamorphosait brusquement en un gros paquet vert ne passait pas inaperçu, et nul ne pouvait dire un mensonge sans être instantanément démasqué. Olaf accompagnait Sébastien à toutes les fêtes où le jeune homme chantait. Or, y a-t-il plus propice que ces occasions-là pour raconter des histoires ? Aussi, lors de ces réjouissances, où il se trouvait toujours quelqu'un pour faire de belles promesses, Olaf passait-il le plus clair de son temps avec le poil vert. Hélas, son poil ne ménageait personne, que le mensonge vînt d'un pauvre diable ou d'un personnage important. C'est ainsi que le dernier mensonge, Olaf l'entendit de la bouche du grand conseiller du prince. Lors de l'inauguration du nouveau pont-levis du château, il promit publiquement une diminution des impôts, dans le courant de l'année, pour les plus défavorisés. Olaf eut beau lutter, à l'instant son poil devint tout vert. Il fut immédiatement arrêté pour outrage à un officier public dans l'exercice de ses fonctions. Sébastien refusa d'abandonner son chien et se fit enfermer avec lui dans une cellule du château. Puis, ensemble, ils écoutèrent le verdict : l'exil à perpétuité. Olaf était chassé pour toujours du village, la sentence prenant effet immédiatement, sans possibilité d'appel, tandis que Sébastien se voyait signifier d'accompagner immédiatement son chien dans la forêt, pour l'abandonner à son sort. Mais Olaf le regarda avec ses grands yeux humides. Il n'en fallut pas plus pour que le jeune homme décidât sur-le-champ de le suivre. Sébastien ne se

résignait pas à l'abandonner ainsi. Il préférait rester avec lui et renoncer à la vie paisible qu'il avait menée jusqu'alors. Les chiens réussissent toujours à se faire aimer, aussi bien des puces que des maîtres. Tandis qu'Olaf attendait dans la forêt, Sébastien revint dans sa maison pour rassembler ses effets et en faire un baluchon. Quelle ne fut pas sa surprise en apercevant, dans la petite pièce, le grand conseiller du prince en personne, qui l'attendait, assis sur un siège, flanqué de deux gardes du corps armés. Et le grand conseiller lui dit avec solennité :
– Je suis venu dans le plus grand secret. Ton prince désire posséder ce chien qui devient vert.
– Mais vous l'avez condamné à l'exil !
– Du jour où le chien appartiendra au prince, il sera automatiquement gracié.
– Et qu'en fera le prince ?
– Je ne devrais pas te le dire, mais tu l'aurais deviné tout seul. Un chien de cette espèce, qui détecte les mensonges, vaut son pesant d'or. Plus encore si son propriétaire est un homme puissant comme ton seigneur et le mien.
– A vrai dire, il m'a plutôt occasionné des ennuis.
– Tu vois ! Tu es incapable, toi, d'exploiter un trésor si précieux, tandis que ton prince, lui, saurait.
– Que dois-je faire ?
– Tu me remets le chien et nous te laissons vivre tranquillement ici, en oubliant que tu as été son complice. Ensuite, tu rends grâce au prince de sa générosité.
– Je m'en vais de ce pas chercher le chien, décida Sébastien.
Et il courut à la forêt, où il retrouva le chien affairé à chercher des truffes, sans même savoir comment faire.
– Mon cher Olaf, voilà que quelqu'un a jeté son dévolu sur toi. Consens-tu à aller vivre dans le château du prince. ?
Est-ce parce que, au même instant, une feuille se colla à son nez, qu'il secoua énergiquement, toujours est-il que Sébastien eut l'impression qu'Olaf répondait par la négative.
– Alors, en route, mon ami. Filons sans perdre de temps, et surtout en faisant disparaître nos traces.
Sébastien et Olaf coururent à perdre haleine et, en un clin d'œil, furent loin du village et du château du prince. Ils coururent et coururent encore pendant plusieurs jours, jusqu'à ce qu'ils pensent être enfin hors d'atteinte des gardes. Alors Sébastien se mit en campagne pour chercher du travail. Et, un peu parce qu'il ne savait décidément faire autre chose que chanter, un peu parce qu'il jugeait préférable de ne pas s'attarder trop longtemps au même endroit par crainte des espions du prince, il se joignit à une troupe de comédiens qui allaient de place en place sur des charrettes transportant décors et costumes, et présentaient chaque soir des drames poignants.
Sébastien se produisait entre deux actes, chantant ces airs pleins d'entrain, pour secouer un peu l'atmosphère larmoyante de toutes ces tragédies, qui, de la scène, gagnait le public. Il était ravi et, de leur côté, les comédiens ambulants se félicitaient d'avoir trouvé un collaborateur aussi précieux. Un seul n'était pas heureux : Olaf, qui souffrait de cette existence au milieu des jalousies et mensonges de ces

cabotins. Et son poil était plus souvent vert que blanc. Ainsi, un comédien s'exclamait à la sortie de scène de son collègue :

– Tu as été fameux, ce soir !

Et Olaf, pourtant couché derrière les coulisses, changeait aussitôt de couleur.

– Ma chère, je te trouve plus belle de jour en jour, disait une jeune actrice à une autre plus âgée.

Et voilà Olaf à nouveau aux prises avec cette maudite couleur. Il n'y a pas à dire, c'était bien une vie de chien que la sienne : de chien pas comme les autres, s'entend.

Un jour de fête au village — le spectacle n'étant prévu que dans la soirée —, Sébastien se promena, pour tuer le temps, parmi les manèges et les stands de la foire, toujours suivi de son fidèle Olaf. Une demi-heure à peine s'était écoulée que le jeune homme avait repéré une ravissante jeune fille à l'air espiègle, qui semblait âgée de seize ans. Il la suivit à quelques mètres de distance, attendant l'occasion d'engager la conversation. La jeune fille, qui, de son côté, l'avait remarqué et trouvé fort bien fait de sa personne, feignit de se cacher dans la foule, tout en faisant en sorte d'être bien vue.

Enfin, les deux jeunes gens se retrouvèrent, pressés contre la baraque d'une femme à barbe. Sébastien la gratifia de son sourire le plus enjôleur et lui dit :

– Excuse-moi, si je me presse trop contre toi. Mais je n'y puis rien. Il y a trop de monde.

– Aucune importance, je comprends, répondit-elle, en fixant

sur lui des yeux malicieux.

– Il ne me reste plus qu'à me présenter. Je m'appelle Sébastien.

– Et moi, Prunella.

– Quel joli nom !

Alors il se mit à lui raconter ce qu'il faisait et l'invita au spectacle de la soirée. Pendant cette rencontre, Olaf avait réussi à se faire une toute petite place dans la foule. Il se grattait l'oreille avec insistance, mal à l'aise sans comprendre pourquoi.

C'est alors qu'un hurlement retentit.

– Au voleur. Au voleur ! On a volé mon portefeuille !

Deux gardes se frayèrent péniblement un passage dans la foule. Ils s'approchèrent du vieil homme qui avait crié et lui demandèrent :

– As-tu des soupçons ?

– Oui, fit le vieillard, pointant le doigt sur Prunella. Elle ! J'en suis sûr !

Sébastien serra la main de Prunella et cria :

– Impossible. Elle parlait avec moi.

Mais cela ne fit qu'aggraver la situation. Car voilà que les gardes les empoignèrent tous deux et les entraînèrent loin des invectives de la foule. Olaf, en entendant le vieil homme, était devenu tout vert, bien inutilement, et, la queue basse, il suivit le cortège.

Les gardes conduisirent les deux jeunes gens devant le juge, un homme grand et sec, à la mine sévère. D'emblée, le juge demanda :

– Que fait ce chien ici ?

– Il est à moi, répondit Sébastien, il ne me quitte jamais.

– Bon. A condition qu'il se tienne bien tranquille dans ce coin.

Olaf qui, entre-temps, avait recouvré son poil blanc, fixa le juge en baissant une seule oreille, signe, chez lui, que la situation était délicate. Alors les gardes rendirent compte du vol du portefeuille, déclarant que le voleur était certainement l'un des deux jeunes gens. Lorsqu'ils eurent terminé leur rapport, le juge fixa Sébastien et l'interrogea :

– C'est toi qui as volé ?

– Oui, c'est moi.

– Non, cria aussitôt Prunella. Ce n'est pas vrai, c'est moi.

A son corps défendant, Olaf devint vert. Il eut beau se cacher le museau entre les pattes, le juge ne put faire autrement que de le remarquer.

– Qu'est-ce que c'est que cette diablerie ? D'où vient que ce chien devienne vert ? Et pourquoi ?

Sébastien fut contraint de dire la vérité.

– C'est quand on dit un mensonge en sa présence.

– Alors, dans le cas présent, qui a menti ? La fille ou toi ?

– Moi, répondirent en chœur les deux jeunes gens.

Le juge soupira.

– Bien. Puisque c'est comme ça, il ne me reste plus qu'à vous condamner tous les deux.

Les deux jeunes gens se regardèrent et Prunella mit sa main dans celle de Sébastien, qui la serra très fort. A ce moment, un troisième garde entra, traînant un vagabond. Il dit :

– Seigneur juge, c'est cet homme qui a volé. Il avait sur lui le

portefeuille avec l'argent.

Le juge fit signe d'emmener le coupable. Puis, regardant les deux jeunes gens, il leur dit sévèrement :

– Dites-moi, vous deux, pourquoi vous accuser d'un vol que vous n'avez pas commis ?

Prunella fut la première à répondre :

– J'avais peur que ce ne soit lui le voleur, et je voulais le sauver.

– Moi de même, dit Sébastien. J'avais peur que ce ne soit elle, et je voulais la sauver.

– Quand vous aurez envie de vous déclarer votre amour, choisissez un autre endroit que le tribunal. Vous pourriez, sinon, finir mal. Et maintenant, allez-vous-en.

Prunella et Sébastien coururent à la porte, suivis par Olaf, maintenant tout blanc. Soudain, la voix du juge les immobilisa.

– Un instant.

Se retournant, ils virent un doigt pointé sur Olaf.

– Ce chien devient-il vraiment vert chaque fois qu'on profère un mensonge en sa présence ?

– Oui, je vous l'assure.

– Cela est-il gênant ?

– Un peu. Mais je lui suis très attaché.

– Il pourrait être utile à un juge.

– Peut-être, mais je ne le céderai pas pour tout l'or du monde.

Le juge leur fit signe de déguerpir et les deux jeunes gens coururent loin du palais de justice avec Olaf, grisé par la liberté retrouvée.

A partir de ce jour, Prunella et Sébastien ne se quittèrent plus, car ils avaient compris qu'ils s'aimaient. Les comédiens se réjouirent d'abriter dans leurs roulottes une compagne de plus. Et Prunella, pour se rendre utile et parce qu'elle jouait du pipeau, accompagna Sébastien avec de belles improvisations. Ils formaient un beau couple et, comme ils attiraient partout la sympathie, tout se serait passé dans le meilleur des mondes, n'eût été, comme d'habitude, la présence d'Olaf, qui compliquait la situation.

Olaf, en effet, ne quittait pas Sébastien d'une semelle, pas même quand celui-ci s'isolait avec Prunella pour échanger des mots tendres. Cet attachement leur causait à tous trois un énorme embarras.

– Je t'aimerai toute la vie, murmurait Prunella à l'oreille de Sébastien.

Et Olaf, malgré ses efforts désespérés, ne pouvait se défendre de changer de couleur.

– As-tu déjà fait autant de serments d'amour à une autre femme ?

Et Sébastien s'empressait de répondre :

– Jamais, Prunella, je le jure. Tu es la première femme de ma vie.

Et Olaf, sautant sur ses pattes comme s'il avait reçu une

décharge électrique, assistait, impuissant, à la métamorphose de son poil. Ainsi, la vie du malheureux chien aux côtés de Prunella et de Sébastien devint un véritable enfer. Puis, un jour, le jeune homme appela son chien et lui tint ce discours :

– Cher Olaf, le moment est venu où nous ne pouvons plus vivre ensemble. Tu m'aimes, et je ne te le reproche pas. Mais, entre toi et moi, il y a cette maudite couleur.

Tout d'abord, Olaf laissa échapper une sorte de gémissement, puis resta la gueule béante. Sébastien poursuivit :

– C'est vrai, tu nous rends service à tous en dévoilant ainsi nos mensonges. Mais, à présent, j'aime et je suis aimé. Or, l'amour a besoin d'un peu de mensonges et de dissimulation. Sinon, peut-on parler d'amour ?

Et Olaf, qui était intelligent, et pas seulement amoureux de la vérité, se secoua tout d'abord comme un beau diable pour remettre son poil en ordre, puis il s'éloigna dignement, le museau levé, comme s'il flairait une piste. Et Sébastien ne le revit plus jamais.

Quelqu'un, en revanche, le vit arriver chez lui : le juge, grand et sévère. Il le reconnut instantanément et lui fit bon accueil :

– Tu travailleras avec moi, décida-t-il.

Et Olaf se sentit tout fier, comme si on l'avait investi d'une mission. Mais, pour éviter tout malentendu, le juge ajouta aussitôt :

– Tu me signaleras qui dit la vérité ou non. Mais la sentence, c'est moi qui la donnerai. Ne te mêle pas des affaires des hommes, car tu risques de ne plus rien y comprendre. Exactement comme moi.

Pour se donner une contenance, Olaf se mordilla la queue, comme s'il voulait chasser une puce particulièrement agaçante. Et le juge put conclure :

– Si tu respectes les conditions, tu seras bien traité. Sinon, je ferai tondre à ras ce beau poil blanc.

Olaf respecta les conditions et s'entendit à merveille avec le juge. Il semble que, peu à peu, au fil des ans, son poil ait perdu l'habitude de devenir vert.

Dommage ? Peut-être. Mais on ne peut attendre davantage d'un chien, même si ce chien est le héros d'un conte.

Voici une série de questions se rapportant au psychoconte que vous venez de lire. Vous êtes invité à y répondre spontanément par OUI, NON *ou* JE NE SAIS PAS.

1. Trouveriez-vous commode d'avoir un chien comme Olaf qui prend les gens en flagrant délit de mensonge ?
   OUI   NON   JE NE SAIS PAS

2. Est-ce incorrect de proférer des mensonges au cours de cérémonies familiales ?   OUI   NON   JE NE SAIS PAS

3. Iriez-vous jusqu'à quitter votre village natal, comme Sébastien, pour ne pas abandonner Olaf ?
   OUI   NON   JE NE SAIS PAS

4. L'idée vous viendrait-elle de suivre dans la rue une personne qui vous a plu au premier coup d'œil, comme le fait Sébastien avec Prunella ?   OUI   NON   JE NE SAIS PAS

5. Selon vous, est-ce uniquement le fait qu'elle soit jeune qui pousse le vieillard à accuser Prunella ?
   OUI   NON   JE NE SAIS PAS

6. Est-il impossible à un juge de ne jamais commettre d'injustice ?   OUI   NON   JE NE SAIS PAS

7. Est-il vrai que l'amour a besoin d'un peu de mensonge, comme Sébastien l'affirme à Olaf ?
   OUI   NON   JE NE SAIS PAS

8. Est-il vrai qu'au fil des ans, le goût de dire ou de savoir la vérité se perd, comme c'est le cas d'Olaf ?
   OUI   NON   JE NE SAIS PAS

(explications du psychoconte 3 page 68)

La bataille des miettes

Psychoconte 4

Jadis, dans le château d'un village dont le nom s'est perdu, vivait une belle jeune fille de dix-huit ans, qui s'appelait Églantine. Son aspect était, diraient les optimistes, florissant. En réalité, Églantine était grassouillette et on la surnommait « Mangetout », car elle engloutissait jusqu'à la dernière miette sur la table.

A l'opposé de sa fille, la princesse Cunégonde était maigre et sèche comme une trique. La princesse Cunégonde n'absorbait pour ainsi dire pas de nourriture par crainte d'engraisser. Et si elle portait un morceau à sa bouche, c'était avec une infinie précaution et non sans avoir consulté l'alchimiste de la cour pour choisir avec lui les aliments les moins riches. Évidemment, elle traînait une perpétuelle mélancolie et les mauvaises langues disaient que si elle soupirait tant, c'est que : « une personne qui ne s'alimente pas se fait du mauvais sang ». La princesse, quant à elle, prétendait que le spectacle de l'embonpoint de sa fille était ce qui la rendait si mélancolique. Et elle gémissait entre deux soupirs :

— Comment une femme grasse pourrait-elle avoir l'allure royale qui sied à une vraie châtelaine ?

Autant sa mère était triste, autant Mangetout était vive et gaie. Tout comme son père, le prince Properce, lui aussi d'un naturel joyeux. Et quand ils étaient ensemble, c'étaient de grandes parties de rires. Le prince Properce, comme tous les puissants de ce monde qui se respectent, n'avait pas grand-chose à faire. Alors il passait ses journées à mijoter des plaisanteries, dont tous ceux qui hantaient le palais étaient la cible. Evidemment, ces plaisanteries étaient l'occasion de grands rires et, excepté la princesse Cunégonde, tous riaient à gorge déployée, même les victimes.

Un jour, le baron Brandipeau, accompagné de son neveu, Gamin, arriva au palais de Properce. Il s'en retournaient dans leur château, après un séjour dans une station thermale, où Brandipeau avait tenté de soigner une crise de goutte tout à fait inesthétique. Apercevant le palais de Properce sur la colline, Brandipeau déclara :

— Notre château est encore loin. Nous passerons la nuit là-haut.

— On y mangera bien ? demanda Gamin avec une certaine angoisse.

— Quel que soit le maître de céans, nous serons reçus avec les égards dus à notre rang, assura Brandipeau, relevant fièrement le menton.

Properce réserva un accueil enthousiaste à Brandipeau et à Gamin. Et — aussi pour rompre un peu la monotonie de la vie de tous les jours — il fit préparer un festin en leur honneur, auquel furent conviés à la hâte tous les châtelains des environs. A table, Brandipeau s'efforça de manger parcimonieusement, à cause de sa goutte, mais il ne put résister devant un pigeon à la broche fourré d'un oisillon farci. Il goûta le pigeon, puis attaqua à belles dents l'oisillon, lorsque, du ventre de l'animal, jaillirent soudain deux yeux sanguinolents. Brandipeau devint très pâle. C'est à peine s'il eut le temps d'entendre la voix de Properce qui demandait :

— Qu'y a-t-il, baron ?

Brandipeau sortit en courant de la salle du festin et, dans la première salle qu'il trouva ouverte, il rendit tout ce qu'il venait d'avaler. Lorsqu'il regagna sa place parmi les convives, il était d'une pâleur mortelle et arborait un air menaçant.

— Qu'y a-t-il, baron ? s'étonna à nouveau Properce.

Brandipeau montra son assiette, où les deux yeux sanguinolents étaient toujours là, bien en vue.

— Ces yeux se trouvaient dans mon oisillon, tout saignants encore.

Properce avança les doigts vers l'assiette de Brandipeau et, saisissant les deux yeux, déclara d'un air angélique :

— Des yeux ? On dirait ceux d'un chien. Ils sont délicieux.

Il les porta en effet à la bouche, puis les ingurgita avec un air de satisfaction, tandis que sa barbe se teintait de rouge sang.

— Vous les trouvez bons ? fit Brandipeau avec dégoût.

— Excellents. Mon cuisinier les prépare avec le meilleur massepain. Ce que vous croyez être du sang est en réalité de l'alkermès.

Et Properce partit d'un grand rire, qui gagna tous les convives. En un instant, les voûtes de la salle résonnèrent de

rires déchaînés. Tous voulaient montrer qu'ils s'amusaient comme des fous. Alors, Brandipeau pointa le doigt vers Properce et lança une phrase qui, du ton dont elle fut prononcée, semblait destinée à être gravée dans le marbre:
– Properce, vous n'êtes qu'un rigolo!
C'était la première fois que le prince Properce se trouvait confronté à une pareille réaction. Généralement, tous riaient à gorge déployée de ses plaisanteries et n'y trouvaient rien à redire. Le fait qu'il puisse se trouver devant des gens qui ne le craignaient pas ne lui avait jamais effleuré l'esprit.
S'entendant traiter de rigolo, Properce n'eut plus envie du tout de rire. Les yeux révulsés, il chercha fébrilement une réponse adéquate. Mais, comme presque toujours dans ces cas-là, il ne lui vint rien de très génial à l'esprit.
Cependant, Brandipeau s'était levé et s'apprêtait à sortir du château, suivi de Gamin. Mais, sur un signe de Properce, deux gardes armés empoignèrent Gamin.

– Que peut cogiter encore un rigolo de cette espèce? ironisa Brandipeau, fixant férocement Properce.

– Je garde votre neveu en otage, répondit le prince avec un air qui en disait long. Au cas où vous songeriez à vous venger d'un trait d'esprit, une plaisanterie du meilleur goût, de l'avis de tous.
Brandipeau eut un sourire sardonique.
– Eh bien, gardez-le donc, mon neveu. Il n'est bon qu'à courir les jupons. En contrepartie, vous aurez de mes nouvelles.
Et il sortit. Un silence embarrassé s'ensuivit, que rompit un éclat de rire sonore. C'était Gamin qui, bien qu'étroitement maintenu par les deux gardes, se pliait en deux de rire.
– Et qu'est-ce donc qui te fait rire si fort? demanda Properce, qui craignait de perdre le contrôle de la situation.
– Je n'ai jamais vu mon oncle dans une si grande rage. C'est follement amusant, bégaya Gamin, s'étouffant à moitié de rire.
Et il ajouta:
– Comme je n'ai jamais vu un rigolo de votre espèce.
– Emmenez-le, cria Properce. Et enfermez-le dans la plus haute tour.
Ainsi s'acheva la soirée. Et les conséquences en furent très tristes, bien que prévisibles entre puissants de ce monde. Le baron Brandipeau leva son armée et fit le siège devant le palais de Properce. Ce fut le début d'un combat sans merci, dont personne ne pouvait prévoir l'issue.
Naturellement, le siège entraîna un véritable bouleversement pour tous les habitants du château. Le père de Mangetout avait perdu sa bonne humeur légendaire en même temps que toute envie de faire des plaisanteries, car la bataille tournait à l'avantage de l'odieux Brandipeau. Comme il n'avait pas l'étoffe d'un chef, Properce allait et venait fébrilement dans toutes les pièces, se donnant un air très affairé. Il pensait remonter ainsi le moral des assiégés. La princesse Cunégonde arborait un air de plus en plus mélancolique et famélique, car aux habituels jeûnes, elle avait ajouté ceux offerts en holocauste pour le siège. Une seule personne s'amusait et riait comme si de rien n'était: Mangetout. C'était la première fois qu'elle assistait à un siège, et tous ces

plumets de guerriers, ces engins de guerre, la mettaient de fort bonne humeur.
Un jour que le siège tournait à l'asphyxie, Properce, au cours de ses allées et venues agitées dans les salles du château, trouva Mangetout attablée devant une profusion de miettes, restes de friandises. La jeune fille s'apprêtait à nettoyer la table d'une montagne de ces miettes dont elle raffolait. Properce n'en crut pas ses yeux. Lui qui, depuis le siège, ne pouvait rien avaler! Il s'exclama:
– Grands dieux, Mangetout! T'empiffrer alors que le palais est assiégé!
Mangetout répliqua avec calme:
– Veux-tu que cette stupide guerre finisse?
– Bien sûr, tonna Properce
Il pensait renforcer son autorité en haussant le ton.
– Alors, il faut faire fonctionner son cerveau. Laisse-moi faire, dit Mangetout, se levant de table.
– Tu veux faire la guerre? Seule? bredouilla Properce d'une voix de fausset, car il n'arrivait plus à hurler.
– Seule, non. Ordonne une sortie de nos soldats. Immédiatement!
Properce en fut réduit à feindre la fureur, mais en réalité il avait grande confiance en Mangetout et courut donner des ordres d'effectuer une sortie générale du château. Quant à lui, il resterait à surveiller entre deux créneaux.

Cependant, Mangetout, avec tout le calme dont elle était capable, fit une montagne des miettes accumulées sur la table et s'en fut tout en haut des créneaux pour secouer la nappe au-dessus des troupes de Brandipeau, au moment précis où les soldats de Properce les attaquaient par surprise en passant le pont-levis abaissé.

L'effet des miettes répandues sur le camp ennemi fut déterminant. Les cavaliers du baron Brandipeau furent tous désarçonnés, car sur les naseaux de chaque cheval s'était déposée une miette, et cette gêne insupportable les avait rendus fous.

Quant aux artilleurs ennemis, ils n'arrivaient plus à viser et tirer, les miettes ayant abouti dans leur yeux, tandis qu'elles s'étaient logées dans les oreilles des fantassins. Si bien qu'obligés de se gratter, ils n'entendaient plus les ordres et ne pouvaient avancer : quand on se gratte une oreille, on aime bien, en plus, s'arrêter.

Bref, ce fut une belle pagaille dans le camp ennemi. Si bien que le baron Brandipeau fut contraint de demander la paix. Dans le traité de paix qui s'ensuivit, il renonçait à toute vengeance, mais s'engageait en contrepartie à récupérer son neveu Gamin, toujours enfermé dans la tour la plus haute du château, là où l'air est le plus pur. Properce ne pouvait garder plus longtemps un garçon qui ne faisait rien, mangeait encore plus que Mangetout et passait tout son temps à rire et à chanter à tue-tête.

La vie au château reprit son rythme normal, mais curieusement Mangetout commença à s'étioler. Tout le monde s'en rendit compte, car non seulement elle ne riait plus, mais elle maigrissait à vue d'œil, bien qu'engloutissant autant qu'avant. Seule sa mère, la princesse Cunégonde, se réjouissait de voir sa fille perdre des kilos. Elle déclara à une Mangetout hâve et maigre :

– Tu finiras par avoir la taille d'une vraie châtelaine.

Mais sa satisfaction fut de courte durée. Car, tandis qu'elle maigrissait de partout, Mangetout grossissait curieusement au niveau de la taille, en particulier à l'endroit du ventre. Consultés, les alchimistes et les astrologues de la cour prédirent, après de longs conciliabules :

– Mangetout, pardon, la princesse Églantine reprendra sa taille normale après un certain événement.

– Lequel ? s'enquit avec angoisse la princesse Cunégonde.

– Nous ne le savons pas. Ce n'est écrit ni dans les étoiles ni dans les alambics.

Alors, on consulta le médecin de la cour qui, comme il était très malin, ne répondait qu'en latin. On traduisit la réponse pour Cunégonde et Properce, qui voulait dire à peu près ceci :

– Mangetout, pardon, la princesse Églantine, a besoin de bains de lune.

A la fin, la princesse Cunégonde, au bord de la crise de nerfs, somma Properce de prendre la situation en main, car le ventre de Mangetout avait maintenant la forme d'un gros ballon et sa démarche devenait très lourde. Alors le prince prit sa fille à part.

– Mangetout, pardon, Églantine, que t'arrive-t-il ?

– Je suis enceinte, père.

Le bruit qu'on entendit fut provoqué par la chute de la princesse Cunégonde, qui écoutait en cachette de la pièce voisine et s'écroula, inanimée, sur le sol. Properce, de son côté, resta presque sans voix. Il parvint cependant à articuler d'un ton qui lui parut celui d'un autre :

– Et qui est le responsable ?

– Gamin, avoua calmement la jeune fille, comme si c'était la

nuages de farine, qui poudrèrent les superbes atours de tous les invités.

Properce déclara aussitôt la guerre à Brandipeau, mais tout s'arrangea avec la naissance inopinée de Sucre d'orge, fils de Mangetout et de Gamin. Ainsi le château retentit à nouveau de rires, dont ceux de Sucre d'orge, qui s'amusait bien, toute la journée, avec une famille si sympathique.

Une seule personne soupirait toujours au château : grand-mère Cunégonde. Mais au fond, c'était normal, car on est rarement satisfait de ce que l'on a.

Voici une série de questions se rapportant au psychoconte que vous venez de lire. Vous êtes invité à y répondre spontanément par OUI, NON *ou* JE NE SAIS PAS.

☐1 Selon vous, le physique est-il important dans la vie ?

OUI   NON   JE NE SAIS PAS

☐2 En arrivant au château de Properce, auriez-vous eu l'attitude de Brandipeau et de Gamin ?

OUI   NON   JE NE SAIS PAS

☐3 A la place de Gamin, auriez-vous ri de Brandipeau et de Properce ?

OUI   NON   JE NE SAIS PAS

☐4 A la place de Brandipeau, auriez-vous déclaré la guerre à Properce ?

OUI   NON   JE NE SAIS PAS

☐5 Est-ce mal de la part de Mangetout de s'amuser en regardant du haut des tours les plumets des guerriers, leurs armures et les engins de guerre ?

OUI   NON   JE NE SAIS PAS

☐6 L'idée d'une armée mise hors de combat par des miettes vous irrite-t-elle ?

OUI   NON   JE NE SAIS PAS

☐7 Auriez-vous réagi comme Cunégonde à l'annonce que sa fille Mangetout était enceinte ?

OUI   NON   JE NE SAIS PAS

☐8 Invité au mariage de Mangetout et de Gamin, auriez-vous été furieux de vous retrouver enfariné ?

OUI   NON   JE NE SAIS PAS

(explications du psychoconte 4 page 68)

chose la plus naturelle du monde.

Pendant les journées pleines d'ennui du siège, Mangetout était allée trouver Gamin dans la tour la plus haute, là où l'air était le plus pur. Et puis, il chantait si bien et la faisait toujours rire. Alors, ce qui devait arriver arriva : à force de rester ensemble, les deux jeunes gens s'étaient octroyé certaines libertés. Trop, peut-être.

Properce, ne serait-ce que pour faire quelque chose, ordonna la pendaison du garde qui avait fermé les yeux sur ces entrevues intimes entre les deux jeunes gens. Mangetout réussit in extremis à faire s'échapper ce brave homme. Dès lors l'ancien garde, condamné à l'exil à perpétuité, eut tout loisir de méditer sur cette vérité, à savoir que celui qui le peut expie ses fautes en les faisant payer aux autres.

Puis il fit appeler Gamin, qui consentit de bon cœur aux épousailles réparatrices.

— Oui, avoua-t-il, j'adore la cuisine du château.

Le baron Brandipeau trouva un prétexte pour ne pas être témoin au mariage et envoya un représentant porteur d'instructions précises. Pour le venger des yeux de massepain, en cachette, il remplit de farine les tuyaux de l'orgue de l'église. Ainsi, au lieu d'entendre résonner la marche nuptiale, les époux se présentèrent devant le prêtre au milieu d'énormes

Suite du test de la sexualité. Voici, à droite, la première des deux photos : C, la seconde, D, figurant au verso de la page. Là encore, vous devez choisir entre C et D, spontanément. Notez votre choix, en attendant la prochaine double page, avec deux autres objets photographiés.

Explications

Psychoconte 1 (Révolte à la cuisine)

Comptez 5 points par OUI que vous avez choisis, 0 point par NON et 1 point par JE NE SAIS PAS. Faites le total des points et, en lisant ce qui suit, vous saurez à quoi vous en tenir sur votre sens esthétique.

De 0 à 10 points
Il vous faut reconnaître que le sens artistique n'est pas votre fort. Vous n'avez pas l'œil suffisamment critique pour saisir d'emblée les aspects offrant le plus d'intérêt sur le plan esthétique. Selon toute vraisemblance, vous êtes trop préoccupé par le côté matériel des choses et, à force de rester ainsi attaché à la réalité, vous en oubliez que même les choses sans valeur concrète ont un intérêt et sont riches d'enseignements. De toute façon, le bon goût et le sens artistique s'affinent avec de l'entraînement et le concours des autres. Laissez-vous donc porter par certains élans instinctifs, certains sentiments indéfinissables. Peut-être est-ce justement là que se trouve pour vous le secret du bon goût.

De 11 à 20 points
Comme toutes les personnes très pragmatiques, attachées aux réalités concrètes, vous passez à côté de la beauté sans la voir. Ou, plutôt, vous la voyez par moments, mais vous êtes alors trop absorbé pour trouver le temps de courir derrière des stimuli qui débouchent sur des objectifs sans valeur pratique. Un petit côté présomptueux chez vous vous fait croire que vous pouvez vous passer des choses belles mais inutiles. N'avez-vous donc jamais été effleuré par la crainte de finir par manquer de chaleur ? Un peu plus de sens artistique ne pourrait qu'améliorer vos comportements quotidiens. Les émotions que font naître en nous les choses belles finissent par nous rendre meilleurs sur bien des points.

De 21 à 30 points
Doué d'un bon sens de l'esthétique, vous êtes sensible à de multiples sollicitations, dans la mesure où elles ne heurtent pas le bon goût. Parfois, subjugué par les côtés raffinés et esthétiques des choses, vous en oubliez la réalité. Vous affichez un certain snobisme, du moins quand il s'agit d'esthétique : vous auriez tendance en effet à témoigner quelque mépris pour quiconque ne partage pas votre goût. Essayez plutôt de vous convaincre que tout art est incomplet, s'il n'est pas mis à la portée de tous. Certes, vous ne vous ennuyez pas dans la vie, car, si d'un côté vous êtes épris de beauté, d'une beauté que vous ne trouvez pas toujours autour de vous, de l'autre, quand vous la rencontrez, vous vivez alors des moments d'émotion indicible.

De 31 à 40 points
Vous faites partie de ces personnes particulièrement douées de sens esthétique et d'un jugement infaillible en matière de beauté. Aussi aimez-vous vivre entouré d'objets beaux et harmonieux. Vous risquez toutefois de trop vous abstraire de la réalité et d'apparaître un peu inhumain. L'art véritable est celui qui s'inspire de la réalité vivante. Un peu plus d'humilité ne peut que vous être salutaire pour approfondir de nombreux aspects et vous convaincre qu'un jugement, si général soit-il, contient une parcelle de vérité. Votre vie, bien que captivante, est loin d'être facile, car à force de chercher ainsi la beauté partout, vous allez fatalement au-devant de nombreuses déceptions. Mais il suffit de peu de chose pour vous enrichir intérieurement, et là réside votre principale force.

Psychoconte 2 (Gerda Jambe-Folle)

Comptez 5 points par NON que vous avez choisis, 0 point par OUI et 1 point par JE NE SAIS PAS. Faites le total des points et, en lisant ce qui suit, vous saurez à quoi vous en tenir sur votre aptitude à aimer.

De 0 à 10 points
Votre aptitude à aimer est plutôt faible. Ou plutôt vous êtes trop égocentrique pour accorder aux autres les sentiments qu'ils seraient en droit d'attendre. Votre manque de chaleur, fruit principalement de votre égoïsme, vous fait douter même de l'amitié. Cette attitude vous pousse à n'accorder votre confiance ni à votre prochain ni aux circonstances. D'où cette impression de pessimisme que vous donnez. Vous allez jusqu'à refuser tout espoir en un avenir meilleur. Car cette attitude est pour vous signe de force et non de faiblesse. Votre absence de scrupules est fréquemment pour vous un gage de succès, mais le prix que vous devez payer est presque toujours la solitude.

De 11 à 20 points
Vous n'êtes guère enclin naturellement à aimer, aussi votre comportement est-il dicté habituellement par l'égoïsme. Vous manquez de confiance en votre prochain, et le pessimisme vous paraît le seul véritable fondement de votre réalité. Cependant, pris de doutes par moments, vous vous dites que l'amour doit bien exister quelque part. Alors vous vous efforcez d'accorder votre confiance à quelqu'un ou d'éprouver un sentiment d'amitié, quitte ensuite à retomber presque aussitôt dans une solitude amère. Mettez-vous bien dans la tête que l'amour n'est pas un droit, mais un sentiment difficile qu'il faut mériter chaque jour. Essayez d'aborder les situations nouvelles sous l'angle affectif, et vous pourriez y trouver de façon inespérée un climat plus stimulant pour vous et ceux qui vous entourent.

De 21 à 30 points
Vous avez une bonne aptitude à aimer, qui mérite toutefois d'être tonifiée. Parfois vous oubliez que, quand il s'agit de donner ou de recevoir, en amour, il ne faut pas rester passif, mais au contraire participer, voire s'enthousiasmer. On peut aimer en silence, c'est vrai, mais crier son amour est préférable dans certaines circonstances. Une flamme brûle en vous, mais qui a sans cesse besoin d'être attisée. De même, votre optimisme gagnerait à être plus authentique, pour éviter que votre espérance ne s'essouffle, comme c'est parfois le cas. Cela étant, vos proches n'ont pas à se plaindre, car vos qualités sentimentales sont supérieures à la moyenne et l'emportent sur l'ennui suscité parfois par votre excès de logique.

De 31 à 40 points
Vous êtes en quelque sorte amoureux de l'amour. Pour vous, l'amour est le moteur de l'univers. Vous accordez une grande confiance aux autres et vous considérez aussi l'amitié comme une forme particulière de l'amour. Bien plus, vous attribuez à l'amour le pouvoir de réconcilier et d'unir tout le monde. Et loin de rester inactif, vous

participez au contraire à de nombreux élans collectifs. Vous possédez une forte dose d'optimisme, votre foi en l'avenir constituant votre richesse la plus enviable. Cependant, votre point faible peut devenir la naïveté, qui risque de vous faire voir une réalité qui n'existe pas.

Psychoconte 3 (Le chien vert)

Comptez 5 points par OUI que vous avez choisis, 0 point par NON et 1 point par JE NE SAIS PAS. Faites le total des points et vérifiez votre âge véritable, l'âge de votre mental, qui n'est pas nécessairement celui de votre état civil.

De 0 à 10 points
Vous avez un certain âge (il s'agit de votre âge mental), lié à vos comportements, vos idées, vos sentiments. Vous êtes âgé, en ce sens du moins que vous affichez presque toujours un cynisme amer. La vérité ne vous séduit pas toujours, parce que, selon vous, la réalité est surtout faite de mensonges. Vous auriez tendance parfois à vous méfier aussi des grandes valeurs, comme l'amitié ou la loyauté. Et lorsque vous éprouvez, malgré tout, un peu d'amour, il s'agit rarement d'un sentiment vif et léger, mais au contraire sérieux, sombre, voire légèrement tourmenté. Vous donnez par moments l'impression d'être apathique et indolent, mais vous constituez une sécurité pour vous et ceux qui vous entourent, car vous vous fiez surtout à votre cerveau et presque jamais à votre instinct. En fait, vous n'aimez pas les nouveautés.

De 11 à 20 points
Vous avez un certain âge, l'âge véritable s'entend, à en juger par les comportements sérieux, les idées conformistes que vous affichez aux yeux d'autrui, à votre maîtrise de vous-même. Légèrement pessimiste, vous éprouvez par moments une certaine méfiance envers les grandes idées, en raison des nombreuses expériences amères par lesquelles vous êtes passé. Parfois aussi, la vérité vous fait peur, car vous la considérez comme une arme à double tranchant, tandis qu'à vos yeux loyauté et amitié sont un luxe que peu de gens peuvent s'offrir. Cependant, l'envie vous prend de temps à autre de vous lancer, d'envoyer promener toute logique, d'échapper à la monotonie de tous les jours. En fait, vous pourriez être plus jeune d'esprit, si vous tiriez mieux parti de certains élans, qui ont tendance chez vous à s'essouffler.

De 21 à 30 points
Vous êtes assez jeune d'esprit et vous avez encore de nombreuses possibilités dynamiques à exploiter. Vous n'êtes pas contre les nouveautés et vous êtes encore capable de vous lancer dans les situations avec une certaine impulsivité. Vous aimez les contacts humains et croyez moyennement à l'amitié. Vous êtes un rêveur, enclin à embrasser de grandes idées qui vous donnent l'impression de vivre. Vous manifestez une certaine hostilité envers la société, mais vous pensez avec optimisme que les choses pourraient s'arranger, à condition que progresse la vérité.

De 31 à 40 points
Vous êtes très jeune d'esprit, d'où une aptitude à modifier vos comportements sous l'influence de stimuli intéressants. Vous êtes actif, dynamique, aventureux même. Par-dessus tout, vous aimez la vérité, à vos yeux la force la plus authentique de l'existence. Vous êtes de ces personnes ayant une confiance excessive dans les grandes idées, qui vous donnent l'impression de vivre intensément,

et, selon vous, il y a toujours quelque chose à changer dans la société, en vue de réaliser un véritable progrès. Mais vous courez alors le risque de vous enfermer dans une forme inconsciente d'immaturité et de vous bercer de chimères et d'illusions, sans possibilité de les réaliser.

Psychoconte 4 (La bataille des miettes)

Comptez 5 points par NON que vous avez choisis, 0 point par OUI et 1 point par JE NE SAIS PAS. Faites le total des points et, en lisant ce qui suit, vous saurez à quoi vous en tenir sur votre degré d'ironie ou, si vous préférez, sur votre sens de l'humour.

De 0 à 10 points
Le moins qu'on puisse dire est que vous ne brillez par l'ironie et le sens de l'humour. Vous aimez aller au fond des choses et vous appuyer sur vos certitudes, que peu de personnes arrivent à ébranler. Vous prenez tout très au sérieux, et le doute ne vous effleure pas, d'où une tendance à juger les autres avec une rigueur excessive. Pour vous, la vie, c'est tout noir ou tout blanc, vous n'avez pas le sens des nuances. Vous ne savez pas voir la réalité en face et vous évitez de vous mesurer aux autres chaque fois que cela est possible, pour éviter des contacts désagréables. Vous avez une grande force de caractère à de nombreux égards, mais vous devriez être plus décontracté, vous laisser aller plus souvent.

De 11 à 20 points
Rire plus souvent ne vous ferait pas de mal. Apprenez à rire davantage de vous-même et atténuez cette rigidité qui parfois vous étouffe. Avec un peu d'efforts, vous pourrez atteindre ce juste milieu qui, dans la vie, est souvent la mesure la plus satisfaisante. Étendez vos relations avec autrui; en effet, il vous suffit de peu pour devenir sociable et sympathique. Attaquez-vous davantage aux aspects concrets de la réalité, sans trop chercher à les approfondir.

De 21 à 30 points
Vous êtes sur la bonne voie pour mieux prendre la vie par ses bons côtés. Vous possédez une bonne dose d'optimisme et ne manquez pas de vitalité. Vous êtes assez sociable et, quand vous le voulez, savez témoigner d'une indulgence envers les autres, suffisante pour ne pas les éloigner. Vous menez votre barque avec une certaine habileté entre les instincts et la raison. Aussi usez-vous d'un juste sens moral, quand vous en avez besoin, et êtes-vous capable également d'apprécier la valeur du doute au point de savoir rire de vous-même. Il vous reste seulement à apprendre à rire un peu plus fort, de façon à vous défouler davantage.

De 31 à 40 points
Doué d'un vif sens de l'humour, vous attirez la sympathie. Vous êtes naturellement enclin à voir le bon côté des choses et décelez même une lueur d'espoir dans les situations les plus sombres. Vous débordez de vitalité, si bien que vous réussissez à jouir de maints aspects de la vie, négligés en revanche par nombre de personnes de votre entourage. Vous êtes doté d'un solide sens moral. Vous possédez une bonne dose d'indulgence affectueuse. Vous êtes parfois enclin à généraliser vos doutes, aussi ne croyez-vous pas en grand-chose et êtes-vous porté à ironiser sur vous-même. Vous avez tendance à voir les choses telles qu'elles sont, mais parfois vous faites preuve d'une certaine superficialité. Toujours est-il que vous avez tout ce qu'il faut pour vivre dans la sérénité.

Les aptitudes professionnelles

Les tests présentés dans ce chapitre sont destinés à déterminer les aptitudes nécessaires à l'exercice d'une profession donnée.
Il s'agit de caractères psychologiques reflétant les tendances d'un individu qui le portent à s'orienter vers telle ou telle profession.
Pour déterminer et évaluer ces aptitudes, le lecteur est invité à répondre à une série de questions, en choisissant l'une des deux éventualités proposées comme réponses possibles.
Les différentes professions n'ont pas été indiquées au départ, de façon à ne pas influencer les choix.

Test-jeu 1

1 **Trouvez-vous plus sympathique ?**
  a la cigale
  b la fourmi

2 **Vous avez une demi-heure pour vous relaxer. Que faites-vous ?**
  a vous prenez un ouvrage d'actualité
  b vous écoutez une émission musicale à la radio

3 **Vous êtes seul dans un endroit. Au loin, un groupe entonne une chanson populaire. Comment réagissez-vous ?**
  a vous éprouvez un certain agacement
  b vous vous joignez au chœur

4 **Au cours d'un concert, un soliste interprète un air très suggestif pour vous :**
  a vous songez aux autres auditeurs qui partagent avec vous ce plaisir de l'esprit
  b vous êtes tellement pris par cet air que vous avez l'impression qu'il est interprété uniquement pour vous

5 **Vous avez entre les mains un de ces jeux qui sont de véritables casse-tête. Comment réagissez-vous ?**
  a vous prenez votre temps et persévérez avec ténacité jusqu'à en comprendre le mécanisme
  b vous vous lassez au bout d'un moment et renoncez

6 **Avec une bande d'amis, vous décidez du programme de la soirée :**
  a vous vous conformez au choix des autres
  b vous faites une proposition et la défendez avec opiniâtreté

7 **Enfermé dans un ascenseur avec une personne atteinte de claustrophobie et qui commence à s'agiter :**
  a vous cherchez à la calmer
  b vous perdez patience et la bousculez un peu

8 **Après des années, vous vous retrouvez entre camarades de classe à un banquet d'anciens élèves, et l'un d'entre vous propose de jouer «comme au bon vieux temps» à qui lancera les cailloux le plus loin :**
  a vous ne participez pas à l'épreuve
  b vous participez à l'épreuve avec enthousiasme

9 **Devant un tableau abstrait, qu'est-ce qui vous frappe d'emblée ?**
  a la disposition des éléments
  b les couleurs

10 **Vous êtes à l'étranger depuis un certain temps, qui vous paraît déjà long, et vous entendez dire du mal de votre ville natale :**
  a en proie à une soudaine nostalgie, vous ne parvenez pas à réagir et vous vous réfugiez dans le silence
  b vous tentez, preuves à l'appui, de faire changer d'avis

11 **Dans le silence de la forêt, vous entendez le chant d'un oiseau :**
a vous cherchez à découvrir sa provenance
b vous vous arrêtez, la gorge serrée

12 **Vous êtes seul dans le compartiment d'un train, qui avance tranquillement en faisant le caractéristique « teuf-teuf, teuf-teuf » :**
a vous battez la mesure avec les doigts au rythme du train
b vous n'avez pas de réaction particulière

13 **Vous avez adressé une de vos compositions à un chef d'orchestre célèbre. Et voici qu'un jour vous recevez de l'illustre maître une lettre vous invitant à une rencontre :**
a vous songez instantanément à l'organiser
b vous manquez perdre la tête et vous mettez à rêver de développements fantastiques

14 **Alors que vous goûtez un moment particulièrement calme, de chez votre voisin vous parvient un air joyeux, qui vous rappelle quelque chose ou quelqu'un :**
a vous écoutez en silence pour ne pas perdre une note
b vous esquissez un pas de danse sur le rythme de la musique

15 **Dans un splendide panorama, un élément dépare l'ensemble :**
a cet élément vous gâche le plaisir de l'ensemble
b vous n'en faites pas cas, ou du moins vous ne vous laissez pas influencer négativement

16 **Au cours d'une soirée entre gens de connaissance, « un ange passe », personne ne sait plus quoi dire et une gêne générale s'instaure :**
a malgré votre désir, vous ne savez comment intervenir pour redresser la situation
b vous engagez la conversation et parvenez à la rendre générale

17 **Vous êtes seul devant l'immensité d'une mer en perpétuel mouvement :**
a sans raison précise, vous évoquez une personne ou une émotion lointaines, pas nécessairement liées à la mer
b vous songez à la mer, à son mystère, à son immensité

18 **Au cours d'une conversation, quelqu'un montre qu'il en sait plus que vous dans votre domaine préféré. Comment réagissez-vous ?**
a vous cherchez habilement à dévier la conversation
b vous écoutez avec un intérêt sincère

(explications page 88)

Test-jeu 2

1 **Vous pliez 40 fois en quatre une page de journal. En l'estimant à vue d'œil, quelle est l'épaisseur obtenue ?**
a 80 centimètres
b la distance entre la Terre et la Lune

2 **Laquelle de ces deux phrases vous semble la plus gentille ?**
a je désire vous remercier, mes amis
b mes amis, je désire vous remercier

3 **Naufragé sur une île, vous rencontrez un indigène primitif. En l'absence d'un langage commun entre vous, comment communiquez-vous avec lui ?**
a vous lui enseignez votre langue ou apprenez la sienne
b vous inventez ensemble un langage commun

4 **Vous avez atteint le sommet de l'Everest. Quel est votre premier geste ?**
a vous mettez en place un instrument de mesure pour connaître la hauteur exacte de la montage
b vous vous prenez en photo avec le déclencheur automatique

5 **Vous participez, uniquement par devoir, à une fête peu divertissante et vous vous ennuyez. Que faites-vous pour y remédier ?**
a vous mangez et buvez excessivement
b vous cherchez à connaître le plus de gens possible

6 **Vous avez besoin de gagner mille francs en un jour. Que faites-vous pour les obtenir ?**
a du porte-à-porte pour vendre des exemplaires d'une encyclopédie (avec la possibilité de toucher ces mille francs de commission) sans aucune garantie de réussite
b faire des trous dans un carton avec une machine spéciale pendant huit heures d'affilée, avec la certitude que vous gagnerez la somme voulue

7 **Dans l'ordre, sur une feuille de papier blanc :**
– **vous dessinez un cercle sans vous aider du compas**
– **vous divisez le cercle en quatre parties égales**
– **sous le cercle, à une distance d'un centimètre environ, vous dessinez une malle sans couvercle**
– **vous tirez, à partir de la malle, quatre lignes rejoignant le sommet du cercle.**
Quel est le résultat de tout cela ?
a ce n'est pas très clair
b une montgolfière

8 **Quelqu'un ayant décidé de vendre une collection d'épées anciennes de famille hésite entre deux**

légendes publicitaires à inscrire sous la photo de l'une de ces épées. Laquelle lui conseilleriez-vous ?
a une belle épée, de surcroît très utile
b une belle épée, d'aucune utilité

9 **Après plusieurs tentatives, un homme célèbre accepte enfin une invitation à dîner chez vous. Que faites-vous ?**
a vous invitez également vos dix meilleurs amis
b vous n'invitez personne d'autre

10 **Deux artisans travaillent le verre soufflé. Selon vous, lequel fabrique les objets les plus demandés ?**
a celui qui travaille en collaboration avec d'autres artisans
b celui qui travaille seul dans son atelier

11 **Vous attendez d'être reçu par un personnage de marque, seul dans un salon plein de vases et de bibelots. Vous en cassez un sans être vu de personne. Que faites-vous ?**
a vous l'avouez au premier familier de la maison que vous voyez
b vous dissimulez les tessons

12 **Vous devez passer des vacances dans un petit village isolé. Comment vous comportez-vous ?**
a vous goûtez le calme sans rien faire
b vous photographiez ou dessinez tout ce qui vous paraît le plus beau en vous proposant d'en faire, dans un second temps, une exposition

13 **Combien d'amis (ou amies) êtes-vous en mesure de rassembler en une demi-heure, prêts à accourir instantanément chez vous ?**
a plus de dix
b quatre ou cinq

14 **En vous promenant avec des amis, vous découvrez un paysage qui vous inspire et vous avez envie de le photographier. Comment le cadrez-vous ?**
a sans aucune présence humaine
b avec, au premier plan, un ou plusieurs amis

15 **Vous faites un travail qui vous intéresse modérément. Pour en venir à bout :**
a vous préférez travailler même samedi et dimanche
b vous l'interrompez les samedi et dimanche pour le reprendre le lundi, l'esprit plus dispos

16 **Vous devez, avec la photo d'un petit garçon, faire de la publicité pour une nouvelle marque de caramel. Lequel choisissez-vous parmi ces deux sujets ?**
a un enfant bien vêtu
b un enfant négligé

(explications page 88)

Test-jeu 3

1. **Vous rencontrez un enfant de 3 ans égaré dans la rue et qui pleure désespérément. Que faites-vous ?**
   a vous l'accompagnez au commissariat de police
   b vous l'emmenez chez vous pour le consoler

2. **En entendant prononcer le mot « racine », quelle image se présente spontanément à vos yeux ?**
   a un arbre
   b le symbole graphique de la racine carrée

3. **Entre ces deux télégrammes, lequel préférez-vous ?**
   a avez gagné Nobel, vous attendons
   b pour récompenser vos grands mérites, notre Académie, au nom du monde scientifique tout entier, vous décerne le prix Nobel et vous invite à sa remise solennelle

4. **Si vous y étiez contraint, vous aimeriez vivre :**
   a dans une ville confortable édifiée dans les profondeurs sous-marines
   b dans une maison de campagne sans confort

5. **Répondez à cette question en faisant un calcul mental seulement ; si une pendule sonne 4 heures en 3 secondes, en combien de secondes sonnera-t-elle 10 heures ?**
   a 6 secondes
   b 7 secondes 1/2

6. **Si quelqu'un prononce en votre présence l'expression « de mon temps », qu'éprouvez-vous spontanément ?**
   a un mouvement de solidarité humaine
   b un sentiment d'ennui

7. **Vous êtes tenu de jouer aux cartes. Lequel de ces deux jeux, auxquels vous excellez, choisiriez-vous ?**
   a le brisque
   b le poker

8. **Sur votre table de travail, chez vous ou à votre bureau, vous avisez un objet qui n'est pas à sa place habituelle :**
   a vous le remettez en place
   b vous le laissez là où il est, sans y attacher d'importance

9. **Vous préférez :**
   a un tableau abstrait qui vous procure une forte émotion, mais que vous ne comprenez pas
   b un tableau réaliste figurant un paysage, qui ne vous inspire guère d'émotion, mais que vous comprenez parfaitement

10. **Vous restez à observer plus volontiers :**
    a un sculpteur œuvrant patiemment
    b une machine qui désenfourne des barres d'acier à une vitesse vertigineuse

11. **Dans une ville inconnue, vous cherchez votre chemin :**
    a vous vous fiez aux plans de la ville et à votre sens de l'orientation
    b vous demandez sans cesse votre chemin

12. **Si l'on vous dit que le bois « vit » :**
    a cela ne vous fait ni chaud ni froid
    b vous éprouvez une sorte de frisson

13. **Vous préférez vous perdre :**
    a dans un labyrinthe de haies
    b dans un château

14. **Devant assouvir une vengeance :**
    a vous le faites tout de suite
    b vous remettez cela à plus tard

15. **A la télévision, vous préférez regarder :**
    a un long documentaire
    b une courte comédie

16. **Laquelle de ces inventions jugez-vous la plus utile ?**
    a l'invention de la boussole
    b l'invention des notes de musique

17. **En vous promenant aux alentours d'un ancien palais, vous préférez découvrir :**
    a un jardin classique entretenu avec méthode
    b un jardin dont la végétation a poussé spontanément

18. **Devant vous offrir un petit jouet, vous achetez :**
    a une boîte de peinture
    b une voiture télécommandée

19. **Dans une discussion où vous êtes sûr d'avoir raison :**
    a vous finissez par renoncer devant l'obstination de votre interlocuteur
    b vous poursuivez inlassablement

20. **Devant effectuer un voyage interplanétaire, vous préférez avoir à vos côtés :**
    a un robot qui se trompe rarement
    b un compagnon qui peut se tromper

21. **Pour occuper vos heures de loisir, vous préférez :**
    a jouer au loto
    b assembler un puzzle compliqué

22. **Devant une situation, vous préférez :**
    a attendre les développements
    b en précipiter l'issue

23 **Si vous découvrez sur une paroi rocheuse des graffiti préhistoriques figurant une demi-lune, à quoi pensez-vous spontanément ?**
a à un signe visible d'amour de la nature
b à un langage symbolique indéchiffrable

24 **Vous perdez une aiguille dans une botte de foin et vous devez la retrouver à tout prix :**
a vous cherchez tout de suite
b vous commencez par diviser le foin en tas

25 **En présence de vos amis, vous présentez votre voiture :**
a par un sobriquet
b par sa marque officielle

26 **Si l'on vous demande votre avis, vous le donnez :**
a sur une question intéressante que vous ne connaissez pas bien
b sur une question intéressante que vous connaissez bien

27 **Vous préférez :**
a un œuf aujourd'hui
b la poule demain

28 **Répondez en 10 secondes à cette question, sans faire de calculs ni dessins par écrit :**
«Dans une boîte chinoise, il y a trois boîtes chinoises; chacune contient deux boîtes chinoises plus petites, et dans chacune de ces boîtes plus petites, il y a trois minuscules boîtes chinoises. Combien y a-t-il de boîtes en tout ?
a vingt-huit
b vingt-quatre

29 **Si vous aviez à vous occuper d'espionnage, vous préféreriez :**
a déchiffrer les codes secrets
b intercepter les communications

30 **On vient de refuser un de vos projets. Que préférez-vous vous entendre dire :**
a il était trop fantaisiste
b il était trop rigide

(explications page 89)

Test-jeu 4

[1] **Devant un morceau de bois :**
a vous n'avez jamais imaginé que c'était l'ébauche de Pinocchio ou d'un autre personnage, prêt à sortir des mains d'un artiste
b vous êtes séduit par la forme extérieure et la couleur

[2] **Quelqu'un façonne devant vous un matériau quelconque :**
a vous l'enviez
b vous ne l'enviez pas

[3] **Pour expliquer à quelqu'un votre projet :**
a vous utilisez papier et crayon
b vous vous servez des mots

[4] **Vous êtes davantage porté naturellement :**
a à faire vite
b à faire bien

[5] **Si vous commettez une erreur de détail :**
a vous cherchez à redresser l'erreur
b vous repartez à zéro

[6] **Devant vivre dans la jungle, vous préféreriez :**
a être Tarzan
b vivre dans une tribu

[7] **Quand vous entreprenez quelque chose :**
a vous avez bien en vue l'objectif final
b vous improvisez au fur et à mesure

[8] **Pour vous, l'aube est :**
a surtout une émotion
b surtout un phénomène physique

[9] **A valeur égale, vous aimeriez avoir chez vous :**
a un meuble datant de 70 à 80 ans
b un meuble moderne

[10] **Si une pomme tombe d'un arbre sur votre tête :**
a vous pensez à Newton et aux lois de la pesanteur
b vous pensez à manger le fruit

[11] **Dans un paysage qui vous attire, vous voyez d'abord :**
a les formes
b les couleurs

[12] **Vous préférez :**
a écrire une lettre
b faire un calcul

[13] **Vous préférez :**

a faire une belle chose gratuitement
b faire une chose laide, mais bien rémunérée

[14] **Si vous tenez dans vos mains un trombone :**
a vous jouez avec en l'entortillant dans vos doigts
b vous le tordez en lui donnant diverses formes

[15] **Si vous deviez jouer à cache-cache comme lorsque vous étiez enfant, vous aimeriez mieux :**
a être celui qui se cache
b être celui qui cherche

[16] **Sachant qu'ensuite vous resterez sans travail, vous aimeriez mieux :**
a travailler pendant 20 ans à raison de 150 000 FF par an
b travailler pendant 10 ans à raison de 300 000 FF par an

[17] **Si vous étiez un prince de la Renaissance, vous aimeriez mieux avoir dans votre entourage :**
a mille personnes valant moins que vous
b dix personnes valant plus que vous

[18] **Vous préférez :**
a donner un ordre contestable
b recevoir un ordre juste

[19] **Quand on vous présente quelqu'un, que pensez-vous spontanément ?**
a en quoi il pourrait vous être utile
b en quoi vous pourriez lui être utile

[20] **Vous préférez :**
a un écureuil
b un castor

[21] **Pour vous, l'obscurité :**
a est simplement du noir
b est composée de plusieurs couleurs

[22] **Sachant que vous serez payé le même prix, vous préférez :**
a régler une horloge pendant toute une journée
b déplacer un poids très lourd pendant une heure

[23] **Que demanderiez-vous à la lampe magique d'Aladin ?**
a la santé
b le pouvoir de voler

[24] **En écoutant l'écho en montagne :**
a vous êtes captivé comme lorsque vous étiez enfant
b vous essayez de comprendre d'où se répercute la voix

[25] **En possession d'un baril d'eau dans le désert :**
a vous la buvez par petites quantités
b vous l'échangez contre un objet utile

[26] **Vous jugez plus essentiel :**
a une main
b un pied

[27] **Vous préférez :**
a savourer une nourriture délicieuse
b observer une bulle de savon

[28] **Vous jugez plus important :**
a l'artiste qui le premier a utilisé la couleur
b l'artiste qui le premier a utilisé la perspective

[29] **Si vous voyez osciller un lustre :**
a vous pensez au magnétisme
b vous pensez à Galilée

Test-jeu 5

[1] **Selon vous, qui a été le plus utile à l'humanité ?**
a Marconi, inventeur de la radio
b Stephenson, inventeur de la traction à vapeur

[2] **Qu'est-ce qui vous attire davantage ?**
a une flaque d'eau limpide
b une roue de moulin

[3] **Qu'est-ce qui vous fait le plus de mal ?**
a une gifle
b un regard méprisant

[4] **Face à un magnifique coucher de soleil, que faites-vous d'instinct ?**
a vous récitez des vers
b vous restez silencieux

[5] **Vous trouvez plus sympathique :**
a le paon
b le caneton

[6] **Normalement, vous vous sentez mieux :**
a tout seul
b au milieu d'autres personnes

[7] **Que représentent pour vous une scène vide et un projecteur ?**
a des éléments de décor
b un avant-goût de spectacle

[8] **Très sincèrement, vous vous plaisez :**
a beaucoup
b pas beaucoup

[9] **A la campagne, en juin, qu'est-ce qui vous frappe le plus à première vue ?**
a les épis de blé
b les coquelicots

[10] **Qu'est-ce qui vous gêne le plus chez un interlocuteur ?**
a un défaut de prononciation
b une faute de grammaire impardonnable

[11] **Vous devez raconter un fait qui vous est arrivé :**
a vous dites tout, tout de suite, et n'inventez rien
b vous faites traîner le récit en longueur en brodant

[12] **Quand on vous fait un compliment :**
a vous êtes ravi et flatté
b vous vous méfiez

(explications page 89)

13 **Vous préférez :**
a écouter
b parler

14 **Si vous voyez un portemanteau avec un pardessus accroché, vous pensez :**
a où vais-je mettre le mien ?
b on dirait mon vieux maître d'école

15 **Vous auriez préféré être :**
a premier dans un village
b second à Paris

16 **Une personne importante glisse et tombe devant vous sans se faire de mal. Que faites-vous spontanément ?**
a vous lui portez secours
b vous éclatez de rire

17 **Devant une antiquité, à quoi pensez-vous tout d'abord ?**
a à son premier propriétaire
b à l'endroit où vous la placeriez chez vous

18 **Une personne de votre connaissance a accompli une action qui ne lui ressemble pas. Que dites-vous aux autres ?**
a je ne la comprends pas
b je sais ce qui s'est passé en elle

19 **En amour, vous préférez :**
a la fidélité
b l'expérience

20 **Vous vous divertiriez davantage :**
a en enveloppant la tour Eiffel dans du papier jaune
b en passant des vacances aux Bahamas

21 **Si vous parlez avec quelqu'un affligé d'un tic particulier :**
a vous devez vous retenir pour ne pas l'imiter
b vous vous en apercevez à peine

(explications page 90)

Test-jeu 6

[1] Vous choisiriez de partir en voyage:
a 3 jours dans le Mato Grosso
b 15 jours à Venise

[2] Une erreur est commise dans l'équipe de collaborateurs travaillant sous vos ordres et vous êtes appelé à en rendre compte:
a vous en rejetez la responsabilité sur vos collaborateurs
b vous en assumez la responsabilité

[3] Une automobile qui va «à la casse» est mise en vente:
a vous achetez ce prototype
b vous optez pour un modèle traditionnel

[4] Arrivent les principaux chefs d'État du monde et vous devez les placer à table. Vous vous fiez:
a à un diplomate de carrière
b à votre intuition

[5] Pour en savoir le maximum sur les problèmes du couple, vous avez recours:
a à votre propre expérience
b à un ouvrage sur le sujet

[6] Vous préférez:
a enfiler une aiguille
b couper en deux un morceau de bois

[7] Selon vous, le don de sympathie:
a s'acquiert en éduquant le caractère
b est inné

[8] En vous rendant à une grande réception, vous vous apercevez que vous avez à vos chaussures deux types de lacets différents, bien que de même couleur:
a vous faites demi-tour pour les changer
b vous vous en moquez, en pensant que peu de gens le remarqueront

[9] On vous a demandé d'écrire quelques lignes sur Dante:
a vous vous fiez à ce que vous savez
b vous consultez au moins un livre sur le sujet

[10] Un de vos proches vous fait part de son intention de se mettre à la peinture:
a vous l'encouragez
b vous évoquez les difficultés inévitables

[11] Dans une ville d'art que vous visitez pour la première fois:
a c'est vous qui «interrogez» les monuments historiques
b ce sont les monuments qui vous «interrogent»

[12] Vous avez entrepris un travail qui demandera plusieurs jours. Si, au bout du premier jour, vous vous sentez déjà fatigué:
a vous êtes fier de ce que vous avez fait
b vous êtes découragé à l'idée de ce qui vous reste à faire

[13] Quelqu'un vous confie un secret en vous recommandant de ne pas le divulguer:
a vous le révélez
b vous le gardez

[14] On vous fait cadeau d'un robot qui fait la cuisine:
a vous l'utilisez
b vous ne vous y fiez pas

[15] A supposer que l'une de ces deux occupations exclut l'autre, vous aimeriez mieux consacrer une demi-heure par jour:
a à lire le journal
b à faire une courte sieste

[16] Vous préférez:
a gagner 2 millions à la loterie
b apprendre à fond une langue

[17] Vous trouvez un crocodile dans votre baignoire:
a vous téléphonez à la police pour lui demander son aide
b vous téléphonez au zoo pour lui proposer de l'acheter

[18] Quelqu'un, apparemment de votre force, vous défie en public à un bras de fer:
a vous acceptez
b vous refusez

[19] Vous jugez plus utile pour l'humanité:
a l'invention du chapeau
b l'invention du portefeuille

[20] Vous vous trouvez dans un refuge en haute montagne et il pleut trois jours d'affilée:
a vous fuyez
b vous organisez une chasse au trésor

Suite du test sur la sexualité: voici sur la page de droite l'objet I et au verso l'objet II. Lequel préférez-vous? Une fois votre choix fait, inscrivez-le à côté du précédent (entre C et D) et reportez-vous aux pages 180-181 pour les explications.

21 **Que préférez-vous qu'on dise de vous :**
a que vous êtes une personne logique
b que vous êtes une personne originale

22 **Vous vous égarez dans la jungle avec un groupe de touristes. Pour retrouver votre chemin :**
a vous vous pliez aux ordres de l'un d'entre vous
b vous prenez le commandement

23 **En rencontrant quelqu'un pour la première fois :**
a vous devinez au premier coup d'œil au moins trois traits de son caractère
b vous êtes incapable de dire spontanément de quel genre de personne il s'agit

24 **Un écolier vous demande à brûle-pourpoint la date du début de la Révolution française et vous n'avez pas de dictionnaire à portée de main :**
a vous vous hasardez à donner la date, en espérant qu'elle soit exacte
b vous prenez le temps de vous informer

25 **Vous rencontrez, sur un sentier de montagne, l'abominable homme des neiges :**

a terrifié, vous prenez la fuite
b vous appelez vos compagnons à grands cris, pour être vu avec lui

26 **Vous préféreriez :**
a remporter un prix littéraire international
b arriver le premier sur Mars

27 **Pour conclure de bonnes affaires :**
a il ne faut pas raconter de mensonges
b il faut raconter des mensonges

28 **Vous restez à observer un passant pendant un moment. Combien de détails de son habillement pensez-vous pouvoir vous rappeler le lendemain :**
a un seul
b au moins cinq

29 **Au cours d'une expédition dans des terres inexplorées, vous aimeriez mieux photographier :**
a un mammouth fossile
b un papillon d'une espèce inconnue

(explications page 90)

Test-jeu 7

1 **Selon vous, une personne plus une autre personne font :**
a deux personnes
b un petit groupe

2 **Devant une friandise qui risque peut-être de vous rendre un peu malade :**
a vous renoncez
b vous la mangez

3 **A votre sens, quelle est la valeur d'une amitié :**
a comme celle d'une monnaie, avec ses hauts et ses bas
b plus qu'un trésor

4 **Si une mouche vous importune :**
a vous ouvrez la fenêtre pour qu'elle puisse s'envoler hors de la pièce
b vous courez prendre un tue-mouches

5 **Vous devez faire part à votre partenaire de votre intention de le quitter :**
a vous lui écrivez
b vous le lui dites de vive voix

6 **Vous gagnez 1 million de francs à la loterie :**
a vous les investissez
b vous les dépensez

7 **Sous les tropiques, une personne de votre sexe vient vers vous, nue comme un ver, et vous demande de lui passer de l'huile solaire sur le corps :**
a vous éprouvez une certaine gêne
b vous le faites avec naturel

8 **Instinctivement, quand vous regardez un match, quel parti prenez-vous :**
a celui du gagnant
b celui du perdant

9 **Vous êtes davantage agacé :**
a par une vertu affichée
b par un défaut affiché

10 **Si vous avez un fils en âge de se marier, vous aimeriez mieux le voir épouser :**
a une femme belle et insipide
b une femme laide et intelligente

11 **Vous êtes naturellement attiré davantage par :**
a les êtres humains
b les animaux

12 **En vous penchant par la fenêtre, vous apercevez une personne qui a l'air de vouloir se suicider :**
a vous tentez de lui parler
b vous appelez la police

13 **Vous préférez :**
a exécuter un ordre agréable
b donner un ordre désagréable

14 **Selon vous, les êtres humains sont :**
a plutôt malheureux
b plutôt faux

15 **Dans le train, vous êtes seul dans le compartiment avec un inconnu, qui vous adresse la parole :**
a agacé, vous restez sur la réserve
b vous poursuivez la conversation

16 **Quelqu'un vous déclare avoir accompli un geste, guidé par un mystérieux instinct :**
a vous le croyez
b vous restez sceptique

17 **Vous préférez la compagnie :**
a de quelqu'un susceptible de vous être utile
b de quelqu'un susceptible de vous apprendre quelque chose

[18] **Vous devez absolument faire avaler à un enfant un remède qui a très mauvais goût :**
a vous tentez de le convaincre
b vous l'obligez à l'ingurgiter

[19] **Vous préférez avoir affaire :**
a à une personne extravagante
b à une personne quelconque

[20] **Si vous avez (ou aviez) un hobby :**
a vous regrettez de ne pas en avoir fait votre métier
b vous pensez avoir bien fait de ne le considérer que comme une forme d'évasion

[21] **Vous ressentez l'attrait d'un objet beau, mais inutile :**
a très rarement
b souvent

[22] **Une personne pleure devant vous :**
a vous lui proposez un calmant
b vous l'incitez à parler de ses problèmes

[23] **Quand on vous parle :**
a d'instinct vous faites confiance
b d'instinct vous vous méfiez

[24] **Quand vous parlez avec quelqu'un, vous êtes davantage porté :**
a à l'étonner
b à vous laisser convaincre

[25] **Selon vous, la peur est :**
a un défaut
b un sentiment naturel

[26] **Selon vous, la bonté est :**
a une force
b une faiblesse

[27] **Selon vous, qu'est-ce qui a le plus de sens :**
a un sourire
b une larme

[28] **Un ami vous assure qu'il est capable de grimper trois par trois les marches d'un gratte-ciel sans jamais s'arrêter :**
a vous cherchez à justifier sa fanfaronnade
b vous êtes ulcéré de sa vantardise

[29] **Vous préférez :**
a ramener sur terre quelqu'un qui s'illusionne
b réconforter quelqu'un de désenchanté

(explications page 91)

Test-jeu 8

[1] **En écoutant une musique qui vous plaît :**
a des images précises vous viennent à l'esprit
b vous êtes en proie à des sensations indéfinissables

[2] **La Joconde, dans le célèbre tableau de Léonard de Vinci, a une main qui s'appuie sur l'autre :**
a c'est la main droite qui est appuyée sur la gauche
b c'est la main gauche qui est appuyée sur la droite

[3] **Vous préféreriez :**
a Lyon en haute montagne, comme Val-d'Isère
b Paris avec des canaux, comme à Venise

[4] **C'est la période du carnaval. Pour vous confectionner un masque, vous ne disposez que de deux morceaux de tissu : un noir et un blanc :**
a vous confectionnez un masque de pirate (tissu noir pour le bandeau sur l'œil, tissu blanc noué sur la tête pour le foulard)
b vous confectionnez un masque africain (tissu noir recouvrant tout le visage, percé de trous pour les yeux, le nez et la bouche ; tissu blanc pour le turban)

[5] **Vous préférez caresser :**
a un chien
b du velours

[6] **Généralement, vous rêvez :**
a en couleurs
b en noir et blanc

[7] **Devant un coucher de soleil, vous pensez :**
a à celui du lendemain
b à celui du moment

[8] **Vous préférez vous ennuyer :**
a seul
b en groupe

[9] **Au restaurant, vous préférez commander :**
a un plat que vous n'avez jamais goûté
b un plat que vous connaissez bien

[10] **Vous êtes plus sensible :**
a à une couleur
b à une musique

[11] **Quand on vous présente quelqu'un :**
a vous essayez de deviner sa personnalité par vous-même
b vous tenez compte de ce qu'on raconte sur lui

12 **Vous préférez apprendre à utiliser:**
a le boomerang australien
b les signaux de fumée des Peaux-Rouges

13 **En butte à une muflerie, comment réagissez-vous:**
a par le mépris
b sur le ton de la plaisanterie

14 **Dix personnes importantes débarquent chez vous à l'improviste:**
a vous les emmenez au restaurant
b vous videz le réfrigérateur et ouvrez des conserves

15 **Qu'est-ce qui vous attire d'emblée dans un visage:**
a l'expression générale
b le regard

16 **Un peintre pas très connu vous fait cadeau d'un objet lui appartenant. Qu'emportez-vous:**
a sa vieille voiture
b un de ses tableaux

17 **Vous préférez:**
a un paysage de plaine
b un paysage de collines

18 **Vous avez vu, chez un antiquaire, un meuble qui vous plaît. Pour convaincre votre partenaire (homme ou femme) de l'acheter:**
a vous l'emmenez chez l'antiquaire
b vous lui décrivez le meuble en détail

19 **Vous avez commis une erreur. Que répondez-vous si l'on vous demande des explications:**
a tout le monde, même Homère, peut se tromper
b je ne m'explique pas comment cela a pu arriver

20 **Face à un monument célèbre, tels Saint-Marc à Venise ou le Louvre à Paris:**
a il vous plaît tel quel
b vous aimeriez changer au moins un petit détail

21 **Sur la route du week-end, vous sentez que le moteur de la voiture ne fonctionne pas parfaitement, une déviation se présente vous obligeant à faire 100 kilomètres de plus, il se met à pleuvoir des trombes et vous avez un terrible mal de tête:**
a vous poursuivez envers et contre tout
b vous rebroussez chemin

22 **Vous apercevez une grande feuille de papier laissée sur une table:**
a vous vous demandez qui a pu l'oublier
b l'envie vous prend de griffonner quelques mots dessus

23 **En voyageant dans un pays lointain, il vous vient davantage:**
a des idées, que vous exploiterez à votre retour
b des sensations qui vous enchantent sur le moment

24 **Vous avez démonté un petit appareil électroménager pour le réparer et vous ne savez plus comment le remonter:**
a vous vous obstinez
b vous faites appel à un spécialiste

25 **Vous préférez:**
a faire plaisir à un grand nombre de personnes
b étonner grandement une seule personne

(explications page 91)

Test-jeu 9

1 **Vous surprenez quelqu'un en train de parler à une plante. Vous le considérez comme :**
a un fou
b un connaisseur

2 **Vous préférez :**
a vous fatiguer à effectuer un travail manuel
b vous ennuyer

3 **Si vous étiez contraint de vivre dans une communauté, vous la préféreriez composée :**
a par des animaux
b par des humains

4 **Quand vous êtes seul, vous préférez chanter :**
a à l'extérieur de la maison
b à l'intérieur

5 **Vous observez une goutte d'eau qui glisse sur une vitre inclinée :**
a vous attendez de voir où elle aboutira d'elle-même
b avec un doigt, vous tracez devant elle un parcours pour l'obliger à le suivre

6 **Chaque changement de saison se traduit pour vous :**
a par un changement total d'habillement
b par un changement total d'habitudes

7 **Vous attribuez la cause d'une inondation**
a à l'incurie des hommes
b à une manifestation aveugle de la Nature

8 **N'ayant pas d'autre choix, vous préférez suivre les conseils :**
a d'un proverbe
b d'un ordinateur

9 **Vous préférez admirer un magnifique visage qui vous frappe :**
a sur un tableau, dans un musée
b chez un (ou une) passant(e) que vous ne reverrez plus

10 **Vous avez regretté davantage d'arracher malencontreusement :**
a la page d'un livre
b une fleur de serre

11 **Vous attribuez la responsabilité d'un échec plutôt :**
a à vous-même
b à la fatalité

12 **Une poule est, pour vous, un animal qui fait surtout :**
a des poussins
b du bon bouillon

13 **Un nuage blanc passant dans un ciel bleu est pour vous :**
a le présage d'un changement de temps
b une émotion

14 **Vous préférez :**
a comprendre
b être heureux

15 **Vous préférez être invité à manger :**
a du pain sortant tout chaud d'un four à bois
b du caviar tout juste arrivé du Caucase

16 **En voyant deux animaux s'accoupler, vous éprouvez surtout :**
a de la curiosité
b du dégoût

17 **Quand vous étiez enfant, vous préfériez :**
a confectionner un jouet nouveau
b casser un vieux jouet

18 **Vous préférez vous lancer dans un projet :**
a stimulant, dont les résultats ne se feront sentir que longtemps après
b normal, dont les résultats sont immédiats

19 **Si vous deviez vous réincarner, selon la théorie de la métempsycose, vous choisiriez :**
a la patience du bœuf
b la vivacité du poulet

20 **Dans un magnifique paysage de campagne, vous apercevez au loin le profil d'une construction isolée. Vous pensez qu'il s'agit :**
a d'une maison de vacances
b d'une usine

21 **Vous préférez visiter :**
a dans des conditions inconfortables, un endroit que vous n'avez jamais vu
b dans des conditions confortables, un endroit que vous connaissez déjà

22 **Vous êtes plus ému :**
a par les pleurs d'un enfant
b par une symphonie de Beethoven

23 **Il pleut après un long laps de temps. Votre première pensée est que la pluie :**
a gâchera vos projets
b rafraîchira les plantes

Test-jeu 10

1️⃣ **En jouant avec un reste de pâte à tarte, vous faites :**
a   des boulettes
b   une fleur

2️⃣ **L'envie vous est parfois venue :**
a   de déplacer un monument célèbre pour le situer ailleurs
b   de le nettoyer entièrement

3️⃣ **A votre avis, où va le monde :**
a   à sa perte
b   vers une solution intéressante

4️⃣ **Vous préférez trouver une occupation bien rémunérée :**
a   de 6 h du matin à midi
b   de 18 h à minuit

5️⃣ **Vous rencontrez un vieil ami (ou une vieille amie) portant visiblement depuis peu un râtelier, et de surcroît mal ajusté :**
a   vous le (ou la) laissez parler
b   vous vous efforcez de parler presque tout le temps

6️⃣ **D'un cadre où vous avez séjourné plusieurs jours, il y a de cela des années, quel souvenir gardez-vous surtout :**
a   des odeurs, des bruits, des couleurs
b   la disposition des pièces

7️⃣ **Un grand espace dans une ville vous plaît davantage :**
a   rempli de monde
b   vide

8️⃣ **Quelle forme vous attire davantage :**
a   une branche sèche
b   une gousse de légume

9️⃣ **Une main, qu'est-ce pour vous :**
a   cela permet de saisir et de soulever
b   c'est une partie du corps

🔟 **Vous auriez préféré vivre :**
a   au XIXe siècle
b   au milieu de l'an 2000

1️⃣1️⃣ **Une façade de maison toute blanche et sans fenêtre vous fait penser :**
a   à quelque chose d'inachevé
b   à quelque chose de fini

1️⃣2️⃣ **Vous devez rester toute une journée seul chez vous :**

2️⃣4️⃣ **Vous vous trouvez devant un tableau abstrait entièrement vert. D'instinct, vous pensez qu'il représente :**
a   un tissu, ou tout autre matériau, ou simplement une émotion
b   de l'herbe

2️⃣5️⃣ **Une personne et un animal non domestique montrent des signes d'entente et de compréhension mutuelles. Selon vous :**
a   c'est chose normale dans certaines conditions
b   c'est exceptionnel

2️⃣6️⃣ **Vous préférez avoir :**
a   une main délicate
b   une main forte

2️⃣7️⃣ **Si vous en aviez la possibilité, vous aimeriez passer le plus clair de votre temps :**
a   dans un intérieur confortable
b   en plein air

2️⃣8️⃣ **Quand vous voyez une jolie fleur dans un pré :**
a   vous en appréciez la couleur et, le cas échéant, le parfum
b   vous essayez de vous rappeler son nom

2️⃣9️⃣ **Selon vous, l'humanité :**
a   domine la Nature
b   est dominée par la Nature

(explications page 92)

a vous restez en robe de chambre
b vous vous habillez normalement

13 Une rose s'épanouit davantage :
a dans un jardin pauvre
b dans un vase riche

14 Aujourd'hui est davantage :
a la préparation de demain
b la conclusion d'hier

15 Dans une pièce, vous essuyez plus volontiers :
a une toile d'araignée au plafond
b des miettes par terre

16 En pénétrant dans un musée, qu'éprouvez-vous en premier :
a de l'excitation
b du respect

17 A la campagne, pour parvenir à un endroit donné :
a vous suivez si possible une ligne droite au milieu des champs
b vous suivez le sentier le plus tortueux

18 A l'intérieur d'un cube de verre transparent, que verriez-vous plus volontiers :
a des formes solides
b des couleurs

19 Le mot « caverne » vous fait penser spontanément :
a aux gnomes
b à l'humidité

20 Vous préférez :
a une maison banale qui ressemble à la vôtre
b une maison originale qui ne ressemble pas à la vôtre

21 Vous détenez une poutre ancienne. Vous préférez :
a l'intégrer telle quelle dans une maison de campagne
b l'utiliser pour réparer un meuble ancien

22 Pour garnir les étagères de votre bibliothèque, vous devez acheter une centaine de livres :
a vous les choisissez un à un, peu importe qu'ils soient de couleurs et de hauteurs différentes
b vous achetez des collections de livres reliés, de la même couleur et la même hauteur

23 Vous vous trouvez devant une scène vide, vous imaginez spontanément :
a que vous êtes l'acteur ou le conférencier recevant les applaudissements
b que vous la remplissez avec vos propres scènes et décors

24 A la vue d'une étoffe magnifique, vous songez l'utiliser :
a pour un vêtement
b pour un canapé

25 Un enfant vous demande de jouer avec lui. Vous préférez :
a le jeu de cache-cache
b un jeu de construction

(explications page 92)

Explications

Test-jeu 1

Ce tableau vous indiquera la note à vous attribuer pour chacune de vos réponses.
Additionnez les chiffres obtenus pour chaque réponse « a » et pour chaque réponse « b ».
Le total (a + b) constitue votre score, que vous devrez ensuite reporter sur le calculateur d'aptitudes.

Question	Note pour « a »	Note pour « b »
1	1	3
2	4	1
3	0	3
4	1	4
5	4	0
6	0	3
7	3	0
8	0	3
9	4	1
10	0	3
11	1	4
12	4	0
13	1	3
14	1	2
15	4	0
16	0	2
17	4	1
18	0	3

Total a + b = ...

Portez votre score sur ce calculateur d'aptitudes.

Si votre score se situe dans la zone marron clair (de 1 à 20), vous n'avez pas d'aptitudes particulières pour la musique.
Si votre score se situe dans la zone marron (de 21 à 40), vos aptitudes pour la musique restent limitées.
Si votre score se situe dans la zone marron foncé (de 41 à 60), vous avez de bonnes aptitudes pour la musique.

Test-jeu 2

Ce tableau vous indiquera la note à vous attribuer pour chacune de vos réponses.
Additionnez les chiffres obtenus pour chaque réponse « a » et pour chaque réponse « b ».
Le total (a + b) constitue votre score, que vous devrez ensuite reporter sur le calculateur d'aptitudes.

Question	Note pour « a »	Note pour « b »
1	0	4
2	4	1
3	1	4
4	4	1
5	0	4
6	4	0
7	0	3
8	0	4
9	0	3
10	4	0
11	4	0
12	0	4
13	3	0
14	4	1
15	4	0
16	0	3

Total a + b = ...

Portez votre score sur ce calculateur d'aptitudes.

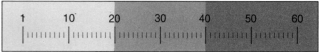

Si votre score se situe dans la zone marron clair (de 1 à 20), vous n'avez pas d'aptitudes particulières pour la publicité.
Si votre score se situe dans la zone marron (de 21 à 40), vos aptitudes pour la publicité restent limitées.
Si votre score se situe dans la zone marron foncé (de 41 à 60), vous avez de bonnes aptitudes pour la publicité.

Test-jeu 3

Ce tableau vous indiquera la note à vous attribuer pour chacune de vos réponses.
Additionnez les chiffres obtenus pour chaque réponse « a » et pour chaque réponse « b ».
Le total (a + b) constitue votre score, que vous devrez ensuite reporter sur le calculateur d'aptitudes.

Question	Note pour « a »	Note pour « b »
1	2	1
2	0	2
3	2	0
4	2	1
5	2	0
6	0	2
7	0	2
8	2	0
9	0	2
10	0	2
11	2	0
12	0	2
13	2	0
14	0	2
15	2	0
16	1	2
17	2	0
18	0	2
19	0	2
20	2	0
21	0	2
22	2	0
23	0	2
24	0	2
25	2	0
26	2	0
27	0	2
28	2	0
29	2	0
30	0	2

Total a + b = ...

Test-jeu 4

Ce tableau vous indiquera la note à vous attribuer pour chacune de vos réponses.
Additionnez les chiffres obtenus pour chaque réponse « a » et pour chaque réponse « b ».
Le total (a + b) constitue votre score, que vous devrez ensuite reporter sur le calculateur d'aptitudes.

Question	Note pour « a »	Note pour « b »
1	2	0
2	2	0
3	2	0
4	0	2
5	0	2
6	2	0
7	2	0
8	0	2
9	2	0
10	2	0
11	0	2
12	0	2
13	3	0
14	0	2
15	0	2
16	0	2
17	2	0
18	0	2
19	0	2
20	0	2
21	0	2
22	3	0
23	0	2
24	0	2
25	0	2
26	2	0
27	0	2
28	0	2
29	0	2

Total a + b = ...

Portez votre score sur ce calculateur d'aptitudes.

Si votre score se situe dans la zone marron clair (de 1 à 20), vous n'avez pas d'aptitudes particulières pour l'informatique.
Si votre score se situe dans la zone marron (de 21 à 40), vos aptitudes pour l'informatique restent limitées.
Si votre score se situe dans la zone marron foncé (de 41 à 60), vous avez de bonnes aptitudes pour l'informatique.

Portez votre score sur ce calculateur d'aptitudes.

Si votre score se situe dans la zone marron clair (de 1 à 20), vous n'avez pas d'aptitudes particulières pour l'artisanat.
Si votre score se situe dans la zone marron (de 21 à 40), vos aptitudes pour l'artisanat restent limitées.
Si votre score se situe dans la zone marron foncé (de 41 à 60), vous avez de bonnes aptitudes pour l'artisanat.

Test-jeu 5

Ce tableau vous indiquera la note à vous attribuer pour chacune de vos réponses.
Additionnez les chiffres obtenus pour chaque réponse « a » et pour chaque réponse « b ».
Le total (a + b) constitue votre score, que vous devrez ensuite reporter sur le calculateur d'aptitudes.

Question	Note pour « a »	Note pour « b »
1	3	0
2	3	0
3	0	2
4	3	0
5	3	0
6	0	3
7	0	3
8	3	0
9	0	3
10	3	0
11	0	3
12	3	0
13	0	3
14	0	3
15	3	0
16	0	3
17	3	0
18	0	2
19	0	2
20	3	0
21	3	0

Total a + b = ...

Portez votre score sur ce calculateur d'aptitudes.

Si votre score se situe dans la zone marron clair (de 1 à 20), vous n'avez pas d'aptitudes particulières pour le spectacle.
Si votre score se situe dans la zone marron (de 21 à 40), vos aptitudes pour le spectacle restent limitées.
Si votre score se situe dans la zone marron foncé (de 41 à 60), vous avez de bonnes aptitudes pour le spectacle.

Test-jeu 6

Ce tableau vous indiquera la note à vous attribuer pour chacune de vos réponses.
Additionnez les chiffres obtenus pour chaque réponse « a » et pour chaque réponse « b ».
Le total (a + b) constitue votre score, que vous devrez ensuite reporter sur le calculateur d'aptitudes.

Question	Note pour « a »	Note pour « b »
1	2	0
2	0	2
3	2	0
4	0	2
5	0	2
6	2	0
7	2	0
8	2	0
9	0	2
10	2	0
11	2	0
12	2	0
13	0	3
14	2	0
15	2	0
16	0	2
17	0	2
18	2	0
19	2	0
20	0	2
21	0	2
22	0	2
23	2	0
24	0	2
25	0	2
26	0	2
27	2	0
28	0	2
29	3	1

Total a + b = ...

Portez votre score sur ce calculateur d'aptitudes.

Si votre score se situe dans la zone marron clair (de 1 à 20), vous n'avez pas d'aptitudes particulières pour le tourisme.
Si votre score se situe dans la zone marron (de 21 à 40), vos aptitudes pour le tourisme restent limitées.
Si votre score se situe dans la zone marron foncé (de 41 à 60), vous avez de bonnes aptitudes pour le tourisme.

Test-jeu 7

Ce tableau vous indiquera la note à vous attribuer pour chacune de vos réponses.
Additionnez les chiffres obtenus pour chaque réponse « a » et pour chaque réponse « b ».
Le total (a + b) constitue votre score, que vous devrez ensuite reporter sur le calculateur d'aptitudes.

Question	Note pour « a »	Note pour « b »
1	0	2
2	2	0
3	0	2
4	2	0
5	0	2
6	2	0
7	0	2
8	0	2
9	0	2
10	0	2
11	2	0
12	2	0
13	0	2
14	2	0
15	0	2
16	2	0
17	0	2
18	2	0
19	0	2
20	3	0
21	0	2
22	0	2
23	2	0
24	0	2
25	0	2
26	3	0
27	0	2
28	2	0
29	0	2

Total a + b = ...

Portez votre score sur ce calculateur d'aptitudes.

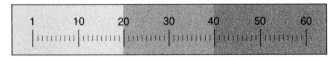

Si votre score se situe dans la zone marron clair (de 1 à 20), vous n'avez pas d'aptitudes particulières pour les activités paramédicales.
Si votre score se situe dans la zone marron (de 21 à 40), vos aptitudes pour les activités paramédicales restent limitées.
Si votre score se situe dans la zone marron foncé (de 41 à 60), vous avez de bonnes aptitudes pour les activités paramédicales.

Test-jeu 8

Ce tableau vous indiquera la note à vous attribuer pour chacune de vos réponses.
Additionnez les chiffres obtenus pour chaque réponse « a » et pour chaque réponse « b ».
Le total (a + b) constitue votre score, que vous devrez ensuite reporter sur le calculateur d'aptitudes.

Question	Note pour « a »	Note pour « b »
1	3	0
2	3	0
3	0	2
4	0	2
5	0	2
6	2	0
7	2	0
8	0	2
9	2	0
10	3	0
11	2	0
12	0	3
13	0	2
14	0	2
15	3	0
16	0	2
17	0	3
18	0	3
19	2	0
20	0	3
21	2	0
22	0	2
23	3	0
24	3	0
25	2	0

Total a + b = ...

Portez votre score sur ce calculateur d'aptitudes.

Si votre score se situe dans la zone marron clair (de 1 à 20), vous n'avez pas d'aptitudes particulières pour la mode.
Si votre score se situe dans la zone marron (de 21 à 40), vos aptitudes pour la mode restent limitées.
Si votre score se situe dans la zone marron foncé (de 41 à 60), vous avez de bonnes aptitudes pour la mode.

Test-jeu 9

Ce tableau vous indiquera la note à vous attribuer pour chacune de vos réponses.
Additionnez les chiffres obtenus pour chaque réponse « a » et pour chaque réponse « b ».
Le total (a + b) constitue votre score, que vous devrez ensuite reporter sur le calculateur d'aptitudes.

Question	Note pour « a »	Note pour « b »
1	0	2
2	2	0
3	2	0
4	2	0
5	2	0
6	0	2
7	2	0
8	3	0
9	0	2
10	0	2
11	2	0
12	2	0
13	2	0
14	2	0
15	2	0
16	2	0
17	2	0
18	2	0
19	2	0
20	0	2
21	2	0
22	3	0
23	0	2
24	0	2
25	2	0
26	0	2
27	0	2
28	0	2
29	2	0

Total a + b = ...

Portez votre score sur ce calculateur d'aptitudes.

Si votre score se situe dans la zone marron clair (de 1 à 20), vous n'avez pas d'aptitudes particulières pour l'agriculture.
Si votre score se situe dans la zone marron (de 21 à 40), vos aptitudes pour l'agriculture restent limitées.
Si votre score se situe dans la zone marron foncé (de 41 à 60), vous avez de bonnes aptitudes pour l'agriculture.

Test-jeu 10

Ce tableau vous indiquera la note à vous attribuer pour chacune de vos réponses.
Additionnez les chiffres obtenus pour chaque réponse « a » et pour chaque réponse « b ».
Le total (a + b) constitue votre score, que vous devrez ensuite reporter sur le calculateur d'aptitudes.

Question	Note pour « a »	Note pour « b »
1	0	2
2	3	0
3	0	2
4	2	0
5	0	3
6	0	3
7	0	2
8	0	3
9	2	0
10	2	0
11	3	0
12	0	2
13	3	0
14	2	0
15	0	2
16	2	0
17	2	0
18	3	0
19	2	0
20	3	0
21	2	0
22	0	3
23	0	2
24	0	3
25	0	2

Total a + b = ...

Portez votre score sur ce calculateur d'aptitudes.

Si votre score se situe dans la zone marron clair (de 1 à 20), vous n'avez pas d'aptitudes particulières pour la décoration d'intérieur.
Si votre score se situe dans la zone marron (de 21 à 40), vos aptitudes pour la décoration d'intérieur restent limitées.
Si votre score se situe dans la zone marron foncé (de 41 à 60), vous avez de bonnes aptitudes pour la décoration d'intérieur.

Langage et caractère

Ce chapitre est consacré à l'étude des rapports entre langage et caractère. Rapports particulièrement étroits et éclairants, comme vous le constaterez. Au point que l'on peut déplorer le nombre limité d'études existant en la matière. Le but de ce traité est de vous offrir un instrument pratique d'évaluation de la personnalité basé sur la communication orale. Présenté dans ses grandes lignes dans cet ouvrage, il facilitera la connaissance de soi et d'autrui, même si le facteur « jeu » est moins évident que dans les autres tests psychologiques.

Notice d'introduction

L'importance des liens qui unissent langage et caractère a été perçue de tout temps. Une personne qui parle d'une voix faible et hésitante est classée parmi les timides, tandis que le héros de tragédie adopte une voix chaude et forte, un ton assuré. L'état d'excitation chez un individu se reconnaît à son débit précipité, aux brusques variations de ton, cependant que la voix des amoureux acquiert d'instinct des tonalités basses, en harmonie avec leurs sentiments, enclins à l'intériorité et l'intimité. Aussi toutes les écoles enseignant l'art de l'interprétation et de la déclamation forment-elles leurs élèves en commençant par l'éducation de la «parole», considérée comme le centre des possibilités d'expression.

S'il faut attendre les années 50 pour voir se dessiner une véritable psychologie du langage, les recherches de la physiologie d'abord, de la psychologie ensuite avaient déjà visé à conférer une crédibilité scientifique aux relations entre langage, mode de communication, et caractère, grâce à l'étude des rapports entre le mécanisme du langage d'une part, les facteurs affectifs et émotifs de l'autre, les démarches de la pensée, le contexte social, les variables de la personnalité.

En 1912, Sievers avait distingué quatre types différents d'articulation du langage, et donc quatre types psychologiques selon la structure corporelle, le rythme, le son, la tension émotive, etc. Nous citerons au passage les quatre types suggérés par Sievers: 1) le type abdominal, sensible; 2) le type thoracique, froid; 3) le type descendant, énergique-froid; 4) le type ascendant, énergique-chaleureux.

En 1928, Drach avait imaginé quatre types en fonction des différentes aptitudes orales: 1) fortement impulsif, non inhibé; 2) fortement impulsif, inhibé; 3) faiblement impulsif, non inhibé; 4) faiblement impulsif, inhibé.

En 1934, deux Américains, Allport et Cantril, établirent expérimentalement que l'expression vocale d'un individu révèle sa personnalité plus sûrement que ses caractéristiques extérieures.

Herzog et Bonaventura reconnurent la valeur et l'utilité des jugements fondés sur le mode de langage, pour révéler le sexe, l'âge, la constitution physique, le tempérament, voire la profession d'un individu.

Lersch, quant à lui, soulignait la nécessité, dans un entretien psychologique, de prêter autant attention à l'expression vocale d'un individu qu'à ce qu'il dit. Selon Rohracher, nous possédons chacun un type individuel de vibration, qui a sa source dans la voix et la façon de parler et contribue à provoquer un «effet» expressif spécial chez celui qui écoute. Poursuivant les études amorcées par Gray et Kopp, Kersta démontra scientifiquement que chaque voix porte une empreinte unique, comme la pulpe des doigts, et cette marque ne peut être modifiée ni par des opérations de la cavité orale ou nasale ni par l'âge. Ce principe reste valable à certains égards, bien que des expériences récentes aient montré l'influence sur cette empreinte vocale de multiples facteurs indépendants de la voix: fatigue, alcoolisme et certaines maladies.

L'influence de l'environnement sonore est importante sur le spectre acoustique de la voix, dépendant de l'endroit où l'émission se produit.

Récemment, Joseph Matarezzo et son équipe de l'université de l'Oregon ont démontré que tout individu a des habitudes de langage constantes; c'est-à-dire qu'il parle de façon stable en utilisant des modes déterminés, dont chacun dévoile un trait de la personnalité du locuteur et les impressions ressenties face à l'interlocuteur. D'une façon générale, il est intéressant de le noter, un sujet parlant compose des phrases ne dépassant pas trente secondes chacune. Mais lorsqu'il s'adresse à une personne d'un rang social plus élevé que le sien, et que celle-ci acquiesce à ce qu'il dit, le sujet qui parle a alors tendance à prolonger la durée moyenne de ses phrases.

William H. Sheldon a inséré la voix contrôlée et la voix non contrôlée parmi les composantes primaires du tempérament. On est en mesure, aujourd'hui, d'apprécier le degré d'attirance ou de répulsion qu'un individu ressent face à son interlocuteur, grâce à l'utilisation d'un filtre acoustique, qui élimine les fréquences supérieures dans un discours enregistré: les fréquences supérieures à 200 cycles par seconde dans le cas d'une femme, les fréquences supérieures à 100 cycles par seconde dans le cas d'un homme. Du coup, le sens des mots n'étant plus perçu, seule demeure la qualité de la voix, qui permet aisément d'apprécier le degré d'attirance ou de répulsion transmise par le discours.

Par ailleurs, les études approfondies réalisées par Miller-McNeill, Moscovici et Wiener-Mehrabian sur la communication paralinguistique, comme on l'a dénommée, ont souligné l'importance également, dans la communication orale, de l'intonation de la voix, de l'accentuation, des pauses.

Plus récemment, Walter Weintraub, de l'université américaine du Maryland, a mis au point un système de classification de certains traits du caractère, reposant sur l'emploi de la syntaxe par les sujets examinés, sur la répétition plus ou moins accentuée de certaines expressions et sur le débit du discours.

Bref, la parole reste le canal privilégié le plus direct, par lequel sont exprimées nos possibilités intérieures. Dans la parole, l'expression vocale met en relief notre personnalité, sans la confusion que créent parfois certaines formes d'expression plus élaborées. Un célèbre linguiste, Whorf, a écrit que le «langage est le meilleur spectacle mis en scène par l'homme». En tant que tel, nous ne sommes pas sûrs de l'apprécier dans toutes ses significations les plus cachées. Avant d'aborder l'étude des relations entre parole et caractère, il convient de préciser que le terme «parole» est utilisé pour désigner l'expression verbale de la pensée et qu'au sein de la parole, on distingue deux moments indivisibles et dialectiques : la voix et le langage.

La voix est l'ensemble des sons articulés émis par les organes de la phonation : elle est plus naturelle, plus dépendante de facteurs physiologiques que le langage, qui est l'ensemble des sons organisés par lesquels sont exprimées les émotions intérieures : ainsi donc, le langage devient partie intégrante de nos processus mentaux, un véritable instrument de contrôle et de régulation de notre comportement. Le célèbre physiologiste russe Ivan Pavlov écrivit que le langage a la fonction de « suprême régulateur du comportement humain ».

En termes scientifiques, voix et langage constituent des

Un héros de tragédie interprété sur la scène par un acteur du XIXᵉ siècle. On remarque l'attitude assurée, à laquelle correspond une voix chaude et forte.

phénomènes inséparables d'un même processus physiologique, spécifique à l'homme, soit la communication entre tous les membres de l'espèce humaine. L'activité vocale, par laquelle s'acquièrent parole et langage, naît et se développe automatiquement chez l'homme sous l'effet d'une maturité neurophysiologique spécifique.

En fait, dans les premières années de la vie, l'acquisition du langage ne se fait pas seulement par mimétisme. Nous parlons lorsqu'un processus physiologique adapté à la communication avec nos semblables s'est développé jusqu'à la maturité.

La première étape de l'évolution vocale commence à partir de 2 ans 1/2, pour se perfectionner ensuite jusqu'à 10 ans. A cet âge, le jeune enfant, dans des conditions normales de développement, est au maximum de ses possibilités linguistiques, son mode d'expression continuant à se forger par les mots, jusqu'à la puberté, où un changement définitif s'opère dans le timbre de la voix. C'est la dernière étape de l'évolution vocale, après quoi la voix varie peu. A la période

Dans ce dessin, un citoyen (Christophe Colomb) s'entretient avec des personnages d'un rang social plus élevé (Ferdinand d'Aragon et Isabelle de Castille). Il cherche donc à s'exprimer avec le plus grand respect, prolongeant la durée moyenne de ses phrases qui, dans une circonstance normale, tournerait autour de trente secondes pour chacune, pas davantage.

pubertaire, au sein d'un processus neurophysiologique général, la voix subit une modification profonde, parallèlement à la croissance rapide du larynx, dont la taille se met à augmenter dans toutes ses dimensions, jusqu'à atteindre son plein développement. En 15 à 20 mois, le diamètre du larynx augmente de plus de 20 millimètres, surtout chez l'adolescent, chez qui la modification de taille des cordes vocales s'accompagne d'un changement de registre vocal, qui passe de l'aigu au grave.

Le changement pubertaire est plus profond sur le plan vocal que sur celui du langage, le caractère ayant déjà reçu une orientation précise. Toujours est-il qu'après la puberté, l'individu apprend à exploiter à fond toutes les possibilités de la voix et du langage. Dans la pratique, ces instruments, utilisés jusqu'alors presque exclusivement d'instinct, sont de plus en plus intériorisés et sciemment adaptés aux différentes exigences expressives.

Dans la genèse de la parole, chaque individu est sous la dépendance de deux facteurs essentiels : le facteur génétique, héréditaire, et celui de l'environnement, qui influe sur quasiment tous les aspects du langage. La voix, davantage liée à la condition génétique, est moins influençable que le langage, étroitement lié, de par sa nature même, au milieu et à l'éducation. On doit donc considérer la voix un peu comme la programmation des chromosomes, tandis que nous opérons sur le langage des corrections individuelles plus profondes, nous le forgeons selon nos humeurs, notre culture et nos tendances. Quoi qu'il en soit, voix et langage sont le miroir où se reflètent non seulement les états d'âme momentanés, mais aussi les caractéristiques fondamentales de notre personnalité.

Dans ce chapitre ont été étudiées quatre caractéristiques de la voix (registre, volume, timbre, nasalisation) et du langage (diction, cadence, affectation, modulation). A chacune correspond un trait du caractère, que le lecteur pourra aisément reconnaître, en méditant sur sa façon de parler ou celle du sujet dont il désire faire une étude psychologique. Sous cet aspect donc, le chapitre consacré au langage et au caractère relève bien du jeu psychologique.

Le registre de la voix

(explications page 105)

La fréquence et l'intensité des vibrations des cordes vocales varient en permanence. Selon le nombre de vibrations par seconde des cordes vocales, on peut déterminer la hauteur de la voix, un peu à la façon des cordes d'une guitare. Les cordes vocales courtes et relâchées produisent un son sourd et profond et, lorsqu'elles sont tendues et s'allongent, un son aigu et vibrant. Il existe, entre ces deux extrêmes, une tension moyenne : les cordes émettent alors un son équilibré, ni trop grave ni trop aigu.

Dans la voix chantée et, d'une façon générale, dans la modulation de la voix, on utilise le terme de « registre » pour désigner ces variations tonales : on est dans le registre « aigu » lorsque les cordes vocales vibrent avec une intensité maximale, dans le registre « grave » lorsque les cordes vocales vibrent avec une intensité minimale, et dans le registre « moyen » (ou mixte) quand les vibrations ont une intensité moyenne.

On distingue trois patterns vibratoires de la voix selon les différentes vitesses de vibrations des cordes : « registre de tête », dit aussi « de fausset » (aigu), « registre de gorge » (moyen) et « registre de poitrine » (grave).

La voix de tête ou de fausset indique une voix aiguë, l'émission sonore s'accompagnant de sensations vibratoires au niveau des cavités supérieures buccales et nasales, tandis que dans le registre de poitrine, les sensations vibratoires sont ressenties au niveau du thorax. Entre la pure voix de poitrine et la pure voix « de fausset », il existe une voix mixte (voix de gorge), dans laquelle les vibrations sont perçues au niveau de la gorge.

On peut décrire, pour chaque individu, une fréquence usuelle moyenne, dépendant de facteurs physiologiques, soit un pattern vibratoire déterminé, remontant à sa période de formation psychologique, à laquelle il s'est adapté ou a réagi diversement. En fait, il existe un registre naturel de la voix, correspondant à celui utilisé habituellement dans la conversation et susceptible d'être modifié au fur et à mesure du développement de la personnalité.

De même, comme chacun sait, les états affectifs et les émotions modulent le registre de la voix. Ainsi, dans une confession douloureuse, où le sujet parlant cherche à révéler un secret, la vibration des cordes vocales est faible : en effet, la voix est basse et grave à ce moment-là, reflétant pudeur et réserve. De même, lorsque des mots d'amour sont murmurés, les cordes vocales vibrent lentement, comme pour s'enfermer dans une intimité complice. En revanche, le locuteur qui se dispute a un débit précipité, qui reflète la violence de ses émotions, il parle d'une voix haute, de tête.

Mais, lorsqu'il s'agit de déterminer un trait de caractère par la voix, il faut se baser sur le registre naturel, usuel, dans lequel états affectifs et émotions extrêmes n'interviennent pas : c'est ce registre qui est la résultante de la fusion entre voix génétique et langage forgé dans le milieu social.

La première personne appuie ses mains entre sa bouche et son nez. La seconde se touche le cou à la hauteur de la gorge. La troisième presse ses mains à hauteur de l'estomac. Chez ces trois personnes, les vibrations de la voix sont ressenties au niveau, respectivement, de la tête, du cou, de l'estomac. Elles parlent avec une voix de tête, de gorge et de poitrine.

Le volume de la voix

Le volume de la voix dépend de la masse d'air qui sort des poumons : il donne donc lieu à un son fort, faible ou moyen. Le volume est facile à reconnaître : en effet, on remarque tout de suite la personne qui parle fort, d'une voix aiguë, ou au contraire doucement, à voix basse. Toute explication est donc superflue pour celui qui désire reconnaître immédiatement le volume utilisé par le sujet parlant.

Sans compter que le locuteur qui force sa voix adopte presque toujours une attitude décidée, pour ne pas dire nerveuse. Il mobilise dans ses poumons une grande masse d'air, dont il tire parti au maximum.

De même, chez le sujet parlant à voix haute, on note toujours un brin d'arrogance ou de névrose. Tandis qu'au contraire, l'individu parlant à voix basse ne mobilise dans ses poumons qu'une faible quantité d'air, qui sort de la bouche par petites bouffées à la fois, comme avec effort. Cela se traduit par un aspect pensif, sévère, parfois même mielleux, comme si la personne parlait parce qu'elle ne pouvait faire autrement.

(explications page 105)

Il est très facile de reconnaître laquelle de ces deux personnes parle d'une voix aiguë, avec une mimique accentuée, et celle qui, au contraire, répond d'un ton humble et soumis.

Le timbre de la voix

Une voix monotone ou au contraire nuancée dépend essentiellement du modelage du son laryngé à l'intérieur des fosses nasales et de la cavité buccale, où interviennent divers éléments : langue, palais, voile du palais, nature même des tissus, et muscles constricteurs.

On aura une idée de la complexité des opérations qui concourent à la production de la voix si l'on songe que, dans la phonation, plus de cent muscles entrent en jeu, commandés par des centres nerveux à la vitesse de quatorze impulsions par seconde. Le résultat de toutes ces opérations compliquées d'ordre physiologique ou psychologique constitue le «timbre» qui, dans notre cas, doit être considéré comme la quantité et la variété des accents au cours de la phonation.

En d'autres termes, dans la voix parlée, le fait d'accorder la priorité à un seul élément constitutif, ou à un seul groupe d'éléments sur les autres, engendre une sensation de platitude vocale et de monotonie. A l'inverse, on peut exploiter toutes les ressources vocales grâce à la combinaison multiple de tous les éléments, pour varier et animer avec intelligence le jeu vocal.

Une voix monocorde possède une sonorité égale, sans hauts ni bas, sans résonances ni modulations : en substance, elle se montre incapable d'exploiter toutes les possibilités de la

Ce séducteur (Casanova) cherche à retenir l'attention de celle qui l'écoute en usant d'une voix persuasive, pleine de modulations et de résonances.

caisse de résonance. C'est un peu comme un leitmotiv obsédant, qui finit à la longue par engendrer l'ennui. C'est la voix de celui qui répète les mots les uns après les autres sans s'attacher à leur sens, le signe d'un état d'âme bien défini : par exemple en récitant une table de multiplication ou une prière distraite.

Une voix variée, au contraire, utilise toutes les ressources vocales : variations de hauteurs, de résonances et de modulations, telles les variations symphoniques dans un thème musical. C'est une voix coquette, persuasive, qui accroche l'intérêt, utilise les mots comme matériau sonore et non pas pour leur sens. C'est la voix typique des séducteurs.

Une voix équilibrée, entre monotonie et variété, est modulée à certains égards, monocorde à d'autres. Elle ne répond pas suffisamment aux sollicitations intérieures et ne réagit qu'en fonction d'états affectifs particulièrement intenses qui finissent par la sortir de sa torpeur naturelle.

(explications page 106)

La nasalisation de la voix

La nasalisation de la voix est le passage d'un phonème oral au phonème nasal correspondant, la voix étant émise sans résonance buccale. Ce phénomène est rendu possible soit par l'existence de conditions pathologiques, qui n'entrent pas, bien sûr, dans le cadre d'une étude de la personnalité, soit par l'adaptation des organes à des positions particulières, encore accrue par un trait du caractère.

Ainsi, beaucoup de personnes parlent «du nez», comme on dit, faisant intervenir le moins possible la cavité buccale dans l'émission de la voix. Il en résulte une voix plaintive et souvent ennuyeuse, qui a ses origines dans l'enfance, mais caractérise aussi l'adulte n'ayant pas su se libérer complètement de certains conditionnements. La voix, qui donne l'impression, au contraire, de ne jamais passer par le nez, est sèche, presque opaque, sans faiblesses ni infantilisme. Il existe aussi une nasalisation moyenne, chez l'individu qui émet les paroles à la fois par la bouche et le nez. La voix est alors douce, parfois même maniérée, mais toujours d'une grande séduction, parce que évoquant probablement la tendresse.

Il faut aussi mentionner les voix à connotation sexuelle plus ou moins marquée, d'une séduction un peu érotique, commune aux deux sexes. Cette séduction sexuelle de la voix masculine ou féminine résulte parfois d'une nasalisation particulière, ni excessive ni faible, mais qui adoucit dans une juste mesure les intonations de la voix, la rend plus chaude que la normale, en prolonge les échos jusqu'à donner des résonances profondes.

Le secret d'une voix à forte connotation sexuelle n'est évidemment pas seulement dans la nasalisation, d'autres éléments constitutifs de la voix et du langage concourant également à créer sa séduction: un registre grave (voix de poitrine), un volume bas, un timbre varié, une savante modulation, etc. Par ailleurs, s'il est assez facile de reconnaître une nasalisation vocale à forte connotation sexuelle, il est quasiment impossible de déterminer la qualité précise d'une voix chaude et sensuelle, d'en évaluer le degré. De même, l'attrait sexuel émanant de la voix semble appartenir au destin génétique de chaque individu, même si ensuite les comportements individuels contribuent à en fixer dans le temps les caractéristiques et à les rendre de plus en plus suggestives.

(explications page 106)

La voix a une forte connotation sexuelle, notamment si elle est plutôt grave, basse de volume, variée, bien modulée et avec une nasalisation particulière.

La diction

Une diction est mauvaise quand les sons consonantiques d'une langue donnée sortent déformés, transformés, altérés, faits d'éléments approximatifs, par rapport aux sons originaux codifiés par la tradition. Et les sons consonantiques sortent déformés lorsque des obstacles ou des entraves empêchent le fonctionnement régulier des organes de la phonation.

La diction est mauvaise quand, par exemple, le locuteur roule trop les «r» (les «r» grasseyés) ou si ses «s» sont trop sifflants (les «s» blèses) ou s'il émet des phonèmes palataux trop écrasés et mous. Par phonèmes palataux, il faut entendre les sons ché, chè, chi, mais aussi tché, tchè, tchi et djé, djè, dji. La diction est mauvaise aussi dans le cas de balbutiements ou de paroles hachées, avalées, confuses, sans qu'à l'origine il y ait un défaut physiologique congénital. De même la diction est-elle mauvaise en cas de salivation défectueuse, par excès ou insuffisance. Cet excès, ou cette insuffisance, de la salivation doit être naturellement constant et non occasionnel car, comme chacun sait, chez un grand nombre d'individus, les glandes salivaires cessent de sécréter sous l'influence d'états affectifs particuliers. En cas d'insuffisance de la salivation, le parler est sec, bredouillant, tandis qu'une salivation excessive engendre un parler mouillé, comme sucé et noyé dans quelque chose de liquide. Une diction est parfaite, du moins dans le cas de la langue française, quand le sujet prononce correctement la phrase: «Un chasseur sachant chasser sans son chien».

Certains défauts de diction se justifient par le milieu, c'est-à-dire qu'ils sont le fait d'une région ou même d'une seule ville, quand ce n'est pas d'une simple classe sociale; toutefois, quand on parle ici de mauvaise diction, c'est-à-dire de défauts de prononciation manifestes, il s'agit toujours d'une mauvaise manière de s'exprimer, sans qu'il y ait un défaut physiologique dominant. Lorsque ces anomalies sont collectives, elles font partie d'acquisitions culturelles ou d'habitudes argotiques, qui n'ont rien à voir avec la psychologie individuelle.

(explications page 107)

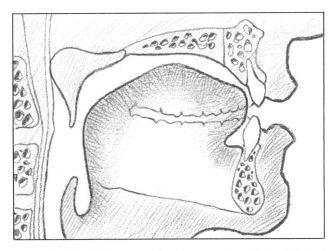

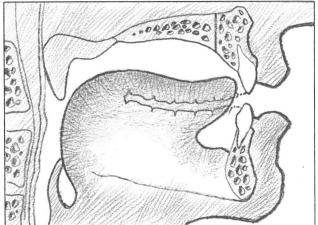

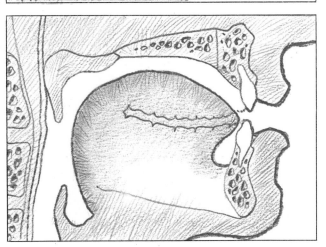

Sur la première figure, on aperçoit la position de la langue, tandis qu'elle prononce correctement un c palatal. Sur la deuxième figure, on note la position de la langue tandis qu'elle prononce correctement un r. Sur la troisième figure, la position de la langue est évidente, tandis qu'elle prononce correctement un s. Les défauts de prononciation correspondants sont dus surtout à une mauvaise position de la langue.

La cadence du langage

La vitesse de la voix parlée est pour chaque individu pratiquement toujours constante et régulière, on parle alors d'une cadence individuelle. Cette cadence est fonction de la fréquence des mouvements d'articulation, mais aussi, et surtout, des pauses du discours entre deux phrases, deux mots; bref, la cadence de la voix est dépendante essentiellement de facteurs liés au contexte social. Chacun parle en effet selon un rythme respiratoire précis et, à son tour, la respiration dépend d'éléments émotionnels ou, de toute façon, d'attitudes individuelles.

Certaines émotions interviennent dans la phonation soit en ralentissant les mouvements articulant notre langage, soit en en augmentant la fréquence, et cela seulement pour une période déterminée. Les adultes arrivent, pour la plupart, à prononcer 500 syllabes par minute sous une pression donnée, tandis que certaines sensations pénibles ou dramatiques ralentissent le langage, jusqu'à l'arrêter complètement. Lorsque le discours est difficile à exprimer, la cadence est plus lente et réfléchie, alors que s'il s'agit d'énoncer des idées faciles à l'aide d'expressions courantes, voire dialectales, l'articulation des mots s'en trouve facilitée tandis que la cadence s'accélère.

La pensée constitue un phénomène également temporel, en ce sens que chaque sujet parlant agence ses propres concepts en lui-même dans un temps sciemment choisi. Le silence apparaît à cet égard comme une trame, où chacun insère ses propres expressions orales selon un dessin psychologique déterminé, qui s'exprime par un rythme propre à chacun. Il existe donc dans la phonation une cadence, qui joue le rôle de principe organisateur et de régulateur continu. Et chaque cadence varie d'une langue à l'autre, et surtout d'un individu à l'autre. On peut en déduire des traits de caractère collectifs ou individuels.

Certaines personnes mitraillent habituellement leur interlocuteur avec un flot ininterrompu de paroles, tandis que d'autres s'expriment avec une lenteur plus ou moins calculée, comme pour bien détacher les idées et les faire mieux passer.

La cadence du langage dévoile toujours un trait du caractère inné chez l'individu, qui se développe et se renforce dans le contexte social et au fur et à mesure de l'épanouissement de la personnalité.

(explications page 107)

Un Arabe en visite à Londres demande un renseignement à un policier. Selon vous, lequel utilise la cadence la plus rapide? La réponse, je pense, est évidente, précisément parce que chaque langue possède une cadence spécifique, indépendamment des particularités individuelles.

L'affectation du langage

S'agissant de communication orale, on peut parler d'affectation quand le sujet, en s'exprimant, accorde une valeur exagérée à certains mots et à certaines expressions, en construisant son discours de façon à accrocher constamment l'attention et prolonger l'effet de ses phrases. Chaque phrase est prononcée avec une connotation particulière, qui semble particulièrement étudiée pour rendre moins banal le son exprimant les concepts.

Qui parle avec affectation recherche toujours des effets démesurés. Il donne l'impression de vouloir donner à ses paroles une coloration exaltante et aphrodisiaque, comme si l'interlocuteur devait rester enveloppé dans l'acceptation mystique du « verbe ».

Le langage affecté suppose aussi la recherche d'expressions particulièrement insolites, qui peuvent se transformer en jargon lorsqu'elles appartiennent à un groupe social restreint. En effet, de nombreux individus emploient mots et expressions avec affectation, comme des badges distinctifs d'un club, qu'ils arborent à la boutonnière des lèvres.

Dans l'expression scénique, le comédien recourt parfois à des onomatopées pour créer un effet comique sur l'auditoire. Il s'agit, chez l'acteur, d'un usage particulier de la voix, emphatique, avec des fioritures exagérées et des minauderies. Celui qui se livre à ce délire de mots montre qu'il comprend peu ou rien de ce qu'il dit; il donne l'impression de lustrer les mots, comme si ceux-ci en avaient besoin pour paraître acceptables. En revanche, une interprétation sur un mode juste est une façon comme une autre d'exprimer ce que l'on a en soi. Et si l'on a en soi quelque chose de juste et d'intéressant à dire, la façon la plus crédible de l'exprimer vient tout naturellement sans qu'il soit besoin d'employer continuellement la grandiloquence; si l'on se réfère à la science du comportement animal, ces attitudes ne servent qu'à certains animaux pendant la période des amours.

Il est heureusement assez facile de reconnaître le ton de l'affectation. L'individu s'exprimant avec affectation a tendance également à adopter des attitudes vaniteuses : il lève le menton plus haut que la normale, tandis que son regard cherche toujours à éviter l'extrémité de son nez, lequel est en l'air, probablement pour se soustraire à la mauvaise odeur de ses expressions vocales.

Il existe un autre type d'affectation, que l'on pourrait définir comme étant plus timorée que la précédente, plus effacée, plus fausse en quelque sorte. Le sujet parlant lève les yeux, tandis que ses lèvres ont tendance à pendre vers le bas. Ce type d'affectation n'en est pas moins irritant et dangereux. Il est plus compassé, plus plaintif que l'affectation fière et suffisante; toutefois, son objectif reste le même : frapper l'auditeur, jugé inférieur. Comparée au type orgueilleux, cette affectation exige de l'auditeur une foi inconditionnelle.

(explications page 107)

Un acteur interprète un personnage comique et, pour renforcer l'effet caricatural, il utilise visiblement un parler affecté, emphatique, maniéré.

La modulation du langage

Certaines personnes, en parlant normalement, ont tendance à utiliser quelques paroles ou expressions plus fréquemment que d'autres. Ce sont généralement des exclamations, interrogations rhétoriques, mots argotiques, voire scatologiques (la coprolalie), adjectifs employés avec une signification personnelle, adverbes répétitifs, hyperboles sans fin. Cela va de mots et expressions simples du genre « vrai », « donc », « dans un certain sens », « croyez-moi », « pour ainsi dire », à des expressions plus longues encore du style « n'est-il pas vrai ? », « comme on dit », « il me semble logique », « pour être exact », « pratiquement », etc.

Dans la bouche de la personne qui les emploie, ces paroles ou expressions ont perdu presque tout leur sens premier et sont devenues une modulation, soit une scansion purement rythmique de la phrase. Beaucoup se servent de cette modulation comme d'un appui, d'une véritable rampe de lancement des idées. D'autres, au contraire, l'adoptent comme un système commode pour reprendre leur souffle et réorganiser au mieux leurs idées.

A cet égard, certaines exclamations à la mode ou scatologiques, lorsqu'elles sont répétées avec insistance, perdent leur signification intrinsèque, devenant un moyen pour accrocher constamment l'attention de l'auditeur que l'on redoute de voir faiblir. Les répétitions d'un propos ne sont naturellement pas toutes aussi repérables que le jargon, le mot scatologique, l'exclamation retentissante ou la phrase toute faite. Le type courant de répétition est moins impudent, moins déclaré, moins appuyé. Il est parfois même assez subtil pour échapper à l'auditeur superficiel. Dans certaines phrases, on note des répétitions si légèrement exprimées, si peu accentuées, que ce ne sont plus de véritables mots mais presque des tics sonores, de légers rappels à l'attention. Dans cette modulation élémentaire, certains s'éclaircissent la voix avec une sorte de grognement consonantique, d'autres expirent par le nez en émettant une sorte de plainte, ou esquissent des vocalises, qui sont des soupirs, tels ah, eh, ih, oh, uh, selon les intentions, d'autres encore claquent la langue comme pour prononcer un son consonantique, puis s'arrêtent à mi-chemin, comme honteux.

En définitive, beaucoup de personnes donnent à leurs phrases une modulation personnelle en recourant à des répétitions, comme si les sons naturels d'une langue étaient insuffisants à exprimer nos émotions et nos états affectifs et ne parvenaient pas à suivre fidèlement la cadence intérieure des concepts. La personne qui utilise fréquemment des expressions plus longues donne l'impression d'essayer de se forger un langage personnalisé, plus efficace que le langage du commun des mortels.

De même, les proverbes populaires ou les phrases toutes faites naissent généralement, dans une certaine mesure, de ce besoin psychologique, enraciné en nous, d'ancrer le discours à des certitudes indiscutables, à des garanties. De plus, il est bien évident que les proverbes affirment tout et le contraire de tout, de sorte que chacun puisse y choisir ses propres modulations de langage.

(explications page 108)

Ces deux jeunes gens en pleine conversation utilisent probablement davantage de répétitions et d'exclamations que les adultes. En effet, une certaine modulation du langage, ou certaines répétitions et emphases même courantes, se transforment en un jargon caractéristique d'une génération, auquel il est très difficile de se soustraire.

Explications

Découvrez un trait de votre caractère avec le registre de votre voix

Registre
Aigu : voix de tête (ou de fausset), produite par les vibrations rapides des cordes vocales. La voix est donc aiguë, argentine, le son émis atteignant parfois des pointes nerveuses. Du fait qu'elle intéresse au maximum les cavités buccales et les fosses nasales, la voix est souvent accompagnée d'une mimique faciale assez visible.

Trait de caractère correspondant
☐ Le registre de tête traduit une tendance à parfois ne se fier qu'aux apparences. Vous n'aimez guère peser le pour et le contre d'une situation, préférant rester dans le vague, ce qui vous donne l'impression d'avoir le maximum de possibilités à exploiter. Tout compte fait, vous préférez la quantité à la qualité. Doté d'un caractère réaliste, vous êtes attiré par ce qui est concret, qui peut être perçu par les sens. Vous êtes du genre fantaisiste, ce qui vous donne au premier abord un certain charme, mais risque de lasser à la longue.

Registre
Grave : voix de poitrine, produite par les vibrations lentes des cordes vocales. La voix est donc basse et chaude, semblant surgir des profondeurs avec une résonance grave. Elle traduit une tendance à l'uniformité et au calme, voire la lenteur, d'où une mimique faciale parfaitement contrôlée.

Trait de caractère correspondant
■ Vous êtes sans cesse enclin à intérioriser et à approfondir. Vous êtes donc davantage un idéaliste qu'un réaliste. Selon vous, tout fait doit être examiné sous toutes ses faces, même les plus cachées, chaque chose dissimulant une idée et chaque idée ayant des prolongements. S'il n'existait pas de gens de votre espèce, science et culture ne connaîtraient pas les développements dont chacun peut ensuite bénéficier. Votre idéalisme est indéniablement un poids lourd à traîner pour vous et vos proches. Vous savez être charmant, mais vous n'êtes pas toujours très drôle.

Registre
Moyen : voix de gorge, produite par les cordes vocales vibrant à une vitesse moyenne. Ainsi, la voix n'est perçue ni trop près de la tête ni trop bas, près de l'abdomen. Elle est dure et sèche, légèrement éraillée, peu souple et variable, sans grande élégance.

Trait de caractère correspondant
Vous êtes de ces individus tiraillés entre superficialité et désir d'approfondissement, entre besoin de satisfactions extérieures et d'intériorisation. Confronté à une situation nouvelle, vous hésitez entre l'affronter avec idéalisme ou avec réalisme. Attiré par les réalités apparentes comme le succès, vous n'en êtes pas moins également séduit par les vérités les plus cachées et impliquant que vous alliez au fond des choses pour les tirer au clair. D'où ce sentiment d'angoisse que vous éprouvez souvent, ces sollicitations opposées ne laissant guère de place à la sérénité. D'ailleurs, ces valeurs moyennes, entre superficialité et besoin d'approfondissement, sont le lot de la majorité des êtres humains, chez qui rien n'est jamais tout blanc ou tout noir. En effet, si l'on s'en tient aux statistiques, les caractères extrêmes sont rares, la plupart des gens se regroupant autour des valeurs moyennes. La courbe graphique correspondante adopte la forme d'une cloche, qui sert aux mesures psychologiques aussi bien qu'anatomiques. Par exemple, les hommes très grands ou très petits représentent une minorité, comparés à l'ensemble des êtres humains, dont la taille est plutôt moyenne. Selon les mesures établies par les psychologues Stanford et Binet, l'intelligence humaine n'est pas non plus répartie avec homogénéité dans la population, mais obéit à la même loi statistique, graphiquement représentée par la courbe en cloche des probabilités. En fait, les génies sont rares, de même que les parfaits imbéciles : une constatation de nature peut-être à nous tranquilliser à bien des égards, mais qui ramène l'humanité à une grisaille peu stimulante. Toutefois, quand il s'agit d'apprécier les caractères, cette primauté des valeurs moyennes est plus consolante, prouvant en effet que l'humanité oscille entre les extrêmes avec une dynamique qui n'est jamais rigide. Que l'humanité témoigne de ces traits de caractère intermédiaires peut signifier que tout est possible, qu'il existe une sorte de démocratie intérieure du caractère qui respecte toutes les chances et possibilités. Cela devrait se traduire par une condamnation de tous les fanatismes, alors qu'en réalité, ceux-ci ont toujours trouvé dans l'Histoire une large marge de manœuvre.

Découvrez un trait de votre caractère avec le volume de votre voix

Volume
Élevé.

Trait de caractère correspondant
△ Votre relative agressivité vous rend en mesure d'exploiter virtuellement toutes les qualités dominantes de votre personnalité. Vous aimez vous mesurer avec la réalité, de même que les rapports avec autrui vous stimulent toujours. Vous recherchez le succès en toutes circonstances ; mais, parfois, il vous suffit d'étonner momentanément. D'une façon générale, vous possédez de grandes qualités pratiques, parfois cependant atténuées par une certaine superficialité. Vous donnez l'impression d'un être courageux, mais aussi et surtout aventureux. On s'ennuie rarement avec vous, mais certains finissent par se lasser.

Volume
Bas.

Trait de caractère correspondant
▲ De caractère soumis, vous préférez parfois analyser la réalité avec calme, dans la tranquillité de vos réflexions, plutôt que de l'affronter avec des idées toutes faites. Ce que vous perdez en occasions, vous le gagnez en intensité, étant porté à ne vous risquer dans une situation qu'après en avoir examiné tous les aspects.

Sérieux, réfléchi et serein, vous formulez des idées plus que vous n'agissez, avec lenteur, mais aussi et surtout avec rigueur. Votre rythme de vie est lent, médité, aussi agissez-vous le plus souvent seul, sans l'aide des autres. Cette méfiance vis-à-vis de la réalité et des autres vous porte à la solitude.

Volume
Moyen, ni trop élevé ni trop bas.

Trait de caractère correspondant
Vous êtes tiraillé entre le désir de faire face à la réalité ou de vous concentrer, de vous précipiter tête baissée dans une situation donnée ou, au contraire, d'en peser sérieusement le pour et le contre. D'où, chez vous, une certaine instabilité. Si vous parvenez à dominer cette indécision, vous êtes en mesure de jouer plusieurs cartes à la fois, ce qui fait souvent de vous un gagnant. Toutefois, on vous trouve parfois imprévisible et l'on vous taxe même d'opportunisme. Ce côté ambigu de votre caractère constitue justement votre point faible.

Découvrez un trait de votre caractère avec le timbre de votre voix

Timbre
Monocorde : parler plat, lassant par son manque de variété et de modulation.

Trait de caractère correspondant
□ Vous êtes doté d'un caractère simple, franc. Vos comportements reflètent cependant un manque d'enthousiasme. Vous êtes le contraire d'une personne compliquée, ce qui vous tient à cœur étant surtout le besoin de sécurité. Dans le fond, vous êtes réaliste, avec un brin de naïveté. Vous avez tendance à esquiver les obstacles, pour protéger au maximum votre itinéraire. A vos yeux, les manifestations d'enthousiasme sont le plus souvent des débordements absurdes, des entraves à la perception de la réalité. Celle-ci ne vous intéresse que dans la mesure où ses frontières sont très vastes. Votre monde peut être limité, à la condition d'être serein. Les gens qui vous entourent ne doivent jamais s'attendre à des surprises désagréables.

Timbre
Varié : parler animé, riche de variations et de modulations, qui retient l'intérêt de l'interlocuteur.

Trait de caractère correspondant
■ Vous êtes du genre un peu compliqué et, lorsque vous vous fixez des objectifs, vous ne suivez pas forcément la ligne droite, préférant emprunter les voies détournées, comme si, en vous comportant de la sorte, vous étiez plus à l'abri des embûches. Vous avez une très bonne opinion de vous-même; toutefois, bien que vous ayez un excellent QI, il vous arrive d'être freiné par des impulsions soudaines. Vous cédez souvent à vos élans et à vos enthousiasmes, ce qui complique vos jeux d'ingéniosité. Vous ne connaissez guère l'ennui, mais celui qui veut suivre votre rythme n'y parvient qu'au prix d'un grand effort. Si vous avez des dons artistiques, vous ne parvenez cependant à les exprimer que si vous vous y appliquez.

Timbre
Entre monotone et varié.

Trait de caractère correspondant
Vous hésitez souvent entre les choix simples et compliqués, d'où un état d'esprit oscillant continuellement entre la sérénité et l'agitation. Confronté à des situations nouvelles, tantôt vous en discernez clairement les perspectives, tantôt vous en perdez le fil, à force de tout compliquer excessivement. Vous vous rassurez en pensant que tout le monde, ou presque, est comme vous : pour chacun, tout est possible et rien n'est facile.

Découvrez un trait de votre caractère avec la nasalisation de votre voix

Nasalisation
Excessive : voix un peu « geignarde » de celui qui parle toujours « du nez », sans avoir de défauts physiologiques particuliers.

Trait de caractère correspondant
◆ Vous êtes un peu tourné vers l'enfance. Enfant, vous parliez déjà probablement « du nez », cette intonation vous permettant d'être cajolé comme vous aimiez l'être. Vous donnez l'impression d'un être tendre, doux, mais aussi un peu geignard, capricieux, comme quelqu'un qui compte trop sur soi sans parvenir à concilier la réalité avec ses propres aspirations affectives et ses propres rêves. Votre voix nasillarde reflète incontestablement une forte sensualité, qui a parfois du mal à se traduire dans les faits. Vous attirez la sympathie, malgré un certain égoïsme.

Nasalisation
Nulle : voix sèche, presque opaque, aux intonations nasales sans nuances, qui ne décèle jamais un attendrissement de type enfantin.

Trait de caractère correspondant
◇ Vous avez un caractère mûr, sans complexes, en ce sens que vous avez bien surmonté les problèmes liés à votre enfance. Réfléchi et concret, vous témoignez d'une certaine méfiance envers vos instincts et vos émotions. Vous possédez une grande indépendance d'esprit, vos choix et vos attitudes n'étant dictés par rien ni personne. Doté d'un esprit réalisateur, vous poursuivez souvent vos objectifs avec une rigueur inflexible, au risque de paraître parfois un peu sec.

Nasalisation
Modérée : voix légèrement nasillarde, chaude et douce sans être maniérée.

Trait de caractère correspondant
Passant sans cesse d'un état à l'autre, vous êtes un perpétuel insatisfait. Une seule chose compte à vos yeux : prouver, vous engager, indépendamment des résultats concrets. Vous alternez ainsi enthousiasme et froideur, instincts et calculs, succès et échecs. Dans le domaine sentimental, vous êtes porté, au début, à dépendre de votre partenaire, qui vous assure une tendresse protectrice. Mais, à la longue, vous sentez le poids des chaînes, dont vous vous libérez avec une certaine désinvolture, assuré de très bien vous en sortir seul sur le difficile terrain affectif.

Découvrez un trait de votre caractère avec votre diction

Diction
Correcte, sans défauts de prononciation.

Trait de caractère correspondant
◇ Vous êtes sans complexes, ayant connu un développement harmonieux, sans gros traumatismes, dans le contexte social et familial dans lequel vous avez évolué jusqu'à votre maturité. Cette cohérence entre vos tendances instinctives et la réalité extérieure fait de vous un être foncièrement équilibré. D'une façon générale, vous êtes franc, objectif, et vous surmontez avec une assez grande sérénité les inévitables conflits entre votre inconscient et la réalité extérieure. En substance, vous vous suffisez à vous-même, ce qui est déjà beaucoup dans une réalité qui tend, objectivement, bien des pièges, même séduisants.

Diction
Mauvaise, avec un ou plusieurs défauts de prononciation.

Trait de caractère correspondant
♦ Vous n'avez pas toujours un contact facile, ce qui s'explique probablement par les difficultés que vous avez rencontrées au cours de votre développement psychologique. Maintenant qu'il est achevé, vous donnez l'impression d'un être inquiet et hésitant, parfois même déraisonnable. Souffrant d'un complexe d'infériorité, vous ne savez pas toujours comment affronter la réalité extérieure. Parfois, vous réagissez de façon excessive et devenez agressif : car celui qui se sent injustement dominé peut aussi chercher à son tour à dominer, pour compenser en quelque sorte.

Diction
Ni bonne ni mauvaise : peut-être avec un seul défaut de prononciation à peine apparent.

Trait de caractère correspondant
Vous êtes inhibé par certains côtés, sans toutefois être esclave de ces inhibitions. Tantôt vous vous laissez conditionner, tantôt vous décidez librement. Bref, vous êtes de ces personnes « possibilistes », pour qui rien n'est trop difficile, tout rentre dans les possibilités de l'existence. Vous passez aisément de l'étable aux étoiles, bien que tout choix vous coûte un effort, dont vous goûtez ensuite la récompense. De toute façon, disposant de plusieurs cartes, vous avez des chances d'être gagnant dans le jeu de la vie.

Découvrez un trait de votre caractère avec la cadence de votre langage

Cadence
Rapide : parler rapide et fluide, sans hésitations, avec des pauses réduites au minimum.

Trait de caractère correspondant
☐ Vous êtes surtout un émotif, aussi, même lorsque vous faites usage de la raison, c'est de façon quelque peu expéditive. En résumé, vous êtes plus intuitif que logique. Mais, malgré votre émotivité, vous gardez toujours un certain self-control. Votre parler est rapide, fluide, sans hésitations. Votre émotivité ne vous embarrasse pas, ne vous bloque pas : agressive, harcelante, elle est sans faille, vous mettant à l'abri des menaces venant d'autrui. Vous cherchez toujours à étonner les autres, à les suggestionner.

Cadence
Lente : parler entrecoupé de pauses fréquentes, laissant percer des hésitations.

Trait de caractère correspondant
■ Vous vous fiez essentiellement à la raison : enclin à tout calculer, vous avez tendance à éviter les surprises de type émotif. Toutefois, vous avez du mal à dominer l'émotivité naturelle latente en chacun de nous. Vous avez besoin d'un appui pour déployer votre logique devant votre interlocuteur. Vous mettez à profit des moments de silence, d'où parfois certaines hésitations de langage. Dans le fond, vous faites un usage exagéré de la raison, au point de paraître parfois froid, rigide, implacable. D'autres fois, vous impressionnez par votre rigueur logique, vous inspirez la crainte.

Cadence
Modérée : entre la fluidité et l'hésitation.

Trait de caractère correspondant
Vous êtes comme ces funambules qui avancent sur une corde raide entre deux extrêmes : l'émotivité et le raisonnement. Ayant en main toutes les cartes pour gagner, vous ne choisissez pas toujours la bonne. Vous aimez affronter les situations avec logique, mais n'arrivez pas à vous défendre de vos instincts, aussi vous débattez-vous dans vos contradictions. Très humain, vous n'aimez pas les excès, vous cantonnant dans cette zone du possible, la plus fréquentée par le commun des mortels.

Découvrez un trait de votre caractère avec l'affectation de votre langage

Affectation
Affectation du langage : communication orale visant à étonner à l'aide d'expressions exagérées, insolites, argotiques et artificielles.

Trait de caractère correspondant
○ Enclin parfois à vous surestimer, vous cherchez à dissimuler vos imperfections en espérant que l'auditeur restera sous le charme d'une certaine musicalité de votre langage. Vous êtes foncièrement narcissique, toujours prêt à vous admirer, vous et vos idées, et porté, au contraire, à sous-estimer vos interlocuteurs. Parfois, vous vous estimez sacrifié et insatisfait des conditions dans lesquelles vous vous trouvez par la force des choses, aussi cherchez-vous à grimper dans l'échelle sociale, à des hauteurs pas toujours conformes à vos mérites supposés.

Affectation
Absence d'affectation dans le langage : parler naturel, sans flatteries ni fioritures inutiles, qui n'utilise aucune expression exagérée ou argotique.

Trait de caractère correspondant
● Vous avez une juste opinion de vous-même, ce qui est toujours un signe d'équilibre. De plus, votre ironie vous préserve des attitudes grandiloquentes et inappropriées aux exigences pratiques. Parfois, vous-même ne vous prenez pas au sérieux, si bien qu'on ne vous apprécie pas toujours à votre juste valeur. C'est un signe de sincérité, de franchise, de naturel, et ce sont là vos grandes qualités. De la même façon que vous vous estimez à votre juste valeur, sans emphase ni exagération, vous ne surestimez ni ne sous-évaluez les autres, aussi êtes-vous juste et pas du tout fanatique. Vous n'êtes

pas raciste : en effet, vous êtes davantage enclin au scepticisme et au cynisme qu'aux exaspérations, et vous ne cédez pas à l'attrait d'appels mystiques ou transcendants. Ce qui vous porte à clarifier et simplifier également les rapports les plus embrouillés et les plus confus, en particulier les rapports affectifs.

Affectation
Langage entre affecté et naturel : parler essentiellement simple, reflétant çà et là une certaine emphase, ton parfois forcé, expressions particulières.

Trait de caractère correspondant
Vous êtes tiraillé entre une tendance à vous surestimer et celle, opposée, à vous sous-estimer. Tantôt vous avez une haute opinion de vous-même, tantôt vous ne faites que vous tolérer. Tantôt vous voyez grand, tantôt petit. Tout en connaissant la valeur de la liberté, vous ne savez pas toujours la suivre jusqu'au bout. Pour toutes ces raisons, vous êtes un peu angoissé et manquez d'assurance.

Découvrez un trait de votre caractère avec la modulation de votre langage

Modulation
☐ Modulation du langage accentuée : communication orale avec répétitions et insistances, exclamations et expressions personnelles fréquentes.

Trait de caractère correspondant
Vous manquez un peu d'assurance et, lorsque vous communiquez verbalement avec les autres, vous avez besoin de trouver un certain réconfort. Vous cherchez à parsemer votre propos de vérités indiscutables, car vous redoutez le jugement de votre interlocuteur. Aussi, pour paraître convaincant, vous tentez de forcer sa confiance et de retenir au maximum son attention. Au fond, vous faites partie de ces émotifs qui, dans les moments de confiance en eux, sont enclins à l'enthousiasme et à l'optimisme.

Modulation
Langage non modulé : communication verbale sans répétitions ni accentuations, sans exclamations continuelles ou mots clefs.

Trait de caractère correspondant
■ Vous êtes sûr de vous, votre langage coule, fluide et sans heurts, suivant le rythme le plus apte à appuyer vos convictions personnelles. A vos yeux, peu importe si certains aspects de votre propos sont sous-estimés ou se perdent, l'essentiel étant que votre logique soit sans faille spectaculaire. Vous êtes tellement logique que vous vous payez le luxe d'être cynique. A tout instant, sans que vous ayez à le dire explicitement, votre comportement reflète votre hostilité à toute exagération ou hyperbole. Vous avez un esprit logique, sans illusions, qualité plus profitable à la société qu'à vous-même, car, sur le plan individuel, vous payez un prix assez élevé pour votre manque d'enthousiasme. En effet, ce côté réfractaire aux passions vous conduit souvent à l'immobilisme dans le domaine sentimental.

Modulation
Langage avec modulation moyenne : communication verbale avec, de temps à autre, des répétitions et accentuations, des exclamations et mots clefs.

Trait de caractère correspondant
Vous oscillez entre l'assurance et le manque d'assurance. En d'autres termes, vous restez souvent entre deux eaux. Vous vivez dans un état d'alternance émotive, car de votre assurance naît un manque d'assurance et vice versa. Une fois que vous avez touché le fond de l'incertitude, vous trouvez en vous-même la force de vous ancrer à quelque chose de stable. D'ailleurs faire et défaire est le propre de la nature humaine, mais les contradictions intérieures finissent par donner à la vie une saveur un peu insipide.

A droite, toujours pour le test de la sexualité, observez la photographie E et, au verso, la photographie F. Laquelle choisissez-vous, E ou F ? Notez votre choix.

Schéma pour une étude comparée du langage et du caractère

Pour permettre cette étude comparée, les observations faites jusqu'ici ont été résumées dans ce schéma.

Caractéristique de la voix et du langage		Caractéristique psychologique correspondante
Registre	aigu, de tête	superficialité, caractère extroverti
	moyen, de gorge	entre superficialité et approfondissement
	grave, de poitrine	tendance à l'intériorisation et à l'approfondissement
Volume	élevé	agressivité
	moyen	entre agressivité et soumission
	bas	soumission, renoncement
Timbre	monotone	simplicité
	entre monotone et varié	entre simplicité et tendance aux complications
	varié	tendance aux complications
Nasalisation	excessive	manque de maturité
	moyenne	entre maturité et manque de maturité
	nulle	maturité
Diction	mauvaise	inhibitions et complexes
	entre mauvaise et correcte	entre inhibitions et complexes
	correcte	absence d'inhibitions et de complexes
Cadence	rapide	émotivité
	moyenne	entre émotivité et rationalité
	lente	rationalité
Affectation	excessive	surestimation de soi
	moyenne	entre surestimation et juste estime de soi
	nulle	juste estime de soi
Modulation	avec répétitions et accentuations	manque d'assurance
	avec quelques répétitions et accentuations	entre assurance et manque d'assurance
	sans répétitions ou accentuations	assurance

Comment feriez-vous parler certains personnages ?

Les huit caractéristiques principales de la voix et du langage ayant été étudiées dans leurs rapports avec la personnalité, voici maintenant un jeu amusant, stimulant pour tout le monde et particulièrement profitable aux acteurs, du moins aux apprentis acteurs.

A la lumière de l'étude réalisée sur la voix et le langage, comment feriez-vous parler certains personnages ?

Quelques exemples sont proposés dans ces pages : ce sera ensuite à vous de trouver d'autres études de voix intéressantes, ne serait-ce que parmi vos amis.

Comment feriez-vous parler...

Hamlet
Registre   grave (porté à tout approfondir)
Volume   bas (introverti)
Timbre   varié (enclin aux complications)
Nasalisation   moyenne (à la fois mûr et peu mûr)
Diction   mauvaise (inhibé et complexé)
Cadence   lente (rationnel)
Affectation   nulle (juste estime de lui-même)
Modulation   avec répétitions et accentuations (manque d'assurance)

Madame Bovary
Registre   aigu (superficielle)

Volume   moyen (caractère entre extroverti et introverti)
Timbre   varié (tendance aux complications)
Nasalisation   excessive (manque de maturité)
Diction   mauvaise (inhibitions et complexes)
Cadence   rapide (émotive)
Affectation   nulle (juste estime d'elle-même)
Modulation   avec répétitions et accentuations (manque d'assurance)

Arlequin
Registre   aigu (superficiel)
Volume   élevé (extroverti)

Timbre   monotone (simple)
Nasalisation   excessive (manque de maturité)
Diction   bonne (non inhibé)
Cadence   rapide (émotif)
Affectation   nulle (juste estime de lui-même)
Modulation   avec répétitions et accentuations (manque d'assurance)

Polichinelle
Registre   grave (porté à tout approfondir)

Volume   élevé (extroverti)
Timbre   varié (tendance aux complications)
Nasalisation   moyenne (entre maturité et manque de maturité)
Diction   bonne (non inhibé)
Cadence   rapide (émotif)
Affectation   moyenne (entre une faible et une excessive estime de lui-même)
Modulation   avec répétitions et accentuations (peu sûr de lui)

Cléopâtre

Registre   moyen (entre superficialité et approfondissement)
Volume   élevé (extrovertie)
Timbre   varié (portée aux complications)
Nasalisation   excessive (manque de maturité)
Diction   mauvaise (inhibitions et complexes)
Cadence   rapide (émotive)
Affectation   évidente (narcissique mégalomane)
Modulation   avec répétitions et accentuations (peu sûre d'elle)

Casanova

Registre   aigu (superficiel)
Volume   élevé (extroverti)
Timbre   varié (porté aux complications)
Nasalisation   moyenne (entre maturité et manque de maturité)
Diction   bonne (non inhibé)
Cadence   moyenne (entre émotif et rationnel)
Affectation   évidente (narcissique mégalomane)
Modulation   sans répétitions ni accentuations (sûr de lui)

Dante

Registre   grave (porté à tout approfondir)
Volume   bas (introverti)
Timbre   varié (porté aux complications)
Nasalisation   nulle (maturité)
Diction   bonne (non inhibé)
Cadence   moyenne (entre émotif et rationnel)
Affectation   évidente (narcissique mégalomane)
Modulation   moyenne (entre sûr et peu sûr de lui)

Don Quichotte

Registre   grave (porté à tout approfondir)
Volume   bas (introverti)
Timbre   varié (porté aux complications)
Nasalisation   moyenne (entre maturité et manque de maturité)
Diction   mauvaise (inhibitions et complexes)
Cadence   moyenne (entre émotif et rationnel)
Affectation   nulle (juste estime de lui-même)
Modulation   avec répétitions et accentuations (peu sûr de lui)

Sancho Pança

Registre   aigu (superficiel)
Volume   élevé (extroverti)
Timbre   monotone (simple)
Nasalisation   nulle (mûr)
Diction   bonne (non inhibé)
Cadence   lente (rationnel)
Affectation   nulle (juste estime de lui-même)
Modulation   sans répétitions ni accentuations (sûr de lui)

Lucrèce Borgia

Registre   aigu (superficielle)
Volume   élevé (extrovertie)
Timbre   monotone (simple)
Nasalisation   excessive (manque de maturité)
Diction   mauvaise (inhibitions et complexes)
Cadence   rapide (émotive)
Affectation   évidente (narcissique mégalomane)
Modulation   avec répétitions et accentuations (peu sûre d'elle)

Othello

Registre   moyen (entre superficiel et profond)
Volume   moyen (entre extroverti et introverti)
Timbre   moyen (entre simplicité et tendance aux complications)
Nasalisation   moyenne (entre maturité et manque de maturité)
Diction   mauvaise (inhibé)
Cadence   rapide (émotif)
Affectation   nulle (juste estime de lui-même)
Modulation   avec répétitions et accentuations (peu sûr de lui)

Pénélope

Registre   grave (portée à tout approfondir)
Volume   bas (introvertie)
Timbre   varié (portée aux complications)
Nasalisation   nulle (mûre)
Diction   entre mauvaise et correcte (entre inhibitions et complexes)
Cadence   moyenne (entre émotive et rationnelle)
Affectation   nulle (juste estime d'elle-même)
Modulation   sans répétitions ni accentuations (sûre d'elle)

Vénus

Registre   aigu (superficielle)
Volume   élevé (extrovertie)
Timbre   monotone (simple)
Nasalisation   moyenne (entre maturité et manque de maturité)
Diction   bonne (non inhibée)
Cadence   moyenne (entre émotive et rationnelle)
Affectation   évidente (narcissique mégalomane)
Modulation   moyenne (entre sûre et peu sûre d'elle)

Sapho

Registre   grave (portée à tout approfondir)
Volume   bas (introvertie)
Timbre   varié (portée aux complications)
Nasalisation   excessive (manque de maturité)
Diction   mauvaise (inhibitions et complexes)
Cadence   rapide (émotive)
Affectation   évidente (narcissique mégalomane)
Modulation   avec répétitions et accentuations (peu sûre d'elle)

George Sand

Registre   grave (portée à tout approfondir)
Volume   élevé (extrovertie)
Timbre   varié (portée aux complications)
Nasalisation   nulle (mûre)
Diction   bonne (non inhibée)
Cadence   moyenne (entre émotive et rationnelle)
Affectation   évidente (narcissique mégalomane)
Modulation   moyenne (entre sûre et peu sûre d'elle)

Ulysse

Registre   grave (porté à tout approfondir)
Volume   élevé (extroverti)
Timbre   monotone (entre simplicité et complications)
Nasalisation   nulle (mûr)
Diction   correcte (non inhibé)
Cadence   lente (rationnel)
Affectation   nulle (juste estime de lui-même)
Modulation   sans répétitions ni accentuations (peu sûr de lui)

Le « faites-le sur mesure » psychologique

Ce chapitre relate une histoire qui se déroule de nos jours;
mais c'est au lecteur de choisir l'intrigue qui a sa préférence,
grâce à la technique du « faites-le sur mesure »
psychologique. Dans la pratique, le récit est interrompu à
quatre reprises. A chaque interruption, le lecteur est invité à
se soumettre à trois tests, d'une double utilité : dans
l'immédiat, lui indiquer comment poursuivre la lecture de
l'histoire; et, dans un second temps, lui permettre de
découvrir son type psychologique, fruit de l'évolution de son
caractère tout au long de son enfance, de sa jeunesse, de sa
maturité et de sa vieillesse.
Par ses réponses aux tests, le lecteur choisit lui-même la
suite de l'intrigue : il bâtit une histoire selon la technique
définie ici du « faites-le sur mesure » psychologique.
Ainsi, la réponse finale, obtenue avec le résultat des douze
tests du chapitre, permet de découvrir la trame du caractère
au cours de la vie, ou, à la limite, ce qu'elle serait si l'on
parvenait à rester fidèle à son caractère en dépit des
circonstances.

Un enfant bien élevé

Les personnages de l'intrigue

Trevor Landen   *lieutenant de la marine marchande britannique*
Solange Ranier   *une Française*
Adam Benson   *un Américain*
Larry Benson   *son fils*
Elsie Fammer   *serveuse anglaise dans un restaurant aux Açores*
Hatty Glamps   *ex-fiancée du lieutenant Trevor*
Le commandant   *du paquebot Haïti*
Un serviteur noir   *sur le paquebot Haïti*
Le propriétaire   *d'un restaurant aux Açores*
L'ami   *de M. Benson*
L'avocat   *de M. Benson*

Après le repas, Trevor Landen ressentit le besoin de rester seul un moment, pour profiter de cette demi-heure de liberté avant de reprendre le service. Ce n'est pas que la vie d'un officier en second, embarqué à bord d'un paquebot de luxe, fût particulièrement fatigante; mais les instants de liberté étaient plutôt rares et Trevor avait beaucoup à penser. Parfois, au moment où il donnait les ordres les plus délicats, les souvenirs venaient le harceler. Et il s'interrogeait sur l'utilité de s'être embarqué sur un coup de tête pour tenter vainement de fuir les regrets.

Trevor sortit faire quelques pas sur le pont de première classe. C'est alors qu'il aperçut un petit garçon de huit ans à peine, qui tentait de scier l'un des câbles d'acier amarrant une grosse chaloupe de sauvetage. Il s'avança et, arborant son plus beau sourire stéréotypé, il observa :

— Il vaudrait peut-être mieux le laisser là, ce câble. Au cas où serviraient...

Il n'acheva pas sa phrase, recevant en pleine figure un jet de liquide. Quand il rouvrit les yeux, il vit que le liquide était rouge et avait maculé non seulement son visage, mais sa chemise, sa cravate et le revers de sa veste d'uniforme. Quant à l'enfant, un pistolet à eau à la main, il s'enfuyait à toutes jambes.

Trevor s'élança instinctivement à sa poursuite. Il tournait l'angle du pont quand il le vit, résolument planté devant lui, à une dizaine de pas. Trevor ralentit sa course, le temps pour le petit garçon de lui tirer effrontément la langue. Il se précipita pour l'empoigner, mais glissa sur un liquide visqueux et s'étala de tout son long sur le pont, tandis que l'impudent petit provocateur prenait définitivement la fuite.

Le soleil se couchait à l'horizon. A nouveau sur le pont de première classe, le lieutenant Landen, accoudé au bastingage, contemplait le sillage d'écume du navire fendant les flots. Il songeait à ce liquide poisseux que l'enfant avait répandu sur le pont juste avant qu'il ne le rattrape, pour l'agripper par les cheveux. Il songeait qu'il aimerait bien mettre la main sur lui. Il pensait surtout à son poignet, qu'on avait dû lui bander à l'infirmerie après sa chute, et qui le faisait cruellement souffrir. C'est alors qu'il entendit derrière son dos une voix de femme, chaude et vibrante :

— Lieutenant, je voudrais vous parler.

Se retournant, Trevor vit une jeune femme d'environ vingt-cinq ans, tenant par la main le petit provocateur. Avec un charmant sourire, elle dit :

— C'est mon fils, Larry. Il a été très vilain avec vous, je le sais. Je tiens à ce qu'il vous fasse des excuses.

Trevor la gratifia de son sourire le plus sincère :

— Ce n'est pas grave, c'est un enfant.

— Justement, c'est dès maintenant qu'il doit apprendre, rétorqua la jeune femme, souriant avec douceur.

Elle tordit très fort l'oreille de l'enfant. Larry tourna la tête, prit sa respiration et se décida enfin :

— Je vous demande pardon.

— Bien, Larry. Que cela te serve de leçon.

Trevor ne savait trop que dire, mais la jeune femme prit les devants :

— Je m'appelle Solange Ranier. Je suis française. Le père de Larry, lui, est américain.

— Lieutenant Trevor Landen. Je suis heureux de faire votre connaissance.

Et, portant la main à sa casquette, il se raidit dans un salut parfait. Ce faisant, il mit en évidence son poignet bandé.

— Vous êtes blessé ? s'enquit la jeune femme.

Trevor comprit que le petit provocateur n'avait dit qu'une partie de la vérité.

— Les inconvénients du métier à bord, mentit-il.

— Quel beau navire ! dit la jeune femme.

Visiblement, elle cherchait à engager la conversation, et Trevor trouva la proposition très intéressante.

Dès lors, on vit souvent le trio ensemble. Larry jouait quelques pas plus loin, tandis que le lieutenant et la jeune femme se promenaient lentement, se racontant par bribes une grande partie de leur vie. Très vite s'instaura entre eux une telle confiance qu'un soir, Trevor fit l'aveu de son secret à Solange Ranier, un secret qui l'emplissait de honte : il lui révéla pourquoi il s'était embarqué comme second à bord du paquebot effectuant la liaison Haïti-Londres.

— Voyez-vous, je suis ici à la suite d'une déception amoureuse.

— Je l'avais deviné.

— Pourquoi ? Cela se voit-il donc ?

— Comme on dit dans mon village : «L'amour, c'est comme les oreillons.»

— On m'a laissé tomber.

— La fin de l'amour ?

— Je ne crois pas. Un soir, je raccompagnai chez elle Hatty, ma fiancée. Nous étions restés tard chez des amis, et il n'y avait personne alentour. Tout à coup, nous avons été

encerclés par quatre jeunes, éméchés, qui ont commencé à nous harceler. Je ne me sentais pas le courage de me battre, me sachant vaincu d'avance, et je décidai de mettre plutôt mon cerveau à contribution. Je racontai aux quatre énergumènes que j'avais trouvé Hatty dans un lieu mal famé, où il y avait des quantités d'autres beautés disponibles. Je leur donnai une adresse inventée de toutes pièces et leur offris un peu d'argent pour s'octroyer quelques distractions. Ils nous laissèrent alors en paix et déguerpirent.

– Je trouve que vous avez été très astucieux.

– Telle n'a pas été l'opinion de Hatty. Arrivée à la maison, elle m'a reproché de l'avoir traitée de catin, m'accusant de lâcheté et déclarant qu'elle ne me reverrait plus jamais.

– Et vous ne l'avez plus revue?

– Non. Je me suis embarqué.

– Je vous plains.

– Je vous remercie.

La nuit qui suivit la confession de Trevor, on avait annoncé une mer force 7, et les passagers restèrent enfermés dans leur cabine presque toute la matinée. Enfin, le paquebot accosta comme prévu aux Açores. Les passagers furent toutefois prévenus que le bateau ferait escale pendant vingt-quatre heures au port de San Michele à Ponta Delgada, pour des formalités indispensables.

Après cette annonce, Trevor, encore dans sa cabine, s'apprêtait à descendre à terre pour profiter des heures de liberté octroyées par le commandant, lorsqu'il vit entrer Larry.

– Ma mère désire vous voir, lança-t-il sèchement.

– Où?

– Dans notre cabine, la 42.

Puis il ressortit, en lui indiquant le chemin.

Dans la cabine 42, Trevor trouva Solange Ranier dans son lit. Visiblement bouleversée, elle lui déclara tout de go:

– J'ai une forte fièvre.

– On ne dirait pas, répliqua promptement Trevor. Vous avez une mine superbe.

La jeune femme sortit une main de dessous le drap et saisit celle du lieutenant.

– J'ai un grand service à vous demander.

– Volontiers.

– Comme vous pouvez le constater, il m'est impossible de descendre à terre. Vous êtes le seul à qui je puisse m'adresser. Larry n'est pas mon fils. Sa mère, qui était ma meilleure amie, est morte à Haïti il y a quelques jours. J'étais chargée d'accompagner le petit chez son père, un Américain qui vit aux Açores. Ils étaient séparés depuis quelque temps, lui et ma chère amie disparue. Pouvez-vous vous charger à ma place de lui remettre l'enfant, je vous prie?

– Le père est prévenu? s'enquit Trevor, désignant l'enfant.

– Bien entendu.

– Alors, aucun problème.

La jeune femme remit deux adresses à Trevor: la première pour y conduire Larry, et la seconde au cas où il y aurait un quelconque empêchement.

– Le consul de Haïti aux Açores pourra, le cas échéant, vous fournir l'aide nécessaire.

Comme devinant les pensées de Trevor, la jeune femme ajouta précipitamment:

– Si par malheur Larry n'était pas remis à son père, il ne pourrait pas débarquer à Londres. Il n'a pas de passeport, c'est pourquoi je le faisais passer pour mon fils. Il tombera alors entre les mains de la police, sera rapatrié à Haïti, où on lui fera les pires difficultés. Sa mère était un agent secret.

C'est ainsi que, ce matin-là, Trevor se retrouva frappant à la porte d'une petite villa, tenant Larry par la main. L'attitude de l'enfant était assez étrange, il semblait à la fois amusé et effrayé. Trevor eut beau frapper plusieurs fois, personne ne vint ouvrir.

Le récit s'interrompt là, pour faire place à trois tests destinés à vous indiquer comment poursuivre la lecture. En effet, les résultats de ces tests vous conseilleront sur la suite à donner à l'intrigue, un peu en fonction de certains traits de votre caractère. Vous bâtirez donc une intrigue sur mesure. Dans un second temps, ces tests, s'ajoutant à d'autres épreuves proposées dans ce chapitre, vous permettront d'effectuer une étude particulière de votre personnalité.

Observez un instant ces deux façades de maisons londoniennes. Selon vous, dans laquelle est né le lieutenant Trevor Landen ? Répondez sans réfléchir, en essayant de vous identifier instinctivement au héros du récit.
Ce choix devant s'ajouter à d'autres, soit vous le notez par écrit, soit vous le retenez de mémoire.

Observez ces deux dessins, dont chacun pourrait représenter un de vos rêves.
A laquelle des deux images avez-vous rêvé, ou aimeriez-vous rêver le plus souvent ? Notez votre choix par écrit, ou retenez-le de mémoire.

Observez ces deux tableaux, représentant chacun le portrait d'une aïeule inconnue du lieutenant Trevor Landen. Ces deux femmes, qui vécurent au siècle dernier, n'ont laissé d'elles que l'image de leur visage. Selon vous, laquelle Trevor préférait-il ? Il s'agit, bien entendu, d'une préférence instinctive, puisqu'il ne les a jamais connues. Efforcez-vous ici aussi de répondre sans trop réfléchir, en cherchant seulement à vous identifier au héros du récit. Notez votre choix par écrit ou retenez-le de mémoire.

Pour poursuivre la lecture du récit

A présent, faites le total des A et des B choisis dans les trois tests 1, 2 et 3.
Si vous avez choisi 3 A, reprenez le récit page 120 (I*).
Si vous avez choisi 3 B, reprenez le récit page 122 (I**).
Si vous avez choisi 2 A + 1 B ou 2 B + 1 A, reprenez le récit page 124 (I***).
N'oubliez pas ces choix, A ou B, ils vous serviront pour les explications psychologiques finales.

Un enfant bien élevé (I*)

Trevor perdit définitivement patience quand Larry se baissa, sous prétexte de resserrer le lacet de son soulier, et trouva le moyen, Dieu sait comment, d'insérer un insecte vivant par le revers de son pantalon. Le lieutenant serra alors la main de l'enfant, qu'il secoua violemment, tout en agitant la sonnette d'une villa voisine pour s'informer de M. Benson. Il répéta la question deux ou trois fois à la ronde:
— Savez-vous quand reviendra M. Adam Benson, qui habite cette villa?
La réponse était invariablement négative et Trevor se résigna à attendre. Mais comme il ne tenait pas à rester planté comme un idiot, tenant par la main un petit rebelle, il s'assit

avec Larry à la terrasse d'un restaurant, d'où il pouvait surveiller la villa de M. Benson. Un homme corpulent sortit alors de l'établissement, accompagné d'une serveuse, et s'approcha de la table :

— On ne sert pas de repas à cette heure, déclara-t-il.

— Pourrions-nous alors commander des boissons ?

— Nous sommes un restaurant, pas un bar.

— Connaissez-vous M. Benson ?

— Non. Et je vous prie de ne pas rester ici.

Trevor se mit alors à arpenter l'allée, tenant toujours Larry par la main. Il commençait à désespérer, lorsqu'il fut rejoint par la serveuse :

— J'ai cru entendre que vous cherchiez M. Benson, fit la jeune fille, et Trevor la trouva immédiatement aussi jolie que charmante.

— Ne vous en faites pas si mon patron vous a traité de la sorte. Il est comme cela avec tout le monde. Il a toujours peur d'en dire trop, à propos de tout. Il est d'ici, tandis que, moi, je suis anglaise.

— Moi aussi je suis anglais. Je suis enchanté de rencontrer une compatriote. D'autre part, je désirais seulement un renseignement.

— Je pourrais peut-être vous le donner.

— Connaissez-vous M. Benson ?

— Bien sûr. Il prend souvent ses repas ici. Et il est toujours très aimable avec moi.

— L'auriez-vous vu, par hasard, sortir ce matin ? J'ai un rendez-vous important avec lui.

— Ce matin ? M. Benson a quitté la villa il y a une quinzaine de jours. Depuis, je ne l'ai pas revu.

— Quinze jours, dites-vous ?

— Exactement.

— Quel genre d'homme est-ce, ce Benson ?

— Sympathique. Très cordial et sans façon. Le type même de l'Américain.

Pour se tirailler le lobe de l'oreille, une espèce de tic nerveux, Trevor lâcha momentanément la main de Larry, qui en profita instantanément pour se sauver, rapide comme l'éclair. Le lieutenant resta un instant sans réaction, le temps pour l'enfant de se fondre aisément dans la foule. Trevor s'élança à sa poursuite, mais trop tard.

Après avoir vainement fait le tour des pâtés de maisons du quartier, le lieutenant héla un taxi. Il enjoignit au conducteur de revenir au point de départ, là où Larry avait disparu, puis lui fit faire des parcours concentriques de plus en plus larges. Une technique de repêchage en mer des naufragés, avec des canots de sauvetage, qui avait fait ses preuves, mais qui, au beau milieu du trafic, ne donna rien. Après plus d'une heure de cet étrange circuit, le taximètre indiquait un chiffre astronomique, et de l'enfant, aucune trace.

Trevor réalisa qu'il s'était fourré dans un sacré pétrin : quelle que soit l'issue, il faisait piètre figure. Ce n'est pas une mince affaire de perdre le fils d'un agent secret dans une ville inconnue, juste au moment de le remettre entre les mains de son père légitime !

Trevor se rappela la seconde adresse que Solange Ranier lui avait donnée. La sortant de sa poche, il la considéra, perplexe. Mais il jugea indigne d'un officier de la marine marchande britannique de se présenter au consulat de Haïti pour avouer avoir perdu un enfant qu'on lui avait confié. Il retourna à la villa de M. Benson, sonna à nouveau avec le vague espoir qu'il serait de retour. Puis, devant le silence obstiné, il griffonna quelques mots sur un papier, qu'il glissa sous la porte :

« J'ai, pour vous, des nouvelles de votre fils, Larry. Faites-moi demander au paquebot *Haïti* ancré au port de San Michele. Lieutenant Trevor Landen. »

Trevor décida ensuite de prévenir également la jeune serveuse du restaurant, qui lui paraissait étrangement intéressée par toute cette histoire. Il s'approcha des baies vitrées du restaurant et, d'un air qui se voulait désinvolte, lui fit signe de le rejoindre dehors. Quand elle fut tout près, elle lui sembla le seul élément sympathique de toute la matinée.

— Avez-vous retrouvé l'enfant ? demanda-t-elle aussitôt.

— Non.

— Je suis désolée.

— Moi encore plus. Écoutez-moi. Si vous voyez revenir M. Benson, prévenez-moi, je vous en prie. Faites-moi demander sur le paquebot *Haïti* ancré au port de San Michele. Je suis Trevor Landen, officier en second à bord.

— Et moi, je m'appelle Elsie Fammer, de Liverpool, fit la jeune fille, esquissant une petite révérence.

Et elle rentra dans le restaurant. Il ne restait plus à Trevor qu'à retourner à bord car, entre-temps, il avait pris la décision de se présenter à Solange Ranier et de lui dire toute la vérité. Il se mettrait ensuite à sa disposition pour toute initiative qu'elle jugerait bon de prendre.

Quand il frappa à la porte de la cabine 42, c'était l'heure du ménage : quelques portes étaient ouvertes, tandis que les préposés au ménage allaient et venaient, l'air affairé. Trevor frappa légèrement. Puis, n'obtenant pas de réponse, il tambourina plusieurs fois à la porte. La jeune femme s'était probablement assoupie. C'était, certes, dommage de la réveiller, mais il n'y n'avait pas une seconde à perdre. La troisième fois, ne se contentant pas de frapper à la porte, il appela :

— Madame Ranier !

D'un couloir latéral surgit un domestique noir.

— Bonjour, mon lieutenant. La cabine est vide. Je viens de faire le ménage.

— C'est impossible, répliqua Trevor avec impatience. La jeune femme qui occupe la cabine avait une très forte fièvre. Je l'ai vue il y a à peine deux heures.

Il regretta aussitôt ses paroles, en surprenant sur le visage du Noir un sourire malicieux.

— Elle est sortie, je vous le garantis. Je l'ai vue de mes yeux !

— Et quand donc est-elle sortie ?

— Il y a une heure. Pas plus.

Trevor s'éloigna sans rien ajouter et s'enferma dans sa cabine. Il se versa un peu de porto pour calmer ses nerfs et tenter de faire un bilan de cette fâcheuse matinée. Pour aboutir à la conclusion qu'il y aurait de quoi rire si ce n'était pas lui qui se trouvait au centre de cet imbroglio : un père introuvable, un fils égaré, une malade brusquement guérie !

Un enfant bien élevé (I**)

Trevor perdit définitivement patience quand Larry se baissa, sous prétexte de resserrer le lacet de son soulier, et trouva le moyen, Dieu sait comment, d'insérer un insecte vivant par le revers de son pantalon. Le lieutenant serra alors la main de l'enfant, qu'il secoua violemment, tout en agitant la sonnette d'une villa voisine pour s'informer de M. Benson.

C'est alors qu'un homme d'une trentaine d'années, habillé de façon assez voyante, tenant à la main un journal du matin, s'approcha de la porte de la villa :

— Vous m'attendiez ? demanda-t-il, introduisant la clef dans la serrure.

— Ne seriez-vous pas, par hasard, M. Adam Benson ? s'enquit prudemment Trevor.

— Non. Je suis son avocat.

— Et M. Benson n'est pas là ?

— Il est momentanément absent de la ville.

— Mais était-il au courant du rendez-vous de ce matin ?

— Certainement.

— Alors, puis-je vous confier l'enfant ?

L'avocat fronça les sourcils, la mine sévère :

— Lieutenant, il faut que je vous parle. Cela ne vous ennuie pas d'entrer un moment ?

Trevor sentit que tout ne se déroulait pas comme prévu. Mais il était trop tard pour reculer. Il acquiesça de la tête, et l'avocat de M. Benson les précéda, lui et Larry, dans un salon décoré de meubles modernes. Puis il l'invita à s'asseoir sur un canapé, s'affalant à son tour dans un confortable fauteuil, tandis qu'il allumait un horrible cigare. Il resta silencieux, attendant manifestement que Trevor parle le premier, et ce dernier ne se fit pas prier. Il désigna l'enfant qu'il tenait toujours prudemment par la main :

— Voici Larry.

— Enchanté, répondit l'avocat de M. Benson. Au premier coup d'œil, j'ai vu que c'était un enfant très vif.

— Oui. Un enfant peu banal.

— Il ira loin dans la vie.

— Nous l'espérons tous, surtout s'agissant du fils de M. Benson.

Pas un muscle du visage de l'avocat ne bougea. On aurait dit un bouddha fumeur.

— Mon client n'a pas de fils. Il n'en a jamais eu. Pour être franc, il préfère les chiens.

Trevor se leva du canapé, traînant Larry derrière lui.

— Que signifie cette plaisanterie ? fit-il d'une voix forte.

Il s'entendit répondre :

— C'est à moi de vous le demander. Je rentre chez M. Benson, dont je suis l'hôte, et je tombe sur un inconnu qui veut attribuer à mon client la paternité d'un enfant. Et de surcroît capricieux !

Trevor lâcha la main de Larry pour pointer un index menaçant vers le fauteuil de l'avocat :

— Mais ne m'avez-vous pas déclaré d'abord que vous étiez au courant du rendez-vous ?

— J'avais vaguement cru entendre parler d'un rendez-vous d'affaire. C'est pour cela que je suis ici. Je défends les intérêts financiers de M. Benson. Je ne m'occupe pas d'affaires de cœur, encore moins de littérature à l'eau de rose.

— Votre client nie-t-il aussi connaître une femme chargée d'une mission d'agent secret à Haïti ?

— Mon client, que je sache, n'a jamais été à Haïti. Il déteste la chaleur moite et il n'a jamais fréquenté d'agents secrets.

— Connaît-il au moins une certaine Solange Ranier, une Française ?

— Je n'ai jamais entendu prononcer ce nom-là.

Trevor manqua étouffer de rage et, comme cherchant de l'air, il esquissa nerveusement deux pas sur la droite, avant de revenir vers le fauteuil de l'avocat.

— Cette situation est absurde. On me charge de remettre un enfant à son père et voilà que celui-ci est refusé comme un vulgaire colis postal.

C'est alors qu'il entendit la porte d'entrée s'ouvrir brusquement. Larry s'était glissé, sans être vu, jusqu'à la porte, qu'il avait ouverte d'un geste brutal. Et maintenant, il fixait les deux hommes d'un regard chargé de haine.

– Maudits soyez-vous! Je vous hais tous les deux! s'écria-t-il.

Et il se sauva, claquant la porte derrière lui. L'avocat de M. Benson ne broncha pas, tandis que Trevor, le premier moment de désarroi passé, s'élança à la poursuite de l'enfant. Mais celui-ci avait sur lui une sérieuse avance, impossible à rattraper. Et quand Trevor déboucha sur l'avenue grouillante de monde, il n'y avait plus trace de Larry.

Il héla un taxi et lui fit faire un tour, d'abord rapidement, puis plus lentement, dans l'espoir de retrouver l'enfant. Mais il comprit vite l'inutilité de la manœuvre et se fit alors conduire chez M. Benson, espérant que Larry, pris de remords, y serait retourné. Sinon, il pourrait toujours prendre conseil de ce détestable avocat. Mais il eut beau frapper, personne n'ouvrit. Cet ignoble individu était bien sûr sorti pour éviter d'autres équivoques.

Trevor fut saisi de découragement. Non seulement il n'avait pas réussi à remettre Larry à son père, mais il avait perdu l'enfant qui, probablement désespéré de se voir rejeté, avait pris la fuite. Un service apparemment simple se transformait en un véritable drame familial, avec de multiples inconnues. Trevor avisa alors, non loin de la villa, un restaurant avec des tables installées en plein air. Il y entra avec une idée bien précise en tête. Mais une jeune et jolie serveuse s'avança vers lui avec un sourire:

– Je suis désolée. Il est trop tôt pour servir des repas.

Trevor la fixa, pensant qu'elle était aussi jolie que charmante. Il dit précipitamment:

– Je n'avais pas l'intention de déjeuner. Je désire seulement un renseignement. Connaissez-vous M. Benson? Un Américain qui habite la villa d'à côté?

– Je ne l'ai jamais vu.

– Bien. Pourriez-vous me prévenir si vous voyez rentrer quelqu'un dans cette maison? Je sais que je vous demande là une chose étrange. Mais, croyez-moi, il s'agit d'une question de vie ou de mort.

– Vous pouvez compter sur moi, monsieur. Si je vois entrer quelqu'un, je vous préviens.

– Je vous remercie. Vous me trouverez sur le paquebot *Haïti* ancré au port. Je suis le lieutenant Trevor Landen.

– Et moi, je m'appelle Elsie Fammer. Je suis anglaise, fit la jeune fille.

Et elle lui tendit la main, qu'il prit et retint dans la sienne un peu plus longtemps qu'il ne convenait.

– Merci, Elsie. Je vous en suis reconnaissant. Et surtout, je suis heureux d'avoir rencontré une compatriote aussi jolie et charmante.

La rougeur qui empourpra les joues d'Elsie fut pour le lieutenant anglais la première chose sympathique de la matinée.

Sorti du restaurant, Trevor prit la décision de remonter rapidement à bord pour contacter Solange Ranier. Il se rappela l'adresse du consul de Haïti qu'elle lui avait également communiquée, mais jugea plus logique d'avertir d'abord la jeune femme, à qui il faisait confiance, jusqu'à preuve du contraire.

Quand il frappa à la porte de la cabine 42, c'était l'heure du ménage: quelques portes étaient ouvertes, tandis que les préposés au ménage allaient et venaient, l'air affairé. Trevor frappa légèrement. Puis, n'obtenant pas de réponse, il tambourina plusieurs fois à la porte. La jeune femme s'était probablement assoupie. C'était, certes, dommage de la réveiller, mais il n'y avait pas une seconde à perdre. La troisième fois, ne se contentant pas de frapper, il appela:

– Madame Ranier!

D'un couloir latéral surgit un domestique noir.

– Bonjour, mon lieutenant. La cabine est vide. Je viens de faire le ménage.

– C'est impossible, répliqua Trevor avec impatience. La jeune femme qui occupe la cabine avait une très forte fièvre. Je l'ai vue il y a à peine deux heures.

Il regretta aussitôt ses paroles, en surprenant sur le visage du Noir un sourire malicieux.

– Elle est sortie, je vous le garantis. Je l'ai vue de mes yeux!

– Et quand donc est-elle sortie?

– Il y a une heure. Pas plus.

Trevor s'éloigna sans rien ajouter et s'enferma dans sa cabine. Il se versa un peu de porto pour calmer ses nerfs et tenter de faire un bilan de cette fâcheuse matinée. Pour aboutir à la conclusion qu'il y aurait de quoi rire si ce n'était pas lui qui se trouvait au centre de cet imbroglio: un père introuvable, un fils égaré, une malade brusquement guérie!

Un enfant bien élevé (I***)

Trevor perdit définitivement patience quand Larry se baissa, sous prétexte de resserrer le lacet de son soulier, et trouva le moyen, Dieu sait comment, d'insérer un insecte vivant par le revers de son pantalon. Le lieutenant serra alors la main de l'enfant, qu'il secoua violemment, tout en agitant la sonnette d'une villa voisine pour s'informer de M. Benson. Mais les villas voisines étaient désertes. Et le fait parut assez anormal à Trevor.

— Sans doute des résidences secondaires, pensa-t-il, appartenant à de riches propriétaires, qui n'y viennent que pour les vacances. Mais alors, le père de Larry, qui est-il ? Que fait-il ?

Trevor, avisant de l'autre côté de l'avenue un restaurant avec de petites tables installées dehors, décida de s'y rendre. Il traversa la rue et s'assit à une table, toujours très près de Larry, qui semblait se désintéresser complètement de la suite des événements. Il était manifestement plus préoccupé de faire mille tracasseries à son accompagnateur.

— Pourriez-vous nous servir à boire ? demanda Trevor à une jeune et jolie serveuse qui sortait du restaurant.

— Habituellement, nous ne faisons pas bar. Mais pour des compatriotes, je peux faire une exception.

— Vous êtes anglaise ?

— De Liverpool.

— Cela me donne le courage de vous demander une autre faveur. Connaissez-vous un certain Adam Benson ? Un Américain qui vit dans cette villa d'en face.

— Je suis désolée, je n'ai jamais entendu prononcer ce nom. Comment dites-vous ?

— Adam Benson.

— Non, absolument pas. Je tâcherai de demander aux cuisines. En attendant, que désirez-vous boire ?

— Moi, un chocolat chaud, répondit Larry avec assurance.

— Avec cette chaleur ? se risqua Trevor.

— Mêle-toi de tes affaires, s'entendit-il répondre, tu ne me fais pas rire.

— Moi, un porto, poursuivit Trevor, en tripotant nerveusement le cendrier sur la table.

— Arrête, s'entendit-il dire à nouveau par Larry, tu me déranges.

— Peut-on savoir ce que tu as contre moi ? demanda Trevor, étonné.

— Si tu n'as rien d'autre à faire, pense. Mais tu n'as sans doute pas l'habitude, coupa court l'enfant avec une grimace.

Trevor cherchait une repartie brillante pour lui river son clou, quand il vit s'approcher de la table un homme d'une trentaine d'années, vêtu de façon assez voyante.

— Excusez-moi, lieutenant. En passant tout à l'heure, j'ai entendu que vous cherchiez M. Adam Benson.

— Oui. Vous le connaissez ?

— Je suis un de ses amis, répondit l'inconnu avec un sourire désarmant, tandis que Trevor se levait d'un bond, manquant renverser la table.

— Vous connaissez M. Benson ?

— Je vous l'ai dit, je suis un de ses amis. Sans doute son meilleur ami.

— Et savez-vous où il est ?

— Pas loin. Il ne va pas tarder. Il m'a demandé de le précéder.

De contentement, Trevor eut du mal à articuler les paroles qui suivirent :

— Alors, voici votre fils, ou plutôt le fils de M. Benson.

Le visage de l'homme s'éclaira à la fois de joie et de surprise.

— Larry ?

— Lui-même. Vous ne le reconnaissez pas ?

— Non. Il y a tant d'années que je ne l'ai pas vu. Comme son père, d'ailleurs, déclara l'ami de M. Benson.

Et, contenant à grand-peine une émotion visible, il extirpa l'enfant de sa chaise et le serra contre sa poitrine. Larry ne parut pas particulièrement ému de cette rencontre. Au contraire, par-dessus l'épaule de l'ami de son père qui l'étreignait, il tira la langue à Trevor qui, pour se venger, dit :

— Allons, Larry. Tu ne dis rien à l'ami de ton père ?

— A quelqu'un que je n'ai jamais vu, répliqua l'enfant implacable, à ton avis, que devrais-je dire ?

— Mais... je ne sais pas. Tu pourrais lui demander de te conduire tout de suite chez ton père.

— Et pourquoi devrais-je avoir envie d'aller tout de suite chez mon père ?

L'ami de M. Benson, sans doute pour couper court aux civilités, s'approcha de Trevor et lui murmura quelques mots à l'oreille, visiblement pour que l'enfant n'entende pas.

— Attendez ici un moment, je vous en prie, soupira-t-il.

Trevor, venant à la rescousse, s'adressa à Larry :

— Entre dans le restaurant et commande un autre porto pour l'ami de ton père. Cherche la serveuse anglaise. Fais ce qu'on te dit, s'il te plaît.

Larry entra dans le restaurant et Trevor en profita pour demander des explications à l'ami de M. Benson.

— Pourquoi dois-je attendre ici ? Où allez-vous ?

— Chez Adam, répondit l'ami de l'Américain, en baissant la tête comme s'il avait honte. Cette villa, là.

— Je sais. Et vous n'emmenez pas avec vous le fils de votre ami ?

— Patientez un instant encore, je vous prie. Il y a en ce moment une femme avec Adam, chez lui. Vous comprenez ? Laissez-nous le temps de la faire partir. Nous ne voudrions pas perturber l'enfant dès le début. Adam est très préoccupé. Il voudrait instaurer tout de suite d'excellents rapports avec Larry.

— Mais Benson ne nous attendait pas ? Il n'avait pas été prévenu ?

— Si, il avait été prévenu. Mais il croyait le rendez-vous pour demain. Il est très distrait. Et aussi un peu brouillon. Alors, quand nous avons entendu sonner à la porte, nous avons inventé ce stratagème.

Trevor ne cacha pas sa déception. L'ami insista :
— Lieutenant, je vous demande encore un peu de patience. Laissez-moi régler cette affaire et, dans un quart d'heure, vous verrez Benson. Vous savez, avec certaines femmes, il faut un peu d'argent pour les convaincre de s'éclipser.

Trevor resta immobile, fixant cet homme plutôt désagréable et espéra que le père de Larry serait mieux que ses amis.

— En attendant, poursuivit l'homme, également au nom de mon ami, je tiens à vous exprimer toute notre gratitude pour ce que vous avez fait pour Larry. Nous ne l'oublierons jamais. Et Benson trouvera bien un jour ou l'autre le moyen de s'acquitter de sa dette.

Trevor fit un geste vague, que l'ami de Benson prit pour un acquiescement.

— Merci, dit-il, et il se hâta vers la villa où il entra, refermant la porte derrière lui avec une évidente circonspection.

Trevor retourna s'asseoir à sa table, tandis que la serveuse sortait du restaurant, apportant la commande, suivie de Larry, croquant des pop-corn. Trevor but son porto en silence, tandis que Larry aspirait bruyamment son chocolat. Le lieutenant anglais jetait un coup d'œil sur l'horloge quand il vit une grosse cylindrée se ranger contre le trottoir et s'arrêter. Deux hommes en descendirent brusquement et, sans dire un mot, empoignèrent Larry et le jetèrent dans la voiture. Trevor, le premier instant de stupeur passé, s'élança pour défendre l'enfant, mais reçut aussitôt un coup de pied dans les tibias, qui l'envoya à terre, en proie à une douleur lancinante. L'automobile s'éloigna du trottoir dans un crissement de pneus et, en un instant, se perdit dans le trafic de l'avenue.

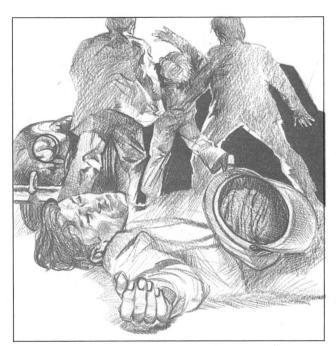

Lorsqu'il se releva, Trevor était encore claudicant. Et, surtout, ayant fermé les yeux de douleur, il n'avait pu relever le numéro d'immatriculation de la voiture. Il courut toutefois du mieux qu'il put jusqu'à la villa de Benson pour prévenir quelqu'un et chercher du secours. Il eut beau sonner plusieurs fois, il n'obtint pas de réponse. La villa semblait de nouveau déserte. Trevor retourna alors au restaurant. La serveuse anglaise lui affirma qu'elle était désolée de tout cela, mais qu'elle n'avait rien remarqué depuis l'intérieur du restaurant. Trevor lui laissa quand même son adresse. Puis il héla un taxi auquel il fit faire lentement un long tour dans la ville, dans l'espoir de revoir, à défaut de Larry, du moins l'ami de M. Benson. Il se remémora soudain l'adresse du consul de Haïti que lui avait communiquée Solange Ranier en cas de complications, mais il ne jugea pas bon pour le moment de le prévenir. Il préféra prendre contact d'abord avec la jeune Française, la seule personne à laquelle il se fiait dans toute cette histoire. Trevor décida donc de se faire conduire en taxi au port et de remonter à bord. Pourtant, tout en reconstituant mentalement les faits concernant son amie, il ne pouvait se défaire d'une pensée pour le moins importune : le coup de pied dans les tibias qui l'avait mis hors de combat pendant le corps à corps lui avait été donné par Larry lui-même. Et cela, il l'aurait juré, bien que, dans ce méli-mélo, même un Anglais flegmatique de son espèce pouvait légitimement commettre une erreur de jugement.

Quand il frappa à la porte de la cabine 42, c'était l'heure du ménage : quelques portes étaient ouvertes, tandis que les préposés au ménage allaient et venaient, l'air affairé. Trevor frappa légèrement. Puis, n'obtenant pas de réponse, il tambourina plusieurs fois à la porte. La jeune femme s'était probablement assoupie. C'était, certes, dommage de la réveiller, mais il n'y avait pas une seconde à perdre. La troisième fois, ne se contentant pas de frapper, il appela :
— Madame Ranier !

D'un couloir latéral surgit un domestique noir.
— Bonjour, mon lieutenant. La cabine est vide. Je viens de faire le ménage.
— C'est impossible, répliqua Trevor avec impatience. La jeune femme qui occupe la cabine avait une très forte fièvre. Je l'ai vue il y a à peine deux heures.

Il regretta aussitôt ses paroles, en surprenant sur le visage du Noir un sourire malicieux.

— Elle est sortie, je vous le garantis. Je l'ai vue de mes yeux !
— Et quand donc est-elle sortie ?
— Il y a une heure. Pas plus.

Sans rien ajouter, Trevor s'élança et s'enferma dans sa cabine. Il se versa un peu de porto pour calmer ses nerfs et tenter de faire un bilan de cette fâcheuse matinée. Pour aboutir à la conclusion qu'il y aurait de quoi rire si ce n'était pas lui qui se trouvait au centre de cet imbroglio : un père introuvable, un fils égaré, une malade brusquement guérie !

Le récit s'interrompt là à nouveau. Si vous désirez savoir comment poursuivre le récit, vous êtes invité à trois autres tests, proposés sur cette page et les suivantes. N'oubliez pas que ces tests vous permettront ensuite de connaître certains traits de votre personnalité.

A

4

B

Observez attentivement ces deux paires d'yeux, très différents. Selon vous, lesquels sont les yeux de Solange Ranier ? Répondez sans réfléchir. Puis notez votre choix par écrit ou retenez-le de mémoire.

A

5

B

Entre ces deux phrases, laquelle préférez-vous, sans vous demander de qui elles sont ni ce qu'il y a avant ou après. Notez votre choix par écrit ou retenez-le de mémoire.

Suite du test de la sexualité. Voici, sur la page de droite, la photo I, au verso la photo II. Laquelle préférez-vous ? Notez votre choix à côté du précédent, entre E et F. Pour les explications, reportez-vous page 181.

6

Mlle Hatty Glamp, ex-fiancée de Trevor, passionnée de boxe, emmenait souvent le héros de notre récit à des matchs importants. Trevor, quant à lui, n'arrivait guère à s'intéresser à ce sport. Et, pour ne pas s'ennuyer, il prenait secrètement parti pour l'un des deux adversaires. Selon vous, auquel donnait-il la préférence ? Répondez spontanément : si, d'après vous, il était pour le gagnant, attribuez-vous un A. Si, au contraire, vous pensez qu'il était pour le perdant, attribuez-vous un B. Notez votre choix par écrit ou retenez-le de mémoire.

Pour poursuivre la lecture du récit

A présent, faites le total des A et des B choisis dans les trois tests 4, 5 et 6.
Si vous avez choisi 3 A, reprenez le récit page 130 (II*).
Si vous avez choisi 3 B, reprenez le récit page 131 (II**).
Si vous avez choisi 2 A + 1 B ou 2 B + 1 A, reprenez le récit page 132 (II***).
N'oubliez pas ces choix A ou B, ils vous serviront pour les explications psychologiques finales.

Un enfant bien élevé (II*)

Tandis qu'il tirait la sonnette d'entrée de la résidence du consul d'Haïti, Trevor, en proie à un léger trouble bien contrôlé, se demandait ce qui pourrait en résulter de positif. Il continuait de penser qu'après tant de faux pas, la seule alternative possible qui s'offrait à lui était d'utiliser cette seconde adresse communiquée par Solange Ranier. Aussi, quand enfin la porte s'ouvrit, éprouva-t-il un sentiment de soulagement : le fil de cet écheveau emmêlé se trouvait vraisemblablement à l'intérieur. Un majordome très digne l'introduisit dans un salon, et la première chose qu'il vit fut Solange Ranier. Il trouva le fait presque naturel, tant il avait épuisé désormais, du moins pour cette matinée, la faculté de s'étonner.

– J'ai perdu Larry, déclara-t-il sans préambule.

– Il a toujours été très vif et rapide, se borna à commenter la jeune femme.

Elle donnait l'impression de ne pas être concernée. Probablement pensait-elle à autre chose. Mais à quoi ?

Trevor insista :

– Je n'ai pas trouvé le père. Quant à Larry, j'ignore où il est en ce moment. Qu'allons-nous faire ?

– Vous n'y êtes pour rien. Cela vous tranquillisera, j'espère.

– Et vous, êtes-vous tranquille ?

– La vie m'a appris à ne plus m'étonner de rien. Et, surtout, je ne m'en fais pas trop quand les événements me dépassent.

Trevor cherchait à mettre un peu d'ordre dans son cerveau, qui lui paraissait une sorte de ruche investie par un ours affamé, quand un homme d'âge moyen, d'une grande distinction, entra dans le salon. Il s'adressa d'emblée au lieutenant anglais d'un ton expéditif :

– Où est Larry ?

Trevor ravala sa salive, puis parvint à demander :

– Vous êtes le consul d'Haïti ?

– Non. Je suis le père de Larry, Adam Benson. Où est Larry ?

– Je suis navré. J'ignore où il est. Il est probable que si vous vous étiez trouvé chez vous, rien de tout cela ne serait arrivé. Cela étant, j'assume mes responsabilités.

– Vous assumez vos responsabilités ? Et alors ? Je veux mon fils.

Trevor fixa Solange Ranier, dans l'espoir qu'elle dirait quelque chose, ne serait-ce que pour briser cette atmosphère quasiment irréelle. Mais la jeune femme, l'air absente, arborait une expression impénétrable, que Trevor ne lui connaissait pas.

M. Benson fit deux ou trois pas dans la pièce, en se tordant nerveusement les mains. Puis il se planta devant Trevor et pointa sur lui un index accusateur :

– Vous vous êtes ligué avec mes ennemis pour me ruiner.

Trevor devint tout rouge, chose qui lui arrivait rarement. La dernière fois, c'était à Paris, quand il avait fait monter un travesti dans sa voiture, qu'il avait pris pour une hôtesse de l'air. Il répliqua avec dignité :

– Vous ne savez plus ce que vous dites. Je vous excuse, car vous avez perdu la tête.

– Vous n'êtes qu'une crapule, s'obstina M. Benson. Et pour de vils motifs, vous n'avez pas hésité à vous servir d'un enfant.

Cette fois, Trevor prit Solange Ranier à témoin :

– Madame Ranier, dites quelque chose. Vous ne me laisserez pas insulter de la sorte, j'espère. Vous savez qui je suis. Et pourquoi je suis mêlé à toute cette histoire.

La jeune femme laissa échapper un soupir, comme si toute cette affaire l'ennuyait terriblement. Puis elle déclara :

– En réalité, c'est moi qui, au début, ai mêlé le lieutenant à cette histoire. Et je ne pense pas que la suite des événements le concerne directement, du moins au niveau des responsabilités.

– C'est ce que nous verrons, conclut M. Benson.

Et, s'approchant d'un téléphone, il commença à composer un numéro. Trevor demanda instinctivement :

– A qui téléphonez-vous ?

– A la police.

Trevor fit rapidement quelques pas dans sa direction et lui immobilisa la main sur le cadran.

– Arrêtez. Il me semble que c'est la dernière chose à faire. Réfléchissons d'abord.

A peine avait-il prononcé ces mots qu'il reçut un coup de poing en pleine figure. Chancelant, il parvint à rester debout, mais M. Benson continuait à faire pleuvoir sur lui, à l'aveuglette, une grêle de coups de poing. Trevor rassembla alors toutes ses forces puis, appuyant les mains contre la poitrine de son adversaire, il le repoussa violemment. Benson tomba à la renverse et resta sans bouger, au milieu du salon.

– Vous l'avez tué ! cria Solange Ranier.

Pétrifié, Trevor se couvrit le visage de ses mains, comme pour ne pas voir la réalité. L'espace d'un instant, il espéra que tout cela n'était qu'un cauchemar, dont il se réveillerait vite. Mais quand il ôta les mains de son visage, M. Benson gisait toujours inerte sur le sol. Quant à Solange Ranier, elle avait bel et bien disparu. Trevor, en proie à une peur incontrôlable, essaya de réagir, aspirant l'air à pleins poumons. C'est alors qu'il sentit le sol vibrer sous ses pieds, tandis que le lustre central oscillait et qu'une collection de bibelots tombait avec fracas, jonchant le sol. Un tremblement de terre, comme il y en a si souvent aux Açores ! Instinctivement, Trevor sortit en courant de la maison et se mêla à la foule des gens qui fuyaient de tous côtés. Il courut au port, monta sur son bateau qui, malgré son énorme masse, se balançait à l'ancrage, sur la mer démontée. Puis il ouvrit la porte de sa cabine, comme en quête d'un refuge. Et, tout de suite, il aperçut Larry, assis sur son lit, un cruel sourire aux lèvres : il serrait dans ses mains, comme s'il voulait le broyer, le cadre d'argent dans lequel Trevor conservait encore la photo de Hatty, son ex-fiancée.

Un enfant bien élevé (II**)

Tandis qu'il tirait la sonnette d'entrée de la résidence du consul d'Haïti, Trevor, en proie à un léger trouble bien contrôlé, se demandait ce qui pourrait en résulter de positif. Il continuait de penser qu'après tant de faux pas, la seule alternative possible qui s'offrait à lui était d'utiliser cette seconde adresse communiquée par Solange Ranier. Aussi, quand enfin la porte s'ouvrit, éprouva-t-il un sentiment de soulagement : le fil de cet écheveau emmêlé se trouvait vraisemblablement à l'intérieur. Mais la porte s'était ouverte toute seule, ou plutôt elle avait cédé sous une pression plus forte que celle du doigt de Trevor. Cette porte n'était évidemment pas fermée, seulement poussée. Une fois à l'intérieur et comme personne ne se présentait pour l'inviter à avancer, Trevor s'arrêta un moment, le temps de voir une autre porte entrebâillée, par laquelle il apercevait une partie d'un salon. Il s'agissait certainement de traditions locales incompréhensibles pour un étranger. Trevor continua d'avancer, ouvrit toute grande la porte et pénétra dans le salon. Mais le jeune lieutenant regretta aussitôt de s'être introduit dans une maison inconnue dont les portes étaient ouvertes, car ce qu'il vit ne figurait certainement pas dans les traditions locales incompréhensibles pour un étranger. Dans un coin du salon, le corps d'un homme d'âge moyen gisait sur le sol. Trevor s'éclaircit la voix, un peu pour se donner du courage, un peu pour inviter l'inconnu à une attitude moins dramatique, mais aucune réaction. Il vit seulement une enveloppe posée en évidence sur la poitrine du cadavre. Il s'approcha instinctivement, se baissa et prit l'enveloppe, comme si elle contenait la clef de toutes les énigmes de la matinée. Puis, comme l'enveloppe n'était pas fermée et qu'il devinait une feuille, Trevor l'ouvrit machinalement et lu ce qui était écrit sur la feuille : « Je suis Adam Benson, le père de Larry, qui, en principe, doit m'être remis ce matin. S'il devait m'arriver quelque chose, ce que je crains, vous pourrez vous adresser à... » La lettre s'interrompait là, comme si un fait imprévu et grave, la mort probablement, avait arrêté la main qui écrivait. Mais Trevor n'eut pas le temps d'approfondir la question : une violente secousse ébranla tout son corps, comme si chacun de ses organes avait décidé de n'en faire qu'à sa tête, tandis que derrière lui retentissait un cri déchirant. Trevor se retourna brusquement, les yeux exorbités et vit... Solange Ranier ! Il put à peine articuler :

— Madame Ranier...

La jeune femme l'interrompit brutalement par un autre cri, suivi de quelques mots en français. Trevor regretta de ne pas avoir étudié cette sympathique langue au collège. Et il fut obligé de demander, dans un filet de voix :

— Que dites-vous, madame Ranier ?

La jeune femme le fixa un instant, en proie à une terreur un peu injustifiée, pensa Trevor.

— Vous avez tué Adam Benson, articula-t-elle. Pourquoi, Trevor ?

Trevor la regarda un instant, tel un sauvage devant un tableau de Picasso. Enfin, il trouva la force de parler :

— Que dites-vous là, madame Ranier ? Cet homme était déjà mort, dans cette pièce, quand je suis entré.

— Et Larry ? Qu'avez-vous fait du malheureux Larry ?

Là, Trevor sentit que ses explications ne paraîtraient guère crédibles. Sans répondre, il se contenta de lever les bras avec désespoir.

Solange Ranier s'approcha du téléphone :

— Vous n'imaginez quand même pas que je vais me faire votre complice dans ce double crime ? J'appelle la police.

Trevor sursauta. Un policier étranger était la dernière personne qu'il souhaitait rencontrer. Il s'efforça de mettre toute la conviction du monde dans sa voix :

— Madame Ranier, je n'ai rien fait. Benson était déjà mort quand je suis entré. Quant à Larry, j'ignore où il est, mais je n'y suis pour rien. Je suis plus ennuyé que vous, croyez-moi.

— Bon, objecta Solange Ranier, qui visiblement était au bord de l'évanouissement, si vous n'avez rien à cacher, vous ne verrez aucun inconvénient à ce que j'appelle la police.

— La police ne comprendra rien à cette histoire.

— Et moi, si ?

— Vous êtes mon amie, et vous savez pourquoi je suis ici.

— Non, je ne sais pas pourquoi vous êtes ici. C'est chez M. Benson que vous devriez être. Et avec Larry, le pauvre Larry.

Il existait donc au monde quelqu'un capable de s'attendrir sur ce petit monstre ! Trevor perdit son flegme britannique. Il s'approcha de Solange Ranier, l'empoigna par les bras, puis la secoua en hurlant :

— Vous vous êtes tous ligués pour me rendre fou !

— Non, cria à son tour la Française en tentant de se dégager, épargnez-moi au moins, assassin !

C'est alors que le salon tout entier se mit à vibrer, tandis qu'un sourd grondement souterrain se faisait entendre et que tous les objets non accrochés tombaient avec fracas sur le sol.

— Le tremblement de terre ! cria Solange Ranier.

Et, tandis que Trevor se retournait instinctivement, s'attendant à voir entrer, par la porte ou la fenêtre, la dernière surprise de la matinée, la jeune femme sortit précipitamment de la maison. Trevor s'élança à sa poursuite, mais, à peine dans la rue, il fut happé par la foule qui courait de tous côtés. Trevor ne perdit pas la tête un instant et fit ce qu'à son sens il y avait de mieux à faire. Il courut au port, monta sur son bateau qui, malgré son énorme masse, se balançait à l'ancrage, sur la mer déchaînée. Puis il ouvrit la porte de sa cabine, comme en quête d'un refuge. Et, tout de suite, il aperçut Larry, assis sur son lit, un cruel sourire aux lèvres : il serrait dans ses mains, comme s'il voulait le broyer, le cadre d'argent dans lequel Trevor conservait encore la photo de Hatty, son ex-fiancée.

Un enfant bien élevé (II***)

Tandis qu'il tirait la sonnette d'entrée de la résidence du consul d'Haïti, Trevor, en proie à un léger trouble bien contrôlé, se demandait ce qui pourrait en résulter de positif. Il continuait de penser qu'après tant de faux pas, la seule alternative possible qui s'offrait à lui était d'utiliser cette seconde adresse communiquée par Solange Ranier. Aussi, quand la porte s'ouvrit, éprouva-t-il un sentiment de soulagement : le fil de cet écheveau emmêlé se trouvait vraisemblablement à l'intérieur. Un majordome très digne introduisit le lieutenant anglais dans un salon : tout au fond, debout face à la baie vitrée inondée de soleil, Trevor aperçut, avec surprise et un rien de frayeur, Solange Ranier.

— Que faites-vous ici ? s'enquit-il.

— Je vous expliquerai plus tard, répondit la jeune femme, qui paraissait en proie à une agitation fébrile. Et Larry ?

Sur le moment, Trevor songea qu'il aurait mille fois préféré se trouver sur son voilier, en train de contourner le cercle polaire antarctique. Il répondit, dans un filet de voix :

— Je n'ai pas trouvé M. Benson. Quant à Larry, j'ignore où il se trouve en ce moment.

— Comment «vous ignorez où il se trouve» ? Qu'est-ce que cela signifie ?

— Calmez-vous, madame Ranier. Toutes les apparences sont contre moi, je sais. Mais, croyez-moi, je n'y suis absolument pour rien. Tôt ou tard, je le retrouverai, dussé-je rester à terre pour le chercher.

— Pauvre Larry, s'apitoya Solange Ranier.

Ses jambes se mirent à flageoler, comme si elle allait s'évanouir. Trevor se précipita pour la soutenir. Il ne sut jamais si c'était lui qui la serrait, sanglotante et abandonnée contre sa poitrine, ou elle qui s'agrippait à lui. Toujours est-il qu'ils donnèrent l'impression de deux amoureux en veine de tendresse à l'homme d'âge moyen qui entra à l'improviste dans le salon et les vit ainsi enlacés.

— Solange ! cria-t-il.

La jeune femme se détacha de Trevor avec un gémissement étouffé.

— Solange ! poursuivit l'homme, visiblement bouleversé. Tu me trompes, ici ! Sous mes yeux !

Trevor tenta d'intervenir :

— J'ignore qui vous êtes, monsieur, mais vous faites erreur, je vous le garantis. Nous n'étions pas en train de nous embrasser.

L'homme parut ignorer l'intervention du lieutenant et continua à s'adresser à la jeune femme, comme s'ils étaient seuls tous les deux.

— Je t'aime, Solange. Je t'ai toujours aimée. Pourquoi me faire souffrir de la sorte ? Et pourtant, il n'y a pas si longtemps, tu...

Trevor prit Solange Ranier à partie.

— Mais défendez-vous donc. Dites-lui la vérité.

— A quoi bon ? Je ne le connais que trop, malheureusement. Il ne me croira jamais.

Trevor se retourna vers l'homme d'un mouvement brusque :

— Peut-on au moins savoir qui vous êtes ?

— Je suis Adam Benson, lieutenant. Le père de Larry.

— Le père de Larry ? répéta Trevor, au comble de l'émotion.

— Oui, confirma Solange dans un souffle.

— Un inconnu devait me remettre Larry ce matin, poursuivit M. Benson, mais il n'est pas venu. J'ai peur aussi pour ce malheureux enfant.

Trevor sentit que le moment n'était guère propice pour aborder le sujet «Larry». Il glissa adroitement :

— Excusez-moi, mais quel rapport y a-t-il entre vous deux ?

Sans répondre, la jeune femme s'éloigna de quelques pas. En revanche, M. Benson se rapprocha de Trevor et le fixa durement :

— Je vais vous le dire, ce qu'il y a entre nous. Nous sommes ensemble depuis plus de cinq ans, cette femme et moi. Et nos relations sont constellées de ses caprices et de ses trahisons.

— C'est faux, s'insurgea la jeune femme. Il fut un temps où je l'aimais. Mais cela n'a pas duré, à cause de sa violence, de son absurde jalousie.

— Oui, tu as raison. Nos relations n'ont que trop duré. Mais je sais comment y mettre fin une fois pour toutes.

Ce disant, il sortit de la poche de sa veste un petit pistolet, qu'il appuya contre sa tempe. Solange Ranier esquissa un pas dans sa direction, tandis que Trevor restait pétrifié. Et, glacé de terreur, il entendit soudain le bruit de la détonation résonner dans la pièce.

M. Benson s'écroula aussitôt, foudroyé. Trevor se tourna vers Solange Ranier : les yeux dilatés d'horreur, elle avait porté les mains à sa bouche pour étouffer un cri :

— Maintenant, on va nous accuser, dit-elle dans un gémissement.

Trevor resta un moment interdit, hésitant entre aller vers la jeune femme ou se pencher sur le corps de M. Benson. A ce moment, Solange Ranier s'enfuit du salon en courant.

— Madame Ranier, s'écria Trevor, s'élançant à sa poursuite, épouvanté à l'idée de rester seul.

Mais la jeune femme s'était déjà fondue dans la foule. Sans réfléchir, Trevor revint dans la maison, qui lui parut tout à coup déserte. Il entra dans le salon, où M. Benson gisait malheureusement toujours inerte. Il en était à se demander que faire, lorsque soudain le sol se mit à trembler, tandis qu'un sourd grondement souterrain se faisait entendre. Tout se mit à osciller et Trevor comprit qu'il s'agissait d'un tremblement de terre. Il s'enfuit alors, avec la sensation indéfinissable que ce phénomène tellurique réglait en partie ses ennuis.

Il courut au port, monta à bord de son bateau qui, malgré son énorme masse, se balançait à l'ancrage sur la mer déchaînée. Puis il ouvrit la porte de sa cabine, comme en quête d'un refuge. Et, tout de suite, il aperçut Larry, assis sur son lit, un cruel sourire aux lèvres : il serrait dans ses mains, comme s'il voulait le broyer, le cadre d'argent dans lequel Trevor conservait encore la photo de Hatty, son ex-fiancée.

Le récit s'interrompt à nouveau et vous êtes invité une nouvelle fois à vous soumettre à trois tests, qui vous indiqueront comment poursuivre la lecture. Bien entendu, s'ajoutant à ceux de ce chapitre, ces trois tests vous serviront pour réaliser une étude particulière de votre personnalité.

7

Dans les temps préhistoriques, auxquels se réfère l'illustration, les ancêtres de Trevor Landen et d'Adam Benson vivaient, semble-t-il, côte à côte. Celui figuré à droite inventa l'écriture, celui de gauche le système d'allumage du feu. Auquel de ces deux êtres vous identifiez-vous de préférence ?
Si vous aviez vécu dans ces premiers temps de l'humanité, vous auriez préféré inventer : le système d'allumage du feu (A) ou l'écriture (B). Notez votre choix par écrit ou retenez-le de mémoire.

Lors de sa première expédition, quand Christophe Colomb mit pied sur le sol américain, il était accompagné, semble-t-il, de deux ancêtres de Solange Ranier et d'Elsie Fammer. L'un d'eux, représenté à gauche sur le dessin, exerçait, vraisemblablement, le métier de banquier et avait suivi Christophe Colomb pour étudier les possibilités économiques du Nouveau Monde. L'autre, celui de droite, était un dessinateur, chargé par les Espagnols de reproduire sur papier tout ce qu'il voyait d'insolite et de merveilleux. Auquel des deux personnages vous identifiez-vous de préférence ? En un mot, si vous aviez participé avec Christophe Colomb à la découverte de l'Amérique, vous auriez préféré être : banquier (A) ou dessinateur (B) ? Notez votre choix par écrit ou retenez-le de mémoire.

8

Parmi les arrière-petits-neveux de Trevor Landen et d'Adam Benson figurent très probablement deux astronautes, représentés sur ces illustrations. L'astronaute de droite est parti solitaire dans l'espace, à la découverte de nouveaux mystères cosmiques. L'astronaute de gauche goûte avec satisfaction une nourriture insolite, extraite de quelque étrange « chose » trouvée sur une planète inexplorée. Auquel des deux vous identifiez-vous de préférence ? Notez votre choix par écrit ou retenez-le de mémoire.

9

A

B

Pour poursuivre la lecture du récit

A présent, faites le total des A et des B choisis dans les trois tests 7, 8 et 9.
Si vous avez choisi 3 A, reprenez le récit page 135 (III*).
Si vous avez choisi 3 B, reprenez le récit page 137 (III**).
Si vous avez choisi 2 A + 1 B ou 2 B + 1 A, reprenez le récit page 139 (III***).
Retenez le total des A et des B choisis dans ces trois tests, ils vous serviront pour les explications psychologiques finales.

Un enfant bien élevé (III*)

Trevor fixa Larry, comme s'il voyait en lui l'origine de tous ses malheurs, ce qui ne parut pas troubler l'enfant le moins du monde. Il continua de sourire d'un air goguenard, puis déclara avec une lenteur étudiée :

— Lieutenant, tu es dans le pétrin. Je t'ai suivi toute la matinée sans que tu t'en aperçoives et j'ai tout vu. Tu es l'assassin de mon père.

Trevor eut un sursaut. Il comprit instantanément que Larry était véritablement capable de penser au pire, sans que lui, Trevor, pût prouver le contraire. Au prix d'un grand effort, il parvint à se maîtriser :

— Si tu m'as suivi et si tu as tout vu, tu sais parfaitement que c'est faux. Je n'ai pas tué ton père.

Avec le plus grand calme, Larry déposa le cadre sur la table de nuit, puis devint brusquement sérieux.

— Je peux aussi te croire. Mais si je déclare que tu as tué mon père et si j'ajoute que je t'ai vu, comment pourras-tu prouver le contraire quand on découvrira le cadavre ?

Cet enfant était diabolique et Trevor comprit que, pour l'instant du moins, il avait indiscutablement le dessus. Il chercha donc à découvrir au moins pourquoi il agissait ainsi.

— Et tu diras que j'ai tué ton père ?

— Certainement. Je le dirai exclusivement à la police.

— Et que vas-tu y gagner ?

Sans répondre, l'enfant descendit du lit et entreprit de fouiller dans une malle entrouverte, où Trevor avait rangé un peu toutes ses affaires, habits et objets personnels. Trevor le laissa faire, en proie à une rage de minute en minute plus incontrôlable.

— Lieutenant, tu m'as demandé ce que je gagnerai à te dénoncer. C'est à mon tour de te demander : que gagnerai-je si je ne te dénonce pas ?

Trevor resta sans voix. Ce petit monstre était un maître chanteur, même si, pour le moment, il ne voyait pas clairement où Larry voulait en venir. De toute façon, il n'avait pas le choix, il ne lui restait plus qu'à entrer dans son jeu.

— D'après toi, que puis-je te donner en échange de ton silence ? demanda Trevor, de sa voix la plus ingénue.

— Le bateau, fut la réponse.

— Pardon, veux-tu répéter ?

— C'est ce bateau qui m'intéresse.

Trevor, désormais habitué aux caprices de Larry, s'attendait au pire. Mais là, ce chantage au bateau dépassait de loin tout ce qu'il aurait pu imaginer. Il continua cependant de jouer le jeu, un jeu qui, à vrai dire, ne l'avait jamais amusé, encore moins à présent qu'il tenait le rôle de la victime.

— Ce navire ne m'appartient absolument pas. Comment crois-tu que je puisse te le remettre ?

— Très simple. Tu te débrouilles pour l'empêcher de lever l'ancre cette nuit.

— Et comment donc ?

— C'est toi le technicien. Tu peux saboter les moteurs. Ou annoncer qu'une épidémie de choléra s'est déclarée à bord. Vois-tu, l'important est que tu fasses en sorte que le bateau ne parte pas, cette nuit du moins.

— Et pourquoi tiens-tu absolument à ce que le bateau reste cette nuit au port ?

— Parce que, cette nuit, il se passera quelque chose.

— Quoi ?

— Je veux bien te le dire. Au fond, tu m'es sympathique. Cette nuit, certains de mes amis profiteront de l'obscurité pour monter à bord incognito.

— Et ensuite ?

— Ensuite le navire deviendra leur propriété, que tu le veuilles ou non.

— Et qu'en feront-ils ?

— Ils feront une traversée, après avoir débarqué les passagers. La guerre se fait aussi avec les bateaux, le sais-tu ?

— La guerre ? Quelle guerre ?

— Maintenant, tu veux en savoir trop, tu me casses les pieds. Tu as cinq minutes pour réfléchir. Si tu acceptes de saboter le bateau, je ne dirai pas que tu as tué mon père. Si tu refuses, je te dénonce à la police. Je connais par cœur le numéro de téléphone et il y a ici un appareil qui fonctionne.

Trevor se sentit complètement pris au piège. Certes, il n'avait pas tué le père de Larry, mais il ne lui restait plus guère de marge de manœuvre. Par ailleurs, toutes les apparences étaient contre lui, il en était parfaitement conscient. Et il ne pouvait même plus compter sur l'aide de Solange Ranier. Un jour, peut-être, il pourrait prouver son innocence, mais à quel prix ? Pour le moment, il n'y avait personne pour le sauver de la prison.

Trevor arpenta la cabine de long en large pendant les longues minutes que lui avait accordées Larry, tandis que, blotti dans un coin près du téléphone, l'enfant le fixait en silence, l'air grave.

Trevor se planta devant lui avec un grand sourire. Puis, comme libéré d'un grand poids, déclara :

— Cher Larry, tu es l'enfant le plus odieux du monde. Depuis que je te connais, Hérode est complètement réhabilité à mes yeux. En conséquence, rien ne me réjouit davantage que de te refuser la satisfaction que tu espérais. Je me présenterai personnellement devant le commandant et me dénoncerai. Je dirai que j'ai tué ton père et on m'arrêtera. Après quoi, il y aura une enquête et je pourrai alors prouver mon innocence. Tu peux dire à tes amis qu'ils n'auront jamais ce bateau.

Sans attendre la réaction de l'enfant, il se dirigea vers la porte, qu'il ouvrit avec beaucoup de dignité, puis déambula sans hâte dans les méandres du navire. Lorsque le commandant eut écouté sa confession, il resta abasourdi :

— Lieutenant, je ne comprends rien à votre histoire. Cependant, je préviens tout de suite la police. Ou peut-être l'asile, j'hésite encore. En attendant, je suis obligé de vous mettre aux arrêts de rigueur.

— Je suis à votre disposition, répondit Trevor, soulagé.
En sifflotant, il se laissa conduire dans une pièce humide et chaude servant de cachot. Après des heures d'isolement qui lui parurent interminables, Trevor sombra dans un profond découragement, désespérant même de pouvoir un jour prouver son innocence. Puis, après ce long moment, des bruits lui parvinrent, indiquant le départ imminent du navire. Il s'étonna que la police locale, certainement prévenue par le commandant, ne se fût pas encore présentée pour l'emmener. L'espace d'un instant, il espéra que le commandant, pourtant inflexible sur le règlement, ait décidé de le conduire à Londres, pour le faire emprisonner, espoir qui s'évanouit aussitôt quand il entendit un bruit de pas qui s'approchaient de son cachot.

Puis la clef tourna dans la serrure. Il se leva, cherchant à adopter l'attitude qui, selon lui, convenait le mieux à un innocent injustement accusé. Mais il lui fut impossible de se mettre, ne fût-ce qu'un instant, dans la peau du martyr, car il vit entrer non pas les policiers attendus, mais quatre personnes, bien connues de lui, mais certainement les dernières qu'il s'attendait à voir.

Il s'agissait de Solange Ranier, M. Benson inexplicablement ressuscité, l'inévitable Larry et, surprise parmi les surprises, son ex-fiancée, Hatty Glamps.

Trevor, complètement abasourdi, ne put articuler un mot. Ce fut Hatty, son ex-fiancée, qui prit la parole :

— Cher Trevor, tout est fini. C'est moi qui ai monté toute cette mise en scène : j'avais besoin à tout prix de savoir si, ce jour où nous avons été attaqués par quatre voyous, tu as fait preuve d'un self-control bien britannique ou d'une lâcheté de continental. Je n'arrivais pas à t'oublier ; mais, d'un autre côté, je ne voulais pas confier ma vie à un lâche. C'est alors que j'ai songé à te soumettre à cette épreuve que, comme je l'espérais, tu as surmontée brillamment. Tu es doué non pas d'un grand courage, mais d'un bon self-control. Maintenant, je consens à t'épouser.

Trevor trouva tout juste la force de demander :

— Et ceux-là, qui sont-ils ?

Et il désigna les trois autres. Hatty sembla s'amuser follement :

— Je te présente l'avocat Benson, un homme de loi que j'ai choisi à Londres pour son humour. Il est mort magnifiquement. Sa femme, Solange Ranier, une vraie Française. Et cet incomparable enfant est Larry, fils du premier mariage de M. Benson. Ils ont tous joué leur rôle avec l'aide de quelques comparses locaux. Je ne suis pas près de l'oublier.

Trevor laissa échapper un «bravo», qu'il voulait ironique, mais qui fut pris au sérieux par Hatty, car elle était la fille d'un pasteur méthodiste.

— Oui, bravo, reprit-elle, surtout pour le petit Larry. Il a toujours été premier en récitation au collège. C'est un enfant parfaitement bien élevé. Il a même su tirer profit du petit tremblement de terre.

Trevor, manquant se trouver mal, dut chercher un appui. Mais Hatty le rappela à l'ordre :

— Cher Trevor, ce n'est pas le moment de perdre ton self-control. Garde-le pour notre nuit de noces.

Et tous partirent en chœur de rires contrôlés, comme il sied à des gens bien élevés. Et, tandis que Trevor essuyait sa sueur, il nota que Larry, enfant bien élevé, riait malicieusement.

Un enfant bien élevé (III**)

Trevor fixa Larry comme s'il voyait en lui l'origine de tous ses malheurs, ce qui ne parut pas troubler l'enfant le moins du monde. Il continua de sourire d'un air goguenard, puis déclara avec une lenteur étudiée :

— Lieutenant, tu es dans le pétrin. Je t'ai suivi toute la matinée sans que tu t'en aperçoives et j'ai tout vu. Tu es l'assassin de mon père.

Trevor eut un sursaut. Il comprit instantanément que Larry était véritablement capable de penser au pire sans que lui, Trevor, pût prouver le contraire. Au prix d'un grand effort, il parvint à se contrôler :

— Si tu m'as suivi et si tu as tout vu, tu sais parfaitement que c'est faux. Je n'ai pas tué ton père.

Avec le plus grand calme, Larry déposa le cadre sur la table de nuit, puis devint brusquement sérieux :

— Je peux aussi te croire. Mais si je déclare que tu as tué mon père et si j'ajoute que je t'ai vu, comment pourras-tu prouver le contraire quand on découvrira le cadavre ?

Cet enfant était diabolique et Trevor comprit que, pour l'instant du moins, il avait indiscutablement le dessus. Il chercha donc à découvrir au moins pourquoi il agissait ainsi.

— Et tu diras que j'ai tué ton père ?

— Certainement, je le dirai exclusivement à la police.

— Et que vas-tu y gagner ?

Sans répondre, l'enfant descendit du lit et entreprit de fouiller dans une malle entrouverte, où Trevor avait rangé un peu toutes ses affaires, habits et objets personnels. Trevor le laissa faire, en proie à une rage de minute en minute plus incontrôlable.

— Lieutenant, tu m'as demandé ce que je gagnerai à te dénoncer. C'est à mon tour de te demander : que gagnerai-je si je ne te dénonce pas ?

Trevor resta sans voix. Ce petit monstre était un maître chanteur, même si, pour le moment, il ne voyait pas clairement où Larry voulait en venir. De toute façon, il n'avait pas le choix, il ne lui restait plus qu'à entrer dans son jeu.

— D'après toi, que puis-je te donner en échange de ton silence ? demanda Trevor de sa voix la plus ingénue.

— Le bateau, fut la réponse.

— Pardon. Veux-tu répéter ?

— C'est ce bateau qui m'intéresse.

Trevor, désormais habitué aux caprices de Larry, s'attendait au pire. Mais là, ce chantage au bateau dépassait de loin tout ce qu'il aurait pu imaginer. Il continua cependant de jouer le jeu, un jeu qui à vrai dire ne l'avait jamais amusé, encore moins à présent qu'il tenait le rôle de la victime.

— Ce navire ne m'appartient absolument pas. Comment crois-tu que je puisse te le remettre ?

— Très simple. Tu te débrouilles pour l'empêcher de lever l'ancre cette nuit.

— Et comment donc ?

— C'est toi le technicien. Tu peux saboter les moteurs. Ou

annoncer qu'une épidémie s'est déclarée à bord. Vois-tu, l'important est que tu fasses en sorte que le bateau ne parte pas, cette nuit du moins.

— Et pourquoi tiens-tu absolument à ce que le bateau reste cette nuit au port ?

— Parce que, cette nuit, il se passera quelque chose.

— Quoi ?

— Je veux bien te le dire. Au fond, tu m'es sympathique. Cette nuit, certains de mes amis profiteront de l'obscurité pour monter à bord incognito.

— Et ensuite ?

— Ensuite le navire deviendra leur propriété, que tu le veuilles ou non.

— Et qu'en feront-ils ?

— Ils feront une traversée, après avoir débarqué les passagers. La guerre se fait aussi avec les bateaux, le sais-tu ?

— La guerre ? Quelle guerre ?

— Maintenant, tu veux en savoir trop, tu me casses les pieds. Tu as cinq minutes pour réfléchir. Si tu acceptes de saboter le bateau, je ne dirai pas que tu as tué mon père. Si tu refuses, je te dénonce à la police. Je connais par cœur le numéro de téléphone et il y a ici un appareil qui fonctionne.

Trevor se sentit complètement pris au piège. Certes, il n'avait pas tué le père de Larry, mais il ne lui restait plus guère de marge de manœuvre. Par ailleurs, toutes les apparences étaient contre lui, il en était parfaitement conscient. Et il ne pouvait même plus compter sur l'aide de Solange Ranier. Un jour, peut-être, il pourrait prouver son innocence, mais à quel prix ? Pour le moment, il n'y avait personne pour le sauver de la prison.

Trevor arpenta la cabine de long en large pendant les longues minutes que lui avait accordées Larry, tandis que, blotti dans un coin près du téléphone, l'enfant le fixait en silence, l'air grave.

Au bout de cinq minutes, Trevor s'approcha de Larry d'un pas traînant, comme s'il portait tout le poids du monde sur ses épaules.

— D'accord, Larry, tu as gagné. Je ferai en sorte que le bateau ne lève pas l'ancre cette nuit. Tu peux avertir tes amis. Mais sache que je n'ai pas tué ton père.

— C'est une affaire entre ta conscience et toi. Nous, ce qui nous intéresse, c'est le bateau, un point c'est tout.

— Je vais chercher un moyen de te donner satisfaction.

Larry se leva et lui toucha légèrement le bras.

— Non, il n'est pas question de «je vais». A partir de maintenant, je ne te quitterai pas d'une semelle. Tu devras me supporter jusqu'à l'arrivée de mes amis.

— Cher Larry, conclut Trevor, je t'assure que devoir rester avec toi sera le pire jour de ma vie.

Larry ouvrit la porte et, avec une révérence moqueuse, s'effaça pour le laisser passer.

Il était presque minuit quand Trevor, après avoir accepté le projet fou de Larry, sortit sur le pont du *Haïti*, suivi comme son ombre par l'enfant.

— Reste là, dit-il brutalement à Larry, si l'on nous voit, nous serons tous deux dans le pétrin.

— Toi. Moi, je suis trop petit. Je n'ai pas de responsabilité pénale.

— Bon. Que dois-je faire maintenant ? Le navire ne part plus cette nuit. Tu l'as vu de tes yeux.

— Oui. En restant à tes côtés, j'ai appris une foule de choses. Par exemple, à mettre hors service un énorme paquebot. Et sans grand effort.

— Je t'ai demandé ce que je dois faire maintenant.

— Tu as apporté la lampe électrique, comme je te l'ai dit ?

— Oui.

— Bon. Fais trois signaux longs, puis deux courts, plus deux longs et trois courts et enfin un très long. La direction est le quai. Si cela ne suffit pas, tu recommences.

— Je n'ai pas bien compris. Trois longs plus deux courts plus trois longs...

— Non. Deux longs. Je te dirai tout. Garde mon chronomètre et je te donnerai les ordres. D'accord ?

— D'accord, trésor.

— Alors, vas-y. Long. Long. Long. Court. Court. Long. Long. Court. Court. Court. Long à volonté.

Trevor avait à peine fini d'allumer et d'éteindre la torche électrique, en la braquant vers un point du quai, dans l'obscurité tombée depuis le petit tremblement de terre du matin, quand il distingua quatre ombres indistinctes s'avançant vers le navire.

— Bien. Tu peux t'en aller, déclara précipitamment Larry.

— Et où vais-je aller ?

— Où tu voudras ? Si j'étais toi, je me retirerais dans ma cabine. Cette nuit, il se passera de grandes choses à bord. Va vite.

Trevor obéit machinalement et, toujours tel un automate sans force ni volonté, il se retira dans sa cabine. Puis, il se jeta sur son lit, dans l'attente de Dieu sait quels événements qui en vérité ne tardèrent pas à se produire. En effet, au bout de quelques minutes à peine, il entendit des pas s'approcher, puis la porte de la cabine s'ouvrir lentement. Rassemblant toutes ses forces, il se leva, car un officier de la marine britannique, même marchande, se doit en toutes circonstances de conserver sa dignité. L'espace d'un instant, il pensa voir entrer dans la cabine un groupe de révolutionnaires, prêts à le tuer sur-le-champ pour l'empêcher de parler. Au lieu de cela, il vit entrer quatre personnes, les dernières au monde qu'il s'attendait à voir.

Il s'agissait de Solange Ranier, M. Benson inexplicablement ressuscité, l'inévitable Larry et, surprise parmi les surprises, son ex-fiancée, Hatty Glamps.

Trevor, complètement abasourdi, ne put articuler un mot. Ce fut Hatty, son ex-fiancée, qui prit la parole :

— Cher Trevor, tout est fini. C'est moi qui ai monté toute cette mise en scène : j'avais besoin à tout prix de savoir si, ce jour où nous avons été attaqués par quatre voyous, tu as fait preuve d'un self-control bien britannique ou d'une lâcheté de continental. Je n'arrivais pas à t'oublier; mais, d'un autre côté, je ne voulais pas confier ma vie à un lâche. C'est alors

que j'ai songé à te soumettre à cette épreuve que, comme je l'espérais, tu as surmontée brillamment. Tu es doué non pas d'un grand courage, mais d'un bon self-control. Maintenant, je consens à t'épouser.

Trevor trouva tout juste la force de demander :

— Et ceux-là, qui sont-ils ?

Et il désigna les trois autres. Hatty sembla s'amuser follement :

— Je te présente l'avocat Benson, un homme de loi que j'ai choisi à Londres pour son humour. Il est mort magnifiquement. Sa femme, Solange Ranier, une vraie Française. Et cet incomparable enfant est Larry, fils du premier mariage de M. Benson. Ils ont tous joué leur rôle avec l'aide de quelques comparses locaux. Je ne suis pas près de l'oublier.

Trevor laissa échapper un «bravo», qu'il voulait ironique, mais qui fut pris au sérieux par Hatty, car elle était la fille d'un pasteur méthodiste.

— Oui, bravo, reprit-elle, surtout pour le petit Larry. Il a toujours été premier en récitation au collège. C'est un enfant parfaitement bien élevé. Il a même su tirer profit du petit tremblement de terre.

Trevor, manquant se trouver mal, dut chercher un appui. Mais Hatty le rappela à l'ordre :

— Cher Trevor, ce n'est pas le moment de perdre ton self-control. Garde-le pour notre nuit de noces.

Et tous partirent en chœur de rires contrôlés, comme il sied à des gens bien élevés. Et, tandis que Trevor essuyait sa sueur, il nota que Larry, enfant bien élevé, riait malicieusement.

Un enfant bien élevé (III***)

Trevor fixa Larry, comme s'il voyait en lui l'origine de tous ses malheurs, ce qui ne parut pas troubler l'enfant le moins du monde. Il continua de sourire d'un air goguenard, puis déclara avec une lenteur étudiée :

– Lieutenant, tu es dans le pétrin. Je t'ai suivi toute la matinée sans que tu t'en aperçoives et j'ai tout vu. Tu es l'assassin de mon père.

Trevor eut un sursaut. Il comprit instantanément que Larry était véritablement capable de penser au pire sans que lui, Trevor, pût prouver le contraire. Au prix d'un grand effort, il parvint à se contrôler :

– Si tu m'as suivi et si tu as tout vu, tu sais parfaitement que c'est faux. Je n'ai pas tué ton père.

Avec le plus grand calme, Larry déposa le cadre sur la table de nuit, puis devint brusquement sérieux.

– Je peux aussi te croire. Mais si je déclare que tu as tué mon père et si j'ajoute que je t'ai vu, comment pourras-tu prouver le contraire quand on découvrira le cadavre ?

Cet enfant était diabolique et Trevor comprit que, pour l'instant du moins, il avait indiscutablement le dessus. Il chercha donc à découvrir au moins pourquoi il agissait ainsi.

– Et tu diras que j'ai tué ton père ?

– Certainement. Je le dirai exclusivement à la police.

– Et que vas-tu y gagner ?

Sans répondre, l'enfant descendit du lit et entreprit de fouiller dans une malle entrouverte, où Trevor avait rangé un peu toutes ses affaires, habits et objets personnels. Trevor le laissa faire, en proie à une rage de minute en minute plus incontrôlable.

– Lieutenant, tu m'as demandé ce que je gagnerai à te dénoncer. C'est à mon tour de te demander : que gagnerai-je si je ne te dénonce pas ?

Trevor resta sans voix. Ce petit monstre était un maître chanteur, même si pour le moment il ne voyait pas clairement où Larry voulait en venir. De toute façon, il n'avait pas le choix, il ne lui restait plus qu'à entrer dans son jeu.

– D'après toi, que puis-je te donner en échange de ton silence ? demanda Trevor de sa voix la plus ingénue.

– Le bateau, fut la réponse.

– Pardon, veux-tu répéter ?

– C'est ce bateau qui m'intéresse.

Trevor, désormais habitué aux caprices de Larry, s'attendait au pire. Mais là, ce chantage au bateau dépassait de loin tout ce qu'il aurait pu imaginer. Il continua cependant de jouer le jeu, un jeu qui à vrai dire ne l'avait jamais amusé, encore moins à présent qu'il tenait le rôle de la victime.

– Ce navire ne m'appartient absolument pas. Comment crois-tu que je puisse te le remettre ?

– Très simple. Tu te débrouilles pour l'empêcher de lever l'ancre cette nuit.

– Et comment donc ?

– C'est toi le technicien. Tu peux saboter les moteurs. Ou

annoncer qu'une épidémie de choléra s'est déclarée à bord. Vois-tu, l'important est que tu fasses en sorte que le bateau ne parte pas, cette nuit du moins.

– Et pourquoi tiens-tu absolument à ce que le bateau reste cette nuit au port ?

– Parce que, cette nuit, il se passera quelque chose.

– Quoi ?

– Je veux bien te le dire. Au fond, tu m'es sympathique. Cette nuit, certains de mes amis profiteront de l'obscurité pour monter à bord incognito.

– Et ensuite ?

– Ensuite le bateau deviendra leur propriété, que tu le veuilles ou non.

– Et qu'en feront-ils ?

– Ils feront une traversée, après avoir débarqué les passagers. La guerre se fait aussi avec les bateaux, le sais-tu ?

– La guerre ? Quelle guerre ?

– Maintenant, tu veux en savoir trop, tu me casses les pieds. Tu as cinq minutes pour réfléchir. Si tu acceptes de saboter le bateau je ne dirai pas que tu as tué mon père. Si tu refuses, je te dénonce à la police. Je connais par cœur le numéro de téléphone et il y a ici un appareil qui fonctionne.

Trevor se sentit complètement pris au piège. Certes, il n'avait pas tué le père de Larry, mais il ne lui restait plus guère de marge de manœuvre. Par ailleurs, toutes les apparences étaient contre lui, il en était parfaitement conscient. Et il ne pouvait même plus compter sur l'aide de Solange Ranier. Un jour, peut-être, il pourrait prouver son innocence, mais à quel prix ? Pour le moment, il n'y avait personne pour le sauver de la prison.

Trevor arpenta la cabine de long en large pendant les longues minutes que lui avait accordées Larry, tandis que, blotti dans un coin près du téléphone, l'enfant le fixait en silence, l'air grave.

Au bout de cinq minutes, Larry se leva et, les mains sur les hanches, demanda à Trevor en crânant :

– Alors, qu'as-tu décidé ?

Trevor le fixa un moment en silence. Puis il s'approcha, l'air menaçant, et pointant l'index sur sa poitrine, déclara :

– Sale petite vermine, antipathique de surcroît. Si je voulais, je pourrais t'arracher la langue pour t'empêcher de parler, te couper les mains pour t'empêcher d'écrire et même t'arracher les yeux pour que tu ne puisses faire des signes. Mais je n'ai pas envie de me salir les mains. Je pourrais aussi te flanquer des coups de pied à te réduire en bouillie, mais il se trouve que, ce matin, j'ai ciré mes souliers et cela m'ennuie de me baisser pour les recirer, une fois qu'ils auront été salis avec ta dépouille. D'un autre côté, je ne tolérerai pas que tu téléphones à la police pour me dénoncer. Aussi vais-je supporter ta présence, au moins jusqu'au retour de ta mère. Ou plutôt de Solange Ranier, car je ne sais pas trop ce qu'elle est pour toi. En attendant, ne te risque pas à téléphoner, car ma patience a des limites, et je pourrais renoncer à garder mains et souliers propres.

Après quoi, Trevor s'assit sur son lit d'un air triomphant, convaincu d'avoir trouvé la solution à tous ses ennuis. L'enfant n'aurait certes pas le courage de se mesurer avec lui après ces paroles de menace.

Aussi fut-il quelque peu surpris quand il vit Larry, avec le plus grand calme, sortir de la poche de son pantalon un morceau de papier froissé avec des chiffres écrits dessus. Et sa surprise s'accrut encore quand le diabolique enfant s'approcha du téléphone et commença à composer les numéros tout en consultant le papier.

– Qui appelles-tu ? demanda-t-il enfin.

– La police, répondit Larry d'une voix qui ne trahissait pas la moindre émotion enfantine.

C'est alors que Trevor décida de changer de plan et de se rabattre sur un plan de secours, qu'il avait mis au point, comme tout stratège qui se respecte. S'il avait échoué dans sa tentative pour terroriser cet enfant exceptionnel, la fuite, en revanche, réussirait à coup sûr. D'un bond, Trevor atteignit la porte, l'ouvrit et s'élança en courant dans les méandres du bateau, qu'il connaissait par cœur, contrairement à Larry. Il utilisa toutes les ruses pour semer son poursuivant et, au bout d'un moment, il s'arrêta pour vérifier qu'il l'avait semé. N'entendant aucun bruit, il ne sut pas si l'enfant avait renoncé à le poursuivre ou s'il ne l'avait pas fait du tout.

Il rajusta son uniforme et se dirigea vers la passerelle, qui avait été à nouveau installée sur le quai après le petit tremblement de terre, jusqu'au départ. L'air décontracté, il passa devant le matelot de garde en haut de la passerelle, qui le salua sans s'étonner, habitué aux infractions aux règlements des gradés. Puis, il descendit à terre et, après avoir jeté un coup d'œil alentour comme, selon lui, l'aurait fait n'importe quel lieutenant britannique désireux de passer quelques heures dans les lieux les plus captivants de l'île avant le départ du bateau. Et il se perdit dans l'obscurité des constructions du port. Probablement avait-il choisi la bonne solution. Il n'avait pas un véritable plan de fuite, mais, pour le moment, l'important était de fuir ce cauchemar.

Il avait parcouru une vingtaine de pas quand il se sentit empoigner par des bras puissants, en même temps qu'il notait l'odeur forte du chloroforme qu'on lui appliquait sur le nez avec un tampon d'ouate. Il perdit aussitôt connaissance et, quand il se réveilla, il se trouvait dans sa cabine. Mais ce qu'il vit suffit à dissiper les dernières brumes de l'anesthésique et à le faire se lever d'un bond. Autour de son lit, avec l'air de s'amuser follement, il y avait quatre personnes, les dernières que Trevor se serait attendu à voir en cette circonstance.

Il s'agissait de Solange Ranier, M. Benson inexplicablement ressuscité, l'inévitable Larry et, surprise parmi les surprises, son ex-fiancée, Hatty Glamps.

Trevor, complètement abasourdi, ne put articuler un mot. Ce fut Hatty, son ex-fiancée, qui prit la parole :

– Cher Trevor, tout est fini. C'est moi qui ai monté toute cette mise en scène : j'avais besoin à tout prix de savoir si, ce jour où nous avons été attaqués par quatre voyous, tu as fait preuve d'un self-control bien britannique ou d'une lâcheté de continental. Je n'arrivais pas à t'oublier ; mais, d'un autre côté, je ne voulais pas confier ma vie à un lâche. C'est alors que j'ai songé à te soumettre à cette épreuve que, comme je l'espérais, tu as surmontée brillamment. Tu es doué non pas d'un grand courage, mais d'un bon self-control. Maintenant, je consens à t'épouser.

Trevor trouva tout juste la force de demander :

– Et ceux-là, qui sont-ils ?

Et il désigna les trois autres. Hatty sembla s'amuser follement :

– Je te présente l'avocat Benson, un homme de loi que j'ai choisi à Londres pour son humour. Il est mort magnifiquement. Sa femme, Solange Ranier, une vraie Française. Et cet incomparable enfant est Larry, fils du premier mariage de M. Benson. Ils ont tous joué leur rôle avec l'aide de quelques comparses locaux. Je ne suis pas près de l'oublier.

Trevor laissa échapper un «bravo», qu'il voulait ironique, mais qui fut pris au sérieux par Hatty, car elle était la fille d'un pasteur méthodiste.

– Oui, bravo, reprit-elle, surtout pour le petit Larry. Il a toujours été premier en récitation au collège. C'est un enfant parfaitement bien élevé. Il a même su tirer profit du petit tremblement de terre.

Trevor, manquant se trouver mal, dut chercher un appui. Mais Hatty le rappela à l'ordre :

– Cher Trevor, ce n'est pas le moment de perdre ton self-control. Garde-le pour notre nuit de noces.

Et tous partirent en chœur de rires contrôlés, comme il sied à des gens bien élevés. Et, tandis que Trevor essuyait sa sueur, il nota que Larry, enfant bien élevé, riait malicieusement.

Ici intervient la dernière interruption du récit, qui vous donne la possibilité de choisir « votre » fin grâce aux trois tests proposés. S'ajoutant aux autres tests du chapitre, ils vous permettront de découvrir à la fin certains traits intéressants de votre caractère.

A   10   B

Dans lequel de ces deux endroits aimeriez-vous vous trouver en ce moment, le cas échéant en compagnie de l'un ou l'autre personnage du récit ? Notez votre choix par écrit ou retenez-le de mémoire.

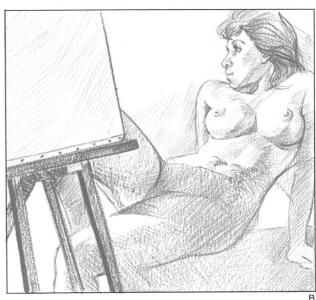

A   11   B

Imaginez un instant que vous êtes peintre et que l'on vous demande de faire le portrait en pied d'Elsie Fammer, la jeune et jolie serveuse anglaise. La jeune fille, notez-le, est prête à poser dans l'attitude et l'habillement de votre choix. Vous préférez la peindre :
Drapée dans un péplum (A) ou nue (B) ? Notez votre choix par écrit ou retenez-le de mémoire.

12

A Londres, il arrive souvent au lieutenant Trevor Landen de rester à observer la foule d'inconnus qui vont et viennent dans les rues et les parcs de la ville, qu'ils animent de leur présence. Selon vous, pense-t-il que, parmi tous ces gens, il y a davantage d'imbéciles ou plus de malheureux ?
Dans le premier cas (il y a plus d'imbéciles), vous vous attribuez un A, dans le second (il y a plus de malheureux) un B.
Notez votre choix par écrit ou retenez-le de mémoire.

Pour poursuivre la lecture du récit

A présent faites le total des A et des B choisis dans les trois tests 10, 11 et 12.
Si vous avez choisi 3 A, reprenez le récit page 143 (IV*).
Si vous avez choisi 3 B, reprenez le récit page 145 (IV***).
Si vous avez choisi 2 A + 1 B ou 2 B + 1 A, reprenez le récit page 144 (IV**).
Retenez le total des A et des B choisis dans ces tests, ils vous serviront pour les explications psychologiques finales.

Un enfant bien élevé (IV*)

Le mariage de Trevor et de Hatty fut célébré à bord aussitôt après le départ du paquebot des Açores pour Londres. Le commandant, qui pour l'occasion avait endossé son uniforme le plus flambant, présidait la cérémonie avec une certaine nervosité : c'était en effet la première fois au cours de sa carrière qu'une tâche aussi délicate lui incombait. Les témoins furent, pour le marié, Solange Ranier, et, pour la mariée, Adam Benson, époux de la belle Française. Larry, fils du premier mariage de M. Benson, joua le rôle de petit garçon d'honneur, car Hatty avait ramené de Londres une somptueuse robe de mariée avec une très longue traîne, dont l'enfant tenait l'extrémité, s'acquittant de sa tâche avec une grande dignité, même s'il avait du mal à dissimuler son désappointement. De toute évidence, il n'aimait pas les seconds rôles.

Tous les passagers du paquebot *Haïti* furent invités et, après le fatidique «oui» des deux époux, ce fut à bord, en pleine mer, une explosion de joie de bon augure. La plupart en profitèrent pour donner à ces heures de traversée une subtile saveur orgiaque : sans doute parce que l'idée de deux époux nouvellement mariés à bord mettait au premier plan une certaine excitation sexuelle. Des couples un peu rassis brûlèrent à nouveau d'une flamme éphémère, des couples nouveaux se formèrent avec de véritables feux d'artifice, des couples anciens se déçurent encore et une fois pour toutes.

Dans la soirée, un grand bal fut célébré après un festin qui se déroula dans un crépitement de bouchons de champagne sautant de tous côtés. Les jeunes mariés furent invités à plusieurs reprises à danser des danses variées. Sur le coup de minuit, sautant sur l'estrade de l'orchestre, Trevor prit la parole :

— Mes chers amis, au nom également de mon Hatty adorée, je vous remercie d'avoir ainsi pris part à notre joie. Je sais que, pour le moment, je puis compter sur votre compréhension (ici fusa un «oui» unanime, accompagné d'un tonnerre d'applaudissements). A notre arrivée à Londres, nos routes vont ensuite fatalement se séparer : en ce qui me concerne, je quitterai définitivement la marine marchande et chacun reprendra sa vie de toujours. Je vous demande donc à présent un cadeau collectif (là encore, fusèrent cris et applaudissements). Personne parmi vous, je le sais, n'osera me refuser une satisfaction dont je rêve depuis hier matin («non» convaincus et répétés). Eh bien, chers amis, je désire que Larry, l'enfant qui a tant contribué à ce mariage, monte sur cette estrade et ôte son pantalon. Il y eut d'abord un premier moment de surprise qui, le champagne aidant, se transforma en une adhésion enthousiaste. Même Solange et M. Benson, père de l'enfant, consentirent avec une surprise ravie. Seul Larry se rembrunit, tandis que son visage pâlissait légèrement. Mais il lui fut impossible de se dérober, car des centaines de mains le saisirent et le hissèrent sur l'estrade de l'orchestre, à côté de Trevor.

— Mon cher Larry, dit alors Trevor avec un sourire, posant une main sur la tête de l'enfant, préfères-tu retirer tout seul ta culotte, ou veux-tu que je le fasse moi-même ?

Les assistants, excités par l'attente, crièrent en chœur «tout seul !». L'expression de Larry se rembrunit encore et, lentement, il ôta son pantalon.

— Et maintenant, le caleçon, trésor, insista Trevor avec un sourire diabolique.

Un cri d'approbation jaillit de l'assistance, tandis que Larry accomplissait ce dernier geste avec le peu de dignité qui lui restait dans une telle circonstance. Dieu sait pourquoi, mais la vue de sa nudité déclencha des applaudissements déchaînés. Quand Trevor parvint, avec de grands gestes, à rétablir un peu de silence, un siège avait déjà été avancé près de l'enfant. Le lieutenant invita Larry à se pencher en avant en s'appuyant au siège. Puis il s'adressa à l'orchestre :

— Un galop, s'il vous plaît.

L'orchestre attaqua et Trevor fit signe à l'assistance d'accompagner la musique par des battements de mains rythmés, tandis que, rythmant lui aussi ses gestes sur la musique, il prodiguait de grandes tapes sur l'arrière-train dénudé d'un enfant bien élevé.

Les battements de mains rythmés se transformèrent vite en une ovation libératoire. Et il se trouva quelqu'un parmi les moins excités pour penser que le bonheur n'a pas toujours la main légère.

Un enfant bien élevé (IV**)

Le départ d'un paquebot comme le *Haïti* est généralement précédé d'une certaine confusion, que Trevor mit à profit pour descendre à terre sans être vu, avec un gros sac sous le bras. Il laissait à bord, sans même prendre la peine de les saluer, les époux Benson et l'ineffable petit Larry. Et, surtout, il tirait sa révérence à Hatty, qui n'attendait plus que l'arrivée à Londres pour épouser son lieutenant.

Trevor se cacha momentanément dans une baraque du port, à demi abandonnée, destinée à Dieu sait quels usages nocturnes, en attendant que le bateau s'écarte du quai avec la solennité habituelle. Quand enfin il le vit s'éloigner lentement du môle et disparaître à l'horizon, il ouvrit son sac et en retira des habits civils. Guettant si personne n'entrait dans la baraque, il changea son uniforme de lieutenant de la marine marchande britannique contre une tenue sportive de bonne coupe, roula son uniforme en boule, le ficela en le lestant d'une lourde pierre et jeta enfin le tout dans l'eau sale du port. Quand les dernières bulles sur la surface huileuse se refermèrent sur le paquet au fond de l'eau, il se dirigea, l'esprit léger, vers le centre.

Après la décision qu'il avait prise, il se sentait libre, comme si pour la première fois de sa vie il se trouvait débarrassé de tous liens, devoirs, entraves, horaires, échéances et de tout ce qui fait de la vie un parcours tout tracé, sur lequel il faut rendre compte de ses qualités à chaque étape.

Quelques heures plus tôt, il avait été à deux doigts d'être pour le restant de sa vie un officier de la marine marchande britannique et un époux modérément fidèle. A présent, après une décision qui ne lui coûtait pour l'instant aucun effort, il se retrouvait libre, sifflotant dans les rues d'une île merveilleuse, et tous les espoirs lui étaient permis.

En passant par le centre, il acheta une pipe, ce dont il avait toujours rêvé, mais que, pour différentes raisons, toutes logiques, il s'était refusé à chaque fois. Dans un autre magasin, il se décida séance tenante à acheter un bébé chien-loup, achat que tout le monde lui avait toujours déconseillé avec une tendre sollicitude.

La pipe à la bouche et le chiot dans les bras, il se présenta au restaurant, où il avait fait la connaissance d'Elsie Fammer. Et, après l'avoir invitée à sortir sur l'avenue pour que personne n'entende, il lui tint le discours suivant :

– Je suis désormais un autre homme, différent de celui que vous avez connu. Je suis libre, avec, en poche, quelques économies, et j'ai une envie folle de me divertir. Puis-je partager toutes ces possibilités avec la plus jolie des compatriotes que j'aie rencontrées par-delà les mers où j'ai navigué ?

Elsie était, à n'en pas douter, une jeune fille très experte en psychologie britannique. En effet, elle ne parut pas s'étonner outre mesure de cette proposition, mais se comporta, au contraire, comme Trevor s'y attendait.

– Je finis mon service à minuit. Passez donc me prendre et nous pourrions ensuite aller chez moi.

– Je vous rappelle que mon prénom est Trevor.

– Et moi, Elsie.

– Tutoyons-nous, je vous en prie.

– Bon. Je t'attends à minuit.

– Y a-t-il une marque de champagne que tu préfères ?

– Dom Perrignon 1979.

Avec un grand naturel, Trevor approcha ses lèvres de la tendre bouche de la jeune fille et sentit un délicieux parfum de chair presque enfantine. Il détacha lentement ses lèvres de celles d'Elsie et lui demanda :

– Elsie, dis-moi la vérité. Toi aussi, tu étais de mèche avec Hatty Glamps ?

– Je ne comprends pas, répondit la jeune fille.

Et Trevor s'empressa de la croire. Cette nuit fut une longue nuit pour Elsie et Trevor, car le temps, pour les amoureux, ne suit jamais les règles normales. Il s'accorde au rythme fantasque du bonheur.

Un enfant bien élevé (IV***)

La traversée du *Haïti* touchait à sa fin. Dans la brume de l'aube, dans l'épaisse grisaille, on distinguait les côtes d'Angleterre. Trevor se tenait sur le pont de première classe, bien que ce ne fût pas son heure de service, mais il n'avait pas réussi à fermer l'œil de la nuit. Il avait reçu, dans sa cabine, la visite de Hatty, désireuse de goûter les plaisirs du mariage avant le jour des noces, fixé à la fin du mois à Londres. Ensuite, quand elle fut partie, toutes les pensées de Trevor s'étaient mises à trotter dans sa tête, liguées pour l'empêcher de dormir. Et maintenant, sur le pont, il contemplait l'aube typiquement britannique, bien loin de s'abandonner à ses pensées les plus joyeuses. Inutile d'essayer de se le dissimuler à lui-même : il ne se sentait pas heureux, mais il éprouvait plutôt une profonde insatisfaction. Plongé dans ses méditations solitaires, il ne vit pas l'ombre frissonnante qui s'était glissée à ses côtés et le fixait. Il sursauta en s'entendant appeler à voix basse :

— Lieutenant ?

Près de lui se tenait Solange, l'air visiblement désespérée.

— Que faites-vous ici à cette heure ?

— Je n'ai pas pu fermer l'œil de la nuit.

— Moi non plus.

— Et l'idée de retourner à Londres m'est intolérable.

— A moi aussi.

— Nous avons beaucoup de points communs, Trevor.

— Plus que nous ne l'imaginons, Solange.

— J'ai envie de fuir, une fois à terre. Je ne sais même pas où.

— Moi aussi. Mais pas seul, c'est l'unique chose que je sache.

— Et avec qui donc ?

— Avec vous, Solange.

Solange se drapa dans son peignoir, comme si elle voulait se défendre contre quelque chose. Puis, avec un filet de voix, elle dit :

— Pauvre Trevor.

Trevor comprit qu'il en avait trop dit et que cela avait certainement déplu à Solange.

— Excusez-moi.

Et il contempla à nouveau la mer. Solange s'accouda au bastingage à ses côtés et leurs épaules se frôlèrent.

— Je suis capricieuse, têtue, et même susceptible. J'aime au point de paraître importune. Et, surtout, j'ai besoin de tendresse, d'une grande tendresse, dont j'ai été sevrée jusqu'ici.

— Je suis flegmatique, routinier, voire un peu ennuyeux. Mais je peux aimer à en être malade. Et, surtout, j'ai tant de tendresse à donner.

— Trevor, soupira Solange.

Et elle se tourna vers lui dans un geste d'abandon.

— Solange, murmura Trevor, et il la serra dans ses bras.

Un moment plus tard, les deux amoureux avaient retrouvé leurs esprits. Si bien même qu'ils avaient pu mettre au point un plan, parfait dans ses moindres détails. C'est ainsi que Solange et Trevor se séparèrent pour se retrouver peu après sur le pont, vêtus de leurs plus beaux habits et munis chacun d'une valise contenant quelques effets indispensables. Pendant ce temps, Hatty, M. Benson et Larry dormaient du sommeil du juste : personne n'avait songé à les réveiller.

Solange serra le bras de Trevor et dit :

— Je dois t'avouer un secret que je n'aurais jamais révélé si les choses s'étaient passées autrement.

— S'il concerne ton passé, je préfère ne pas le connaître.

— A vrai dire, il te concerne, toi.

— Moi ?

— Oui. Je te le révèle pour que tu ne gardes pas le plus petit remords en ce qui concerne ton comportement à l'égard de Hatty.

— Que vient faire Hatty là-dedans ?

— Depuis longtemps déjà, elle est au mieux avec mon mari.

— Et tu le savais ?

— Bien sûr. D'ailleurs, elle n'est ni la première ni la dernière des maîtresses de M. Benson.

— Et, bien qu'elle fût ta rivale, tu as aidé Hatty dans cette mise en scène contre moi ?

— Je pensais qu'en t'épousant, elle s'éloignerait un peu de mon mari.

— Tu l'aimes encore ?

— Absolument pas. Mais, quand Adam a une maîtresse, il est irascible. Il se venge de me trahir. Tandis que, quand il n'a personne sous la main, il est à peu près supportable. Parce qu'il m'ignore.

— Et pourquoi Hatty désirait-elle m'épouser, si elle aime ton mari ?

— Ça, je l'ignore. L'âme humaine n'est parfois pas aussi simple qu'elle le devrait.

Trevor, au lieu de s'attrister, sourit de contentement.

— D'après toi, Hatty et ton mari vont vivre ensemble ?

— C'est plus que probable. Le naufragé se raccroche à la première bouée qui s'offre à lui.

— Alors, je suis content.

— Et pourquoi donc ?

— Hatty aura la punition qu'elle mérite pour m'avoir trahi avant même notre mariage.

— Tu veux parler de la vie qu'elle connaîtra avec mon mari ?

— Je veux parler de Larry. En plus de M. Benson, elle devra subir ce petit monstre. Et il lui fera payer cher ses journées, je te le garantis.

Solange et Trevor éclatèrent de rire, comme délivrés d'un cauchemar. Puis, alors que la passerelle était amenée sur le quai, ils se hâtèrent de descendre et se perdirent dans la foule. Main dans la main, ils marchaient comme si la terre était en caoutchouc et faisait ainsi rebondir leur bonheur.

Explications

Le récit a été interrompu à quatre reprises, pour vous permettre d'effectuer quatre séries de trois tests chacune.

Au vu des résultats de ces 12 tests, des intrigues différentes vous ont été suggérées. Vous pouvez donc prétendre avoir bâti vous-même une histoire sur mesure.

Par ailleurs, ces 12 tests, répartis en quatre séries marquant les quatre interruptions du récit, correspondent aux quatre périodes rythmant l'évolution de notre personnalité au cours de l'existence : l'enfance, la jeunesse, la maturité et la vieillesse.

Subir ces 12 tests signifie donc également que vous comprendrez quel est ou sera votre comportement à l'égard de ces quatre périodes fondamentales de la vie.

Les attitudes vis-à-vis de l'enfance, de la jeunesse, de la maturité et de la vieillesse, décrites ci-dessous, sont celles dont témoigne le lecteur en ce moment même de son existence. Toutefois, les explications restent valables si le lecteur a déjà franchi ce cap, ou, au contraire, ne l'a pas encore atteint.

Tout d'abord l'**enfance**, étudiée dans les trois premiers tests (1, 2 et 3), pages 118-119.

■ Si vous avez choisi 3 A, votre comportement n'est plus conditionné par l'enfance. Vous avez autrefois vécu intensément cette période, mais, à présent, son influence est nulle sur votre caractère. Les impressions, positives ou négatives, que vous avez alors éprouvées n'ont laissé aucune trace dans vos comportements actuels.

■ Si vous avez choisi 2 A + 1 B, votre comportement n'est plus conditionné par l'enfance, qui n'influe plus guère sur votre personnalité. Toutefois, certaines impressions, positives ou négatives, que vous avez alors ressenties, ne sont pas encore totalement effacées.

□ Si vous avez choisi 3 B, votre enfance conditionne encore nombre de vos comportements. Des impressions précises, positives ou négatives, que vous avez ressenties alors, sont toujours vivantes et influent encore sur vos attitudes. Probablement avez-vous vécu cette période de l'enfance dans une sorte de rêve, tandis que vous réagissiez avec une certaine lenteur à tout ce qui vous arrivait. A présent, la marque de ces expériences reste perceptible.

□ Si vous avez choisi 2 B + 1 A, vous êtes encore conditionné par votre enfance, même si une part de votre caractère s'en est totalement libérée. Ce sont probablement des liens sentimentaux qui vous attachent encore à votre enfance, tandis que celle-ci n'influe que peu ou pas du tout sur vos comportements où prévaut la raison.

La **jeunesse** est examinée dans les tests 4, 5 et 6, pages 126-129.

△ Si vous avez choisi 3 A, votre jeunesse est caractérisée par la volonté de dominer et de vous singulariser. Vous ne restez pas passif vis-à-vis de cette période et n'esquivez pas les difficultés de la vie. Vous êtes cependant parfois enclin à la violence, d'où l'impression que vous donnez alors d'être expéditif et sans scrupules.

△ Si vous avez choisi 2 A + 1 B, vous manifestez dans votre jeunesse une forte tendance à dominer les autres et à vous singulariser, tandis que vous n'hésitez pas à affronter la réalité avec détermination. Cependant, il y a une limite à votre agressivité

naturelle et vous n'êtes pas prêt à n'importe quelle violence pour affirmer votre personnalité.

▲ Si vous avez choisi 3 B, vous avez tendance, dans votre jeunesse, à vous dissimuler les dangers cachés de l'existence et à fuir vos responsabilités. La réalité vous fait un peu peur, à chaque fois qu'elle se présente sous un jour cruel, et vous décidez alors de ne pas l'affronter de face. Vous ne trouvez aucune excuse aux comportements violents et agressifs de vos semblables. Bien plus, vous êtes prêt à vous battre pour la non-violence et la compréhension réciproque.

▲ Si vous avez choisi 2 B + 1 A, au cours de votre jeunesse, vous êtes hostile à toute violence et à toute agressivité. Vous préférez affronter prudemment la réalité, sans abuser de personne ni de rien. Vous restez toutefois convaincu qu'on ne peut toujours refuser le combat. Aussi n'êtes-vous pas toujours hostile à une certaine dose de volonté et d'agressivité, à condition de rester sous contrôle de la raison et de ne pas dépasser les limites.

La **maturité** est étudiée dans les tests 7, 8 et 9, pages 133-134.

□ Si vous avez choisi 3 A, il en ressort que, dans votre maturité, vous touchez à tout pour goûter la réalité sous tous ses aspects, sans vous préoccuper de trop approfondir. Vous avez une tendance à l'égocentrisme, qui vous porte à recevoir plus qu'à donner. Vous estimez qu'ayant atteint désormais le maximum de vos possibilités, le moment est venu de récolter ce que vous avez semé. Pour vous, justement, la maturité est la période où l'on recueille le fruit de ses efforts passés.

□ Si vous avez choisi 2 A + 1 B, pour vous la maturité est le moment où l'on obtient les résultats de tous les efforts passés. Dans cette période de l'existence, la réalité est pour vous un fruit d'où l'on peut extraire les sucs les plus agréables. Toutefois, malgré cette attitude foncière, vous n'avez pas l'intention de tout accepter comme définitivement acquis. Il vous reste encore assez de curiosité pour penser que c'est la période de la vie propice à l'approfondissement de certains problèmes et certains aspects.

■ Si vous avez choisi 3 B, la maturité est pour vous une période de réflexion et d'approfondissement que l'on doit mettre à profit pour creuser de nombreux aspects de la réalité, et vous êtes bien décidé à ne gaspiller aucune richesse intérieure. Pour vous, vivre, et surtout vivre sa maturité, consiste essentiellement à comprendre.

■ Si vous avez choisi 2 B + 1 A, vous avez tendance à percevoir la réalité et à en approfondir tous les aspects, plus particulièrement pendant la maturité. Vous gardez toutefois une petite marge pour bénéficier des fruits de vos efforts passés. Vous aspirez toujours à progresser sur la voie de la connaissance, sans pour autant renoncer à certaines pauses, destinées à jouir de tout ce dont vous n'avez pas profité avant.

La **vieillesse** est étudiée dans les tests 10, 11 et 12, pages 141-142.

◆ Si vous avez choisi 3 A, vous vivez votre vieillesse en vous enfermant dans un conservatisme un peu grognon. Selon vous, il ne vous reste plus guère de satisfactions à goûter dans cette période de l'existence. Alors que vous redoutez fortement la dégradation physique et celle de l'esprit, vous ne faites rien pour la combattre activement. Vous lamenter et glorifier le passé n'ont pour seul effet

que vous rendre sceptique et, tout compte fait, malheureux. Or, dans la vie, il n'existe pas de stagnation absolue. Tout est en perpétuel mouvement, à condition de donner un petit coup de pouce et de pouvoir suivre le rythme.

◆ Si vous avez choisi 2 A + 1 B, dans votre vieillesse, vous avez tendance à conserver ce que vous possédez et à regretter ce que vous n'avez plus. Toutefois, vous avez gardé un brin de dynamisme et vous retrouvez alors votre énergie, prêt à affronter toute situation nouvelle et à en voir sereinement les aspects.

◇ Si vous avez choisi 3 B, pour vous la vieillesse n'est qu'un âge inscrit sur l'état civil. En effet, sur le plan psychologique, vous êtes ouvert et dynamique. Vous vous sentez encore actif, encore désireux de goûter maints aspects de la vie, tout en manifestant ce détachement ironique, qui est la marque d'une véritable expérience.

◇ Si vous avez choisi 2 B + 1 A, vous vivez une vieillesse active et stimulante, sans perdre votre temps à pleurer le passé. Au contraire, vous êtes ouvert à toute nouvelle situation, même changeante. Toutefois, malgré cette ouverture d'esprit, il reste en vous un petit recoin de méfiance et de refus, où parfois vous vous réfugiez en vous fermant, à ces moments-là, à tout rapport stimulant avec la réalité.

Conclusion

En regroupant et en confrontant les quatre réponses obtenues, relatives aux quatre périodes de l'existence (enfance, jeunesse, maturité et vieillesse), il vous est maintenant possible de dresser un tableau complet de votre vie psychologique.

Le résultat global obtenu ne constituera certes pas un horoscope ou autre prévision. Il signifiera simplement que, confronté à diverses situations au cours des quatre périodes fondamentales de l'existence, le caractère tend vers une attitude plutôt que vers une autre.

Nos comportements face à ces situations révèlent de nombreux traits de notre personnalité. En effet, deux moments sont fondamentaux dans notre vie psychologique : nos rapports avec autrui et nos réactions face à la réalité extérieure, soit notre faculté d'adaptation aux situations variées.

Vis-à-vis de notre entourage et des circonstances diverses, nous réagissons fondamentalement de trois façons : nous restons en arrière, nous nous tenons à côté, ou nous nous projetons en avant. Si l'on se réfère, pour chaque situation ou rapport avec autrui, à un point dans l'espace, nos attitudes se situent derrière, à côté ou devant ce point de référence.

Prenons, par exemple, nos rapports avec autrui. A l'égard d'une autre personne, trois attitudes sont possibles : se tenir en arrière, à côté ou devant.

Se tenir « en arrière » signifie dépendre d'autrui, renoncer à sa propre volonté, être impuissant à s'opposer à sa détermination, en fait manifester une sorte de passivité hostile. Un genre de contact psychologique générateur de toutes sortes de rancœurs et de récriminations.

« A côté » signifie respecter sa propre dignité et celle d'autrui, manifester maturité et conscience. Dans un sens négatif, cela peut se traduire par une certaine routine, une torpeur psychologique indéfinissable et un excès de raisonnement.

« En avant » signifie partager les espoirs d'autrui et, réciproquement, prendre des orientations courageuses, exploiter toutes les ressources de son imagination. Dans un sens négatif, cela peut signifier un esprit aventureux, ou porté à la violence à l'égard des autres, un manque d'équité.

Si nous restons en deçà par rapport aux circonstances, nous accumulons frustrations, complexes d'infériorité, nostalgies non fondées, tous sentiments générateurs de méfiance et de regrets. Si nous nous situons à côté ou au cœur des situations, nous sommes à même d'affronter la réalité avec courage et détermination. Nous sommes actifs, concrets, réalisateurs. Mais, trop attachés au détail, au détriment de l'ensemble, nous risquons de ne pas voir grand, finissant par nous imposer des limites étroites, traînant une perpétuelle insatisfaction comme si, derrière nous, nous n'avions pas de passé et, devant nous, pas d'avenir. Lorsque nous nous projetons en avant, nous sommes des extrovertis, des fantaisistes, des idéalistes, avec le risque toutefois de devenir

velléitaires et de négliger la réalité concrète dans l'espoir d'un lendemain improbable.

Se tenir en arrière, à côté et en avant, s'agissant des attitudes vis-à-vis d'autrui et des circonstances extérieures, suppose toujours un certain déphasage, si nous agissons mal à propos et avec une monotonie aveugle. En revanche, en variant toutes ces possibilités et en les exploitant dans une juste mesure, nous parvenons à jouer toutes les cartes de notre caractère, avec des combinaisons tout à fait satisfaisantes.

Chacun d'entre nous, il est vrai, se situe là où l'incline son propre caractère; toutefois celui-ci ne doit jamais être perçu comme définitivement acquis, immuable et inéluctable. Il n'est pas vrai que le caractère, façonné par les gènes et les conditionnements du milieu, ne puisse échapper à un destin imposé. S'il est impossible de le changer totalement, du moins peut-on le modifier sensiblement, dans un sens positif aussi bien que négatif. Le destin d'un individu n'est écrit sur aucune étoile, ne reflète pas comme dans un miroir un au-delà nébuleux : il est plus simplement le fruit le plus tangible de la personnalité, telle qu'elle a été façonnée par ses réactions aux stimuli du milieu.

Notre caractère n'étant pas immuable, nous devons rester ouvert à tout changement, toute nouveauté en mesure de nous enrichir ou de nous modifier, ce qui ne signifie pas faire table rase du passé, celui-ci constituant une source inépuisable d'inspiration.

Notre personnalité, riche de possibilités, n'est pas appelée à rester immuable à un stade donné de son développement, elle tend au contraire à l'expansion et au dynamisme. Songeons, par exemple, aux changements profonds, dans un sens positif, qu'opèrent en nous l'amour, la liberté et le travail épanouissant; ou, au contraire, dans un sens négatif, ceux qu'entraîne une fausse conception du succès et de la richesse considérés comme une fin en soi, ou encore le pouvoir prévaricateur.

Tous les faits et événements auxquels nous assistons sont de nature à influer sensiblement sur notre caractère. Aussi devons-nous rester près de la réalité, ne serait-ce que pour la transformer à notre profit ou en conserver certaines valeurs, sans nous enfermer dans une vie étriquée préludant à l'immobilisme. « En arrière, à côté, en avant », il ne faut jamais perdre de vue ces trois points de référence constants dans nos rapports à la fois avec autrui et avec la réalité extérieure : en effet, notre personnalité n'évolue pas toute seule, mais en fonction de nos relations d'une part avec nos semblables, de l'autre avec la réalité sous tous ses aspects.

Que ces tests-jeux se révèlent d'une quelconque utilité pour le lecteur, que ce soit dans le sens du mouvement, du progrès, bref de la joie d'exister et de communiquer avec autrui, tel est notre plus grand souhait.

Les 32 types psychologiques

Le lecteur plus particulièrement motivé a été averti dans l'avant-propos qu'il trouverait, à la suite des tests, une définition résumée de son type psychologique. Dans ce chapitre, 32 types sont décrits globalement avec leurs caractéristiques principales, sur un ton mi-sérieux, mi-humoristique.

Il va de soi qu'une classification psychologique valable, si elle constitue un défi pour son auteur, est aussi comme un lit de Procuste, où il est toujours possible d'ajouter ou d'ôter quelque chose. Pour cette classification, cinq caractéristiques ont été choisies, naturellement avec leurs contraires :

— L'attitude envers soi-même : par exemple émotivité, raison.

— La faculté d'agir par soi-même, en ne dépendant ni des conditionnements, ni des autres, ni des faits extérieurs.

— L'attitude personnelle face à la réalité extérieure (extroversion et introversion).

— Le comportement vis-à-vis des autres, par exemple l'égocentrisme foncier et instinctif ou l'égoïsme tempéré par le respect d'autrui.

— La faculté d'affronter les situations avec réalisme ou, au contraire, de puiser dans les idéaux afin d'y trouver des guides auxquels se référer pour les comportements d'ensemble.

Ce sont là des éléments fondamentaux du caractère, qui toutefois n'en excluent pas d'autres, également partie intégrante de notre personnalité. Mais la place nous manque ici pour considérer toutes les combinaisons possibles, en progression géométrique, et prendre en compte la multiplicité des types psychologiques, car il faudrait y consacrer un ouvrage. Aussi avons-nous choisi, en prenant le risque d'une certaine rigidité dans la classification, de les résumer en 32 types psychologiques adaptés à chaque individu, ce qui n'exclut pas d'autres solutions plus compliquées, comparables à la gamme de nuances d'une couleur de base. Vous découvrirez le type psychologique correspondant à l'ensemble de vos choix successifs au cours des différents tests, en additionnant les signes géométriques, tantôt blancs, tantôt noirs, accompagnant certaines des réponses et des explications, sans perdre de vue qu'un même signe, blanc ou noir, se réfère à deux traits de la personnalité antagonistes. Dans le compte final, le lecteur devra écarter le signe, blanc ou noir, qui aura été choisi le moins souvent. Pratiquement, en inscrivant les résultats de ses choix successifs dans le tableau de la page 12, il ne retiendra que le signe, noir ou blanc, qui n'aura pas été écarté, parce que totalisant un chiffre supérieur. Le lecteur se retrouvera donc avec cinq signes géométriques différents (cercle, triangle, carré, rectangle et losange) comportant des combinaisons de blancs et de noirs, ou uniquement des blancs ou des noirs. Après quoi, dans les pages qui suivent, il devra se reporter à l'index, où figurent toutes les combinaisons possibles des cinq signes et, à côté de celle le concernant, il trouvera le numéro de la page qui le renvoie à la description de son type psychologique.

Index des combinaisons

1 Le réalisateur troublé

Doté d'un caractère extroverti, il aime la vie et recherche surtout son bien-être matériel, préférant jouir des aspects concrets de la réalité plutôt que de rester à méditer sur des idées plus ou moins abstraites. Son tempérament sanguin le porte à jouir pleinement des côtés pratiques de la vie. Sachant ne pouvoir compter que sur lui, il n'a besoin de rien ni de personne pour trouver la justification et l'énergie nécessaires à son propre dynamisme. Dans la pratique, c'est un individu très sûr de lui en toutes circonstances, ne laissant pas celles-ci influer sur ses comportements. Il affronte la réalité avec des idées suffisamment claires pour ne pas se laisser conditionner par les faits extérieurs. Confronté à une situation nouvelle et stimulante, il s'y jette tête baissée, frisant parfois l'inconscience, sans s'attarder à en peser le pour et le contre. Il est égoïste par certains côtés, mais pas foncièrement. Il est assez attiré par la culture et tout ce qui est susceptible de l'enrichir et de le perfectionner. Il peut même se montrer altruiste, sans que le respect des autres le détourne de ses objectifs. Il agit par lui-même, il possède tout pour s'affirmer seul, sans dépendre de rien ni de personne, de même qu'il possède un degré de maturité suffisant pour ne pas être conditionné par son enfance, et d'une façon générale par le passé. Il n'aime retenir du passé que les principes fondamentaux, conscient du fait qu'on évolue mieux dans une réalité que l'on connaît bien. D'où une certaine méfiance vis-à-vis des nouveautés et du progrès trop proclamé. De caractère émotif, il se laisse souvent guider par ses sentiments et ses instincts, témoignant alors d'une impulsivité qui le porte à un comportement quelque peu irresponsable dans certaines conditions, dû à cet état de nervosité et de perpétuelle tension dans lequel il vit. Une de ses caractéristiques les plus constantes est l'ingéniosité. Attaché à son bien-être matériel, il se plaît davantage en compagnie des autres que seul et vit dans la crainte que son émotivité et ses élans altruistes ne lui jouent de mauvais tours. Il juge alors indispensable de dissimuler sa vraie nature et devient soupçonneux, voire faux. Il n'est pas guidé par de grands principes, d'où le sentiment que rien n'est impossible dans la réalité quotidienne qui l'intéresse. Par crainte de ne pouvoir s'affirmer, il peut devenir opportuniste. Il porte en lui de nombreuses contradictions, si bien qu'on pourrait le définir comme un individu porté aussi bien aux enthousiasmes soudains qu'aux découragements rapides. Il aborde la réalité avec une forte dose d'assurance et d'optimisme. Mais s'il rencontre des difficultés d'importance, voilà que toute son assurance disparaît et il en vient à douter de ses propres qualités. Bien que doté d'une vision foncièrement optimiste de la vie, il cède souvent au désenchantement. L'inconnu, l'irrationnel, le mystère, toutes choses qu'il ne contrôle pas, le perturbent anormalement. Parmi les contradictions de son caractère, il faut noter un certain autoritarisme, s'exerçant aux dépens de quiconque ne lui paraît pas logique et réaliste. Mais cet autoritarisme, s'il y donne libre cours, peut engendrer une certaine faiblesse.

2 L'idéaliste soumis

De caractère extroverti, il est tourné vers le monde extérieur, auquel il aime être confronté, à la recherche de succès d'estime momentanés. Pour lui, ce qui compte n'est pas tant le résultat global que la satisfaction d'être de temps en temps le premier ou parmi les premiers. Il vit surtout dans l'instant présent, l'éphémère, l'occasionnel, qui l'attirent donc plus que le durable et le définitif. Pas toujours très sûr de lui, il cherche des appuis extérieurs, personnes ou choses. Non seulement il ne réussit guère seul, mais ce genre de succès ne l'intéresse pas. Très sociable, il recherche la compagnie de ses semblables, mais il risque d'en devenir esclave, contre son gré, et de ne plus pouvoir s'en passer. Sur le plan social, il serait plutôt conservateur et conformiste, préférant évoluer dans des circonstances déjà expérimentées dans le passé. Peu séduit par les idéaux, c'est plutôt un réaliste, qui sait ce qu'il veut. Parfois, il se précipite tête baissée dans les situations stimulantes, avec une audace frisant l'inconscience, mais son élan initial tombe s'il ne trouve pas un appui extérieur. Il doit sans cesse composer avec son émotivité, qui le porte parfois à une certaine impulsivité. Sur le plan sentimental, il est toujours prompt à s'enflammer, d'où une certaine inconstance dont son entourage doit tenir compte. Son égoïsme est tempéré par le respect d'autrui; il peut même faire preuve d'altruisme, mais seulement au stade des idées, c'est-à-dire par une adhésion raisonnée aux exigences des autres. On ne doit pas sous-estimer sa ruse et son ingéniosité foncières. Il sait calculer ses intérêts personnels, ne serait-ce que parce qu'il recherche le bien-être et s'efforce de mesurer son succès sur les choses matérielles. Par une sorte de crainte de faire usage de son agressivité foncière, il se tourne vers la culture, qui lui sert à renforcer ses propres défenses. Concret et efficace, il ne perd jamais de vue son intérêt personnel. A cet égard, et bien que tourné vers le monde extérieur, il est avare de ses conquêtes. En fait, il adapte son comportement aux circonstances, étant doté d'un tempérament particulièrement réceptif. Lorsque la chance lui sourit, il affiche son optimisme. En toutes circonstances, il a tendance à rejeter la responsabilité de tout sur les circonstances extérieures plutôt que sur lui-même.

3 Le dominateur dominé

Doté d'un caractère assez égoïste, il recherche son intérêt personnel, au détriment de celui des autres. Parfois, il se montre incapable d'affronter la réalité avec courage et s'enferme dans son monde intérieur, rapportant tout à lui. Comme il ne parvient pas toujours à agir seul, il devient alors dépendant d'une personne ou d'une chose, non pas par altruisme, pour se dévouer aux autres, mais en quête d'un appui. Il est cependant enclin à idéaliser la réalité, et cet idéalisme, certes naïf et restant au stade des idées, tempère son égoïsme : aussi, sur le plan social, est-il porté à défendre les idées de progrès, à condition que les droits de tous soient équitablement respectés. Il est séduit par les attitudes irrationnelles, tout en remettant sans cesse en cause leurs aspects formels. Le contraire d'un émotif dominé par ses sentiments, c'est plutôt un individu froid, toujours prêt à suivre sa raison, quand les circonstances s'y prêtent, et donnant une impression d'équilibre et de constance. Cette qualité de réflexion lui procure par moments une sérénité insoupçonnée. En résumé, c'est un individu responsable, dont les contradictions font le charme, car elles révèlent un équilibre foncièrement humain.

4 L'idéaliste rigoureux

C'est un caractère fort, chez qui l'indépendance d'esprit, associée à une grande capacité de logique et de raison, forme un bloc difficile à rompre. Son intelligence, libre de tout conditionnement, lui permet de donner pleinement sa mesure. Profondément mûr et sûr de lui, il peut devenir autoritaire, par crainte d'être soumis à une quelconque forme de dépendance. Dépourvu de toute émotivité, c'est un individu logique et rationnel, capable de s'estimer à sa juste valeur. Même sur ce point, il se révèle constant et équilibré, sûr de lui au maximum, car il s'appuie sur la réflexion. Cependant, un caractère aussi décidé et déterminé n'est guère enclin à s'exprimer dans la réalité, en ce sens du moins que le bien-être matériel et le succès de seconde zone l'intéressent peu. Son caractère introverti le rend attentif seulement à son moi, auquel il a tendance à tout rapporter. Assez égoïste, il recherche la satisfaction de son plaisir et de son intérêt personnel, même aux dépens d'autrui; toutefois, ses besoins se situent surtout au niveau des idéaux et contiennent donc une petite dose d'abstraction. Ses attitudes sont souvent spontanées et instinctives, parfois même un peu frustes; toutefois, il sait faire la part des choses, car il possède assez de culture et de bon goût pour ne pas tomber dans l'injuste ou le gratuit. Peu porté aux mysticismes, aux superstitions ou aux croyances, il ne se laisse pas conditionner par le passé, de même qu'il est totalement libéré des expériences de l'enfance, qui ont cessé de l'influencer que ce soit dans un sens négatif ou positif. Il sait parfaitement ce qu'il veut et comment l'obtenir. A cet égard, on peut le cataloguer dans le type de l'intellectuel dominateur, c'est-à-dire constituant un point de référence, une force de rassemblement pour tous ceux qui partagent ses idées. Etant surtout un idéaliste, ses attitudes sont souvent marquées par l'abstraction et peu réalistes, bien que visant toujours le progrès, mais, en revanche, souvent cohérentes, voire parfois dogmatiques. On perçoit mieux les contradictions d'un caractère de ce genre par ses réactions face à une réalité extérieure qui ne peut être modifiée par l'intervention individuelle. En effet, parfois, sa confiance en lui-même, confinant à la naïveté, le conduit au pessimisme, tandis qu'à d'autres moments, sa logique reprenant le dessus, il adopte une attitude décontractée. Ces contradictions sont le prix inévitable à payer pour une solitude pleine de nobles aspirations idéales, mais enfermée dans un égoïsme arbitraire, et aussi trop rigoureux.

5 Le dominateur altruiste

C'est l'individu à succès, évoluant dans la réalité avec une assurance désinvolte, prêt à exploiter sa propre force autant que les faiblesses de son entourage. Réaliste, il ne se laisse pas abuser par les apparences trompeuses et le succès est le but premier de son existence. S'il peut paraître souvent agressif, voire autoritaire, c'est qu'il se sent un géant dans un monde de pygmées. Doté d'une grande assurance, il a une très bonne opinion de lui-même et sait montrer un courage frisant l'inconscience, lorsque le jeu en vaut la chandelle. Ses comportements sont essentiellement caractérisés par la logique. D'un tempérament profond et réfléchi, il s'efforce de comprendre les raisons cachées de toute situation. Un caractère aussi dominateur est inévitablement porté à une certaine ruse, voire une certaine fausseté. Son opportunisme est souvent flagrant, car, comme tous ceux qui courent après le succès, il ne fait pas un geste sans en avoir pesé au préalable le pour et le contre. Sous cet aspect, il est froid, voire soupçonneux, sachant parfaitement le parti qu'il peut tirer des limites et des faiblesses de son entourage. Il n'accorde que parcimonieusement sa confiance aux autres, préférant dans certains cas se replier sur lui-même, malgré son tempérament extroverti, sanguin, amateur de sensations fortes. Dans le fond, c'est un égoïste caché, conscient que le fait de tout rapporter à lui peut se retourner contre lui. Aussi son égoisme est-il raisonné, contrôlé et mesuré. La culture et le bon goût en général lui enseignent la valeur et l'intérêt de bons rapports avec autrui, ainsi que l'altruisme comme moyen intelligent et ingénieux d'aborder la réalité sous tous ses aspects sans exception. Il est convaincu que l'agressivité ne se retourne contre son auteur que si elle est à l'état brut, alors qu'au contraire, le respect d'autrui s'intègre dans une tactique visant à mettre toutes les chances de son côté. Il ne se lasse jamais de se mesurer avec la réalité concrète, d'où un comportement toujours actif et efficace. Conscient de ses possibilités, il est foncièrement optimiste et agit avec sérénité, tranquillité, sans se laisser conditionner par le passé. Son enfance et les expériences vécues dans le passé ne lui créent aucun complexe: en effet, à l'instar de tous les réalistes et extrovertis, seul le présent l'intéresse. Sur le plan social, c'est un conformiste et un conservateur, rebelle aux aventures et aux batailles conduites au nom d'idéaux abstraits. Son domaine est le concret, de même qu'il vit dans l'instant présent. C'est un individu mûr, intelligent, responsable, dont les points faibles peuvent être un excès d'assurance et une certaine dose de fausseté, risquant de l'embrouiller jusque dans ses rapports avec lui-même. Ce sont les sentiments d'autrui qu'il comprend le moins et qu'il contrôle le plus difficilement. Le monde des émotions est un monde qu'il ne connaît pas et où, s'il s'y laisse prendre, il risque de se perdre.

6 L'égoïste émotif

C'est un idéaliste, moins intéressé par le succès matériel que par la connaissance et l'approfondissement des problèmes de l'existence. La réalité extérieure lui fait peur, tandis qu'il préfère puiser ses vérités-guides dans la culture ou, du moins, dans les expériences où intervient la réflexion. Il est donc peu réaliste et peu actif dans le sens traditionnel. Éloigné des réalités, il finit par s'enfermer dans son monde intérieur, d'où les autres sont exclus, et auquel il rapporte tout. Il est fier de cette solitude faite de culture et d'approfondissement, qu'il a du mal à confronter à la réalité extérieure. Cette fierté, très cohérente, confine parfois au dogmatisme, car il n'admet pas la contradiction. D'où un comportement peu sociable, réservé, voire timide pour ne pas dire peureux. En réalité, cet orgueil cache un égoïsme instinctif, car il ne recherche au fond que la satisfaction de ses propres idéaux, au détriment des autres. A force de vouloir faire triompher ses exigences, il en devient fruste, donnant l'impression de renoncer aux idéaux qu'il prétend poursuivre dans une solitude aussi sophistiquée. C'est un esprit religieux, du moins porté sur une religion conformiste, presque superstitieux, souvent crédule. Il est attaché au passé et aux expériences de son enfance, au point de s'en créer des complexes. Il adopte volontiers les idées de la majorité,

espérant y trouver des appuis et approbations supplémentaires. Doté d'un tempérament plutôt émotif par certains côtés, il se laisse parfois dominer par les sentiments et les instincts qui l'éloignent de la route suivie dans la poursuite de ses idéaux. Souvent impulsif, parfois inconstant, il peut être en proie à une certaine nervosité, dont il se défoule avec fougue.

7 Le raisonneur serviable

C'est un individu qui aime regarder la réalité en face. Parfaitement conscient du fait qu'il lui est impossible de ne compter que sur lui-même, chaque fois qu'il s'enferme dans son monde intérieur, il s'y trouve mal à l'aise. Très attaché au succès et au bien-être matériel, il ne peut se passer des autres, d'où un comportement ouvert et sociable. En réalité, il a besoin de dépendre d'une personne ou d'une chose, car il manque d'assurance. Il en vient même à être esclave d'idées ou d'attitudes peu originales, dont il a du mal à se défaire. D'un côté, il est bien obligé de composer avec le monde environnant, le seul à pouvoir lui procurer ce succès auquel il tend de tout son être; de l'autre, il devient esclave de ce monde, et perd de ce fait sa liberté et son indépendance. Toutefois, lorsqu'il s'est lancé dans ce jeu à double face qui consiste à prendre et à se laisser prendre, ses comportements sont lucides et cohérents. En effet, il est doté d'un esprit très logique, bien que raisonnant avec lenteur, et d'une intelligence parfois un peu trop conformiste. Aussi aime-t-il puiser une certaine assurance dans les idées et modèles de comportement de la majorité, acceptant sans discuter tout ce qui vient de l'extérieur, à condition de ne pas devoir, en contrepartie, y mettre trop du sien. D'une façon générale, il serait plutôt conservateur, peu attiré par le progrès et les idées d'avant-garde, enclin à se conformer aux modèles de comportement de la majorité, dont il adopte les principes moraux, attitudes religieuses, superstitions ou croyances. Loin d'être inculte, il est attiré par la culture et le bon goût en toutes circonstances, même s'il y voit surtout un refuge. Il possède une grande faculté d'adaptation et témoigne d'une audace insoupçonnée dans les situations qui le stimulent. Très actif, il place cependant au premier plan la réflexion au moment d'aborder la réalité concrète. Dans ses rapports avec les autres, il sait se montrer responsable. Attaché ouvertement et avec constance au bien-être matériel, il peut, quand il le faut, se montrer opportuniste, voire fourbe et calculateur. Quand ses convictions sont profondes, il s'y accroche et s'y tient avec persévérance et équilibre. Mais chaque fois qu'il se sent peu sûr de lui, son optimisme initial sombre dans la mélancolie et sa tranquillité dans l'incertitude. Il a toutes les cartes en main pour se mesurer aux autres sur un pied d'égalité et triompher, grâce à son réalisme profond, mais aussi parce que son égoïsme est tempéré par le désir constant d'enrichir son propre patrimoine culturel et qu'il se fie essentiellement à sa logique, sans se laisser prendre dans les filets de ses sentiments. Parfois cependant, et c'est là un de ses points faibles, un manque de maturité engendre chez lui une certaine forme de dépendance et diminue son assurance. Ce manque de maturité est dû, entre autres, à un attachement excessif au passé, en particulier à l'enfance ressentie tantôt positivement comme une période unique, tantôt négativement comme un conditionnement pesant.

8 L'idéaliste solitaire

C'est un individu enclin surtout à la connaissance et à l'approfondissement des problèmes de l'existence. Peu attaché au bien-être et aux succès matériels, il est séduit par tout ce qui contribue à l'étude de l'homme dans ses relations, culturelles ou scientifiques, avec la réalité. Intéressé par la théorie plus que par la pratique, il peut paraître parfois irréaliste, naïf même, surtout lorsqu'il donne libre cours à son imagination et à sa fantaisie. En revanche, lorsqu'il a choisi ses idéaux et opéré ses choix, il s'y tient avec cohérence, se montrant parfois catégorique et dogmatique. Sa force d'idéaliste réside surtout dans son assurance, dans ses facultés d'intelligence et d'indépendance d'esprit qui lui permettent de s'exprimer librement et totalement. Ce n'est pas un idéaliste passif. Au contraire, il met tout en œuvre pour réaliser ses idéaux, et même les promouvoir avec originalité. Il témoigne alors d'un certain autoritarisme, n'acceptant pas les idées des autres et refusant de changer les siennes. Confiant et mûr, il ne se laisse pas abuser par les superstitions et les croyances. Son passé et son enfance, auxquels il n'est pas attaché, ont cessé de le conditionner et ne lui créent pas de complexes particuliers. Sur le plan social, il est tourné vers le futur, c'est donc un progressiste, d'autant plus que sa spiritualité sans cesse en éveil le porte à se créer des idéaux nouveaux ou, du moins, à s'adapter continuellement à ceux déjà existants. Toutefois, il n'aime pas confronter concrètement ses idéaux à la réalité. Non seulement il ne recherche pas le bien-être et le succès, mais il refuse la réalité dans ses aspects les plus vrais et tangibles. Plus qu'un réaliste, c'est un penseur porté à des pensées abstraites, à ruminer ses idées et les grandes motivations humaines. Dans la pratique, c'est un introverti, peu sociable et très réservé, voire timide. Il peut alors faire preuve d'un profond pessimisme, parfois d'un cynisme désenchanté, comme tous ceux qui, dans la solitude, approfondissent les grands thèmes de l'existence. Son pessimisme foncier est aggravé par son émotivité. Ses sentiments et ses instincts le sollicitant continuellement, il est tendu et nerveux, et donc malheureux. Avec cette impulsivité qui le caractérise, il n'est pas toujours sûr de lui, son idéalisme et son introversion se heurtant parfois à des attitudes quelquefois incontrôlables et inconstantes. Pour surmonter cette indécision due à son émotivité, il se réfugie derrière un égoïsme forcené, dont il se sert comme d'un bouclier. Lorsqu'une idée lui tient à cœur, il cherchera à la réaliser, s'il le faut au détriment des autres, avec naïveté et naturel, sans ruse ni fourberie; son égoïsme n'en a pas moins pour effet de faire de plus en plus le vide autour de lui.

9 L'entraîneur idéaliste

Il s'agit d'un individu foncièrement idéaliste, qui recherche les vraies valeurs de l'existence dans la connaissance et l'approfondissement. Il subordonne son intérêt matériel au désir de s'enrichir sur le plan culturel et aux possibilités de donner sa pleine mesure dans un domaine artistique ou scientifique. Il est intelligent et sait mettre à contribution son bon goût inné en toutes circonstances. En effet, bien qu'idéaliste, il n'est pas seulement préoccupé d'idées abstraites et ne se réfugie pas dans les chimères à l'intérieur d'un monde clos. Au contraire, il s'efforce de faire coïncider ses idéaux avec la réalité quotidienne, de façon à imposer ses propres exigences et à en tirer un avantage maximal : c'est-à-dire, pour un individu de son espèce, un avantage d'opinion et d'estime. Il est doté d'un optimisme un tantinet naïf et incohérent, mais générateur d'enthousiasme. Dans cette perpétuelle confrontation avec la réalité, cet individu fort de ses armes spirituelles et culturelles se montre actif, toujours stimulé par ses idéaux, parfois même audacieux. Très sociable, il remet cependant continuellement en cause les idées et attitudes des autres. D'un naturel progressiste et anticonformiste, il est sans cesse poussé par le désir de tout approfondir davantage et de connaître des expériences nouvelles. Il n'adopte pas les opinions du commun des mortels et rejette surtout les croyances, les superstitions, les aspects conventionnels des religions. Son enfance a cessé de le conditionner et il ne vit pas dans le passé, mais dans le futur. Son attitude ne reflète pas le regret, mais l'espérance. Son désir de concilier idéalisme et réalité concrète tempère quelque peu son égoïsme et le conduit à un certain altruisme. Sa culture et son idéal éthique cohérents sont orientés vers des buts collectifs, où il peut exprimer ses convictions intimes. Il s'agit d'un égoïste tempéré d'idéalisme, en quête de progrès matériel et spirituel, aimant agir par lui-même. Il rayonne d'une telle assurance qu'il fait tout naturellement figure de chef ou de guide spirituel. Il peut alors devenir autoritaire, dogmatique, peu disposé à renoncer à ses convictions ou à se fier à autrui.

Il ne place sa confiance que dans les idéaux collectifs, là où il sait pouvoir conserver son indépendance. En cherchant ainsi à concilier la réalité avec ses idéaux, il se heurte à des obstacles parfois insurmontables. Il possède, en effet, une forte émotivité, ce qui l'empêche souvent d'avoir recours à la culture ou à l'expérience. Cette propension à s'enflammer au gré de ses émotions et de ses sentiments le pousse parfois à des réactions impulsives. De plus, il a une certaine tendance à l'inconstance et se montre enclin à changer sans cesse d'objectifs, quand le premier tarde à se réaliser.

10 L'égoïste serviable

En proie à de multiples contradictions, incertitudes, problèmes intimes, c'est un individu à la fois réaliste et égoïste, préoccupé presque exclusivement de bien-être matériel et de succès. Il recherche donc instinctivement son plaisir et son intérêt personnels, au détriment des autres quand il le faut. Habitué à mesurer son succès aux résultats obtenus, il n'a cependant pas toujours le courage d'affronter la réalité sans préjugés et se replie alors dans son monde intérieur, où son orgueil le porte à se considérer comme le centre du monde. Bien entendu, il entre dans cette attitude peu de réalisme et beaucoup de velléité. Par son côté porté au bien-être, il se montre concret, efficace, voire agressif et, par son côté introverti, réservé et timide. Une autre contradiction fondamentale de son caractère tient à l'opposition entre sa logique et son besoin d'un appui extérieur (chose ou personne). Il donne l'impression d'un être équilibré, constant, sûr de lui. Au fond, il possède une intelligence très responsable, qui a besoin de s'appuyer sur autre chose que son expérience pour être stimulée. C'est un réalisateur efficace des idées d'autrui ou, si l'on veut, un égoïste serviable. En effet, quand il est au service d'une personne ou d'une idée, dont il parvient à tirer un profit immédiat avec réalisme, il se sent décontracté, serein, heureux. Chaque fois que l'introversion et le réalisme égocentrique créent des obstacles, il sombre alors dans le pessimisme. Pour tenter de résoudre toutes ces contradictions, il déploie une ingéniosité qui est le fruit de son égoïsme réaliste. Son comportement est à la fois réaliste et conformiste. Conservateur sur le plan des idées sociales, il est porté sur la religion, une religion conformiste. Il est superstitieux et crédule. Il témoigne d'un vif attachement à son passé et aux expériences de son enfance.

11 L'altruiste soumis

Il s'agit d'un individu ouvert et sociable, préoccupé surtout de succès immédiats d'opinion et d'estime. Pour obtenir ces résultats, il recherche des appuis extérieurs, personnes ou choses. Il tient en grande estime la culture et le savoir en général, dont son idéalisme se nourrit continuellement. Sur cette voie difficile, il rencontre souvent des idées un peu abstraites, qu'il fait siennes également, y puisant de toute façon des certitudes personnelles; ces idées contribuent également à le remettre dans le droit chemin après d'inévitables égarements. D'où, parfois, un comportement un peu incohérent, une certaine naïveté. Parfois même, plus ses idéaux sont flous et fumeux, plus il y adhère avec ténacité, voire dogmatisme. De temps à autre, il s'autorise des aspirations progressistes à un futur social plus sûr pour lui, tout en restant très attaché au passé sur le plan sentimental. Tous ces aspects complexes et contradictoires font que c'est un être émotif, agissant au gré de ses sentiments et de ses instincts, pas toujours contrôlés par la raison. Confronté à une situation nouvelle, il est tendu et nerveux, comme dans l'attente d'un dénouement imprévisible. En résumé, il manque de maturité, malgré ses idéaux et sa culture, et aussi de l'estime de soi nécessaire pour être créatif. Il dissimule parfois son agressivité naturelle, par crainte des autres. Culture et éthique lui enseignent que l'égoïsme n'est pas toujours payant, aussi ses comportements sont-ils, par moments, altruistes. En fait, c'est un idéaliste, volontairement esclave de ce qu'il idéalise. C'est aussi un émotif, qui interprète instinctivement ce qu'il ne comprend pas par la seule logique.

12 Le dominateur solitaire

C'est un individu qui s'intéresse en tout premier lieu à son bien-être et au succès, et qui mesure ses conquêtes avec le mètre du réel, du concret, du tangible. D'un tempérament égoïste, il a tendance à faire payer aux autres le prix de ses succès. En fait, c'est un égocentrique qui se comporte avec un profond réalisme pour satisfaire son intérêt personnel et matériel. Il est efficace, fort, agressif, mais toujours avec un fond de naturel et de naïveté, qui fait qu'on lui pardonne souvent son comportement. Il est peu attiré par la culture, qu'il considère comme un frein à son bien-être matériel. De même, il n'entre guère de subtilité dans ses idées sociales : il adopte telles quelles les idées de la majorité et les adapte avec conformisme à la réalité, ne cherchant pas à les discuter ou à les enrichir. Dans cette recherche du succès, il n'a besoin de rien ni de personne, que ce soit sur le plan intellectuel ou sur le plan matériel, son intelligence et son indépendance d'esprit lui suffisant amplement. C'est un individu mûr et sûr de lui, qui sait exploiter au maximum toutes ses ressources. Il possède des qualités indéniables de chef, toujours capable de s'exprimer avec autorité. Il n'est ni attaché à l'enfance ou au passé, ni conditionné par la culture, quand il en a. Il ressemble à un marcheur qui ne porte rien pour avancer plus vite. Dans cette recherche du bien-être, réalisée avec une confiance réaliste, il utilise logique et raison, qui constituent les points forts de son caractère. Très raisonneur, il se montre toujours réfléchi, équilibré, logique, sûr de lui. Il sait être opportuniste quand il le faut, et apparaît alors froid et calculateur, aussi est-il souvent gagnant. Doté d'un esprit réfléchi et d'un grand sens des responsabilités, il ne se laisse pas troubler par les expériences de la vie. Il les assume, au contraire, avec désinvolture et affiche donc sérénité, tranquillité, bonheur même. Il tend à faire de cette course au succès, logique et confiante, une performance solitaire. C'est en effet un introverti, qui n'aime pas le contact avec autrui, un chef voué à gagner seul, quand il gagne. Il est peu sociable et très réservé, voire timide, d'où chez lui un certain pessimisme, un peu cynique et amer.

13 L'idéaliste réalisateur

Il s'agit d'un idéaliste enclin à traduire ses aspirations par une attitude logique au sein de la réalité qui l'entoure. Ses comportements sont caractérisés pour la plupart par la constance et la stabilité, sur le plan sentimental également. C'est un individu sûr de lui, qui n'est pas esclave de ses émotions. Il possède un bagage culturel, ou du moins le désir de s'en constituer un, qui lui permet de voir les choses en profondeur et d'agir avec sagesse. Le passé et les expériences de l'enfance ont cessé de le conditionner, ce qui lui confère une grande maturité intellectuelle et un équilibre constant. Sa force est la mesure, cette qualité d'abord instinctive, puis raisonnée, qui sait cadrer chaque situation dans ses justes proportions. Aussi est-il à même d'affronter la réalité, avec de fortes chances de succès. Cette maîtrise et cette mesure ont leur revers : une certaine rigidité, une froideur un peu calculatrice. Toutefois, ce type d'individu suit inflexiblement sa ligne de conduite, sans jamais en dévier. Bref, c'est un idéaliste modéré, fidèle à ses idées, porté à traduire dans les faits ce qu'il conçoit par la raison : il sait en effet dominer les événements et imposer ses idées avec un équilibre mesuré. Il n'est jamais trop esclave de ses émotions et de ses sentiments. Sur le plan social, il se montre progressif, axé constamment sur le futur, dans l'espoir d'améliorer un passé qu'il faut continuellement adapter. Il voue un véritable culte à la culture en général, artistique ou scientifique, conscient que son intelligence, pour se perfectionner, doit s'en nourrir sans cesse. Cet amour de la culture renforce sa rigueur logique innée, son pouvoir de réflexion, son sens des responsabilités. Affrontant les situations avec ce réalisme intelligent, cet idéalisme équilibré, rien d'étonnant si son comportement est aussi foncièrement optimiste. Conscient de sa propre valeur, il connaît l'attrait des idéaux quand ils sont considérés avec une intelligence mesurée, il n'est pas angoissé, mais, toujours serein, il agit avec calme et décontraction. Très actif, il met tout en œuvre en vue de la réalisation de ses objectifs. Parfois même, cet excès d'activité le rend un peu brouillon et téméraire. Tel est d'ailleurs le destin de presque tous les idéalistes extrovertis, qui mènent de front plusieurs projets, cherchant à les réaliser tant bien que mal, en s'exposant à des défaillances.

14 L'égoïste peu sûr de lui

C'est un individu plutôt égoïste, qui recherche instinctivement son intérêt personnel, quand il le faut au détriment des autres. Pour ce faire, il s'appuie sur un fort sens des réalités, qui le porte à tenir compte du réel concret et tangible dans la poursuite du succès, ce goût du concret le rendant efficace, voire agressif. Sur le plan social, c'est un conformiste et un conservateur, prêt à tirer le maximum de profit de situations déjà expérimentées, pour ne pas risquer d'être déconcerté par leur côté novateur. Malgré ses efforts pour évoluer à son aise dans la réalité, il a parfois besoin d'appuis extérieurs pour bien comprendre les situations et les affronter en toute sécurité. Ne croyant guère dans le pouvoir d'autonomie de la culture, il risque de devoir dépendre de quelque chose ou de quelqu'un. C'est un individu doté également d'une forte émotivité et d'impulsivité. Confronté aux difficultés à se mouvoir sur ce terrain à la fois pratique, égoïste et réaliste qu'il recherche, il se replie parfois sur lui-même, dans une solitude introvertie, où il a l'impression de ne plus dépendre de rien ni de personne. En réalité, il rapporte tout à lui et devient peu sociable, réservé dans ses rapports avec autrui, voire timide. Son attitude introvertie le rend peu actif, le laissant avec des regrets de tout ce qu'il a laissé bêtement passer.

Suite du test de la sexualité. Voici, sur la page de droite, l'objet G et, au verso, l'objet H. Lequel préférez-vous ? Notez votre choix car il vous servira dans les explications finales.

15 L'altruiste soumis

C'est un individu foncièrement idéaliste, moins intéressé par le bien-être matériel que par le fait de tout connaître et tout approfondir. Très séduit par la culture, il y puise un renouvellement et un enrichissement continuels de ses propres idées. Mais une fois qu'il les a faites siennes, il en est esclave dans une certaine mesure. En effet, il manque d'assurance et de l'indispensable confiance en soi, ce qui l'oblige à rechercher des appuis extérieurs. Le passé, par exemple, continue à l'intriguer, de même que les expériences de l'enfance ont laissé en lui une marque sensible, dans un sens tantôt négatif, tantôt positif. De caractère extroverti, il aime regarder la réalité en face. Cependant, ce n'est pas le succès ou le bien-être qui l'attire dans la réalité de tous les jours, mais un besoin d'estime ou d'admiration pour ses qualités morales. En fait, c'est un idéaliste qui a bien les pieds sur terre, cherchant à traduire dans les faits les idéaux qu'il s'est forgés. Aussi, aux yeux de son entourage, apparaît-il comme un individu ouvert et sociable, qui ne vit pas enfermé dans un monde intérieur fait d'abstractions. Quand son idéal est suffisamment stimulant, il est capable d'altruisme, voire de comportements très courageux. Bien que manquant parfois d'assurance, il sait être cohérent et constant dans la poursuite de son idéal. Cet individu, généralement un peu naïf et brouillon sur le plan pratique, peut se montrer intransigeant et dogmatique quand il s'agit de défendre un idéal dont il est convaincu. Chaque fois que cet idéal lui permet d'aborder la réalité avec efficacité, il se montre logique et raisonnable, avec un fond d'équilibre d'autant plus méritoire qu'il a du mal à l'acquérir. Il ne réussit pour ainsi dire rien avec facilité, toutefois son idéalisme de personne extrovertie le porte à la sérénité qu'il puise, quand il manque de confiance en lui, dans les motivations des idéaux qui restent constamment les siens. En résumé, il parvient à triompher de ses contradictions intérieures, qui sont importantes, chaque fois qu'il réussit à conjuguer imagination et idéal avec les exigences de la réalité. En somme, il arrive à faire coïncider son égoïsme avec les exigences des autres, et sa culture, qu'elle soit apparente ou intériorisée, fait que ses comportements ne sont jamais frustes.

16 L'égocentrique troublé

C'est un individu continuellement bouleversé par des émotions, et dont les réactions sont essentiellement affectives. Sa faculté à s'émouvoir est complexe, car il réagit, dans un sens comme dans l'autre, aux stimuli extérieurs avec exagération. Doté d'un tempérament vif et nerveux, il n'est pas toujours sûr de lui. D'où un comportement peu sociable, très réservé et timide, égoïste aussi : il recherche en toutes circonstances son intérêt personnel, au détriment de celui des autres; c'est un instinctif porté à la satisfaction de ses exigences. Rebelle à la culture et aux attitudes sophistiquées, il donne l'impression d'être un peu fruste. Profondément attaché à son bien-être matériel, même lié à l'occasionnel, il a tendance à mesurer son succès aux réalités concrètes, et se fixe des objectifs limités. Parfois avare de lui-même, il attache un prix excessif aux choses matérielles. A court terme, il est concret, efficace, voire opportuniste : il fait en effet preuve d'une certaine ingéniosité quand il s'agit de tirer le maximum de profit personnel de toutes les situations. C'est un conservateur et un conformiste, davantage à l'aise dans les situations déjà expérimentées. Émotif et introverti, il fait flèche de tout bois pour agir sans appui extérieur. Dans sa recherche du bien-être matériel, il se montre réaliste, libre de toutes formes de dépendance sentimentale ou idéologique. Doté de cette intelligence autonome et de ce tempérament, il pourrait s'exprimer totalement, s'il n'était freiné par certains états affectifs comme l'émotivité et un caractère peu sociable. C'est un individu sûr de lui, voire autoritaire. Il n'est conditionné ni par le passé, ni par l'enfance, ni par les croyances irrationnelles.

17 Le réalisateur freiné

C'est un individu introverti, exclusivement attentif à son monde intérieur, son unique référence pour agir et ressentir. Très souvent inadapté aux réalités, il rapporte tout à lui, une attitude qui lui est particulière. Il n'a besoin de rien ni de personne, son intelligence personnelle très profonde lui assurant une indépendance presque totale. Il n'accepte, parmi les idées conformistes générales, que ce qui peut servir son action concrète et, sur ce point, c'est un conservateur. Il est rebelle aux idées qui heurtent la logique, les superstitions, par exemple. Son passé et les expériences de son enfance ont cessé de le conditionner. Ce n'est pas un penseur solitaire et abstrait, mais un réaliste, porté vers le bien-être et le succès. Toutefois, il n'est pas disposé à se dépenser pour acquérir ce bien-être et ce succès, ils doivent récompenser ses qualités personnelles. En ce sens, on pourrait le définir comme un artiste du concret. Sa forte prédilection pour les expériences vécues et concrètes ne contredit pas son manque de sens pratique : en effet, seule son expérience compte pour lui, et la réalité peut se venger en lui faisant sentir le poids de ses propres lois. Bref, son réalisme est d'un type particulier, compliqué, car il fonde son succès sur des réalités concrètes, à condition que soient respectées, en principe, ses exigences et expériences personnelles. Pour toutes ces raisons, dans son caractère apparaissent de nombreuses contradictions, même s'il parvient à les dissimuler avec habileté. Il allie un esprit réaliste et efficace à un certain détachement vis-à-vis des aspects les plus étendus de la réalité. Ayant tendance à tout rapporter à lui, il est au contraire rebelle à toute action centrifuge. Un puissant self-control, un goût et un raffinement innés sur le plan culturel s'allient chez lui à une certaine émotivité qui le rend nerveux, sujet à des humeurs, impulsif. Aussi doit-il fournir un gros effort pour contrôler son émotivité, une attitude parfois facilitée par sa réserve naturelle, pour ne pas dire par sa timidité. Sûr de lui et autoritaire dans son comportement à l'égard des autres, il éprouve une certaine crainte de son propre égoïsme, et là réside un de ses points faibles. En effet, ramenant tout à lui, très indépendant et aspirant à se réaliser avec un pragmatisme profond, il ne peut se payer le luxe de faiblesses émotionnelles et sentimentales, dont il est parfois esclave. Pour rétablir un difficile équilibre entre des tendances aussi contradictoires, il fait appel à sa modération d'égoïste raffiné, capable d'altruisme. Son agressivité, en quelque sorte « freinée », lui permet de stabiliser les composantes de son caractère.

18 L'égocentrique énigmatique

Il s'agit d'un caractère très compliqué, en proie à de multiples contradictions. Cet individu extroverti, et donc profondément réaliste, aime se mesurer avec la réalité, dont il cherche à tirer le maximum de profit. Il est actif, doté d'une grande ouverture d'esprit et d'une grande disponibilité, attiré par l'inconnu. Ouvert, sociable, il serait même un peu inconscient quand les circonstances le stimulent. A cet égard, c'est un optimiste, qui se sent fort et désireux de s'exprimer concrètement. Stabilité et égoïsme sont les deux composantes de son caractère qui l'aident à s'adapter à la réalité. Il puise dans la stabilité la force de sa logique, l'équilibre de ses comportements, la responsabilité de ses attitudes. Dans l'égoïsme, il trouve la force de l'instinct, une sorte d'authenticité un peu fruste, un manque de finesse. Il s'agit donc d'un individu sûr de lui et stable, doté du sens des responsabilités, sachant doser sa réflexion. D'où un comportement décontracté et, aux yeux des autres, tranquille et serein, parfois même heureux. Il se méfie de la culture, coupable à ses yeux de le détourner de ses objectifs pratiques. Mais si ces deux composantes de son caractère l'aident dans son approche de la réalité, il en est deux autres qui le freinent : l'idéalisme et le besoin de dépendre d'un appui extérieur. L'idéalisme le porte à la connaissance et à l'approfondissement des problèmes, et aussi de cette culture, dont il se méfie par ailleurs. Porté au concret par sa nature, son idéalisme en fait un

individu un peu abstrait, plaçant une confiance excessive dans les idées. L'idéalisme lui confère une certaine cohérence, mais le rend dogmatique et peu souple. A l'exigence du progrès, qui se dissimule dans toute personne réaliste, s'oppose son conservatisme d'individu dépendant, qui préfère parfois s'appuyer sur les idées de la majorité. Il se laisse encore conditionner par les expériences du passé, notamment de l'enfance, ressenties tantôt positivement, tantôt négativement. En conclusion, la complexité de son caractère le fait souvent paraître énigmatique, tant à ses yeux qu'à ceux des autres.

19 L'émotif soumis

C'est un individu enclin à se replier sur lui-même, parfois incapable de s'adapter à la réalité; en effet, d'un côté il est centré sur lui-même et, de l'autre, il ne se fie guère à sa capacité d'agir seul. Souvent, la crainte d'affronter la réalité provient de son émotivité. Se fiant davantage à ses instincts qu'à la logique, il est généralement tendu et inquiet, comme s'il était perpétuellement en quête d'un point de référence sûr. Son intelligence l'oblige à de continuelles confrontations et adaptations, qui freinent son pouvoir de décision. D'une façon générale, il se conforme aux idées de la majorité sans les discuter, y trouvant sécurité et stabilité. C'est un conformiste et un conservateur, pas seulement sur le plan social. Attiré par l'irrationnel, il est légèrement superstitieux et mal préparé à approfondir certains thèmes de l'existence. Un certain pessimisme le conduit à la mélancolie parfois, quand, par exemple, il a conscience de dépendre d'une chose ou d'une personne. Parce qu'elle lui apporte quelques certitudes, la culture représente pour lui un bouclier dont il se sert pour se protéger de ses incertitudes. Le bon goût le met à l'abri d'attitudes erronées et l'altruisme lui offre un recours supplémentaire. En définitive, son égoïsme est contrôlé et mesuré, même sur le plan culturel, sur les exigences d'autrui. Le bouclier le plus efficace pour un caractère de ce type reste un certain opportunisme. Aussi peut-il paraître légèrement méfiant et ambigu, alors qu'en fait il utilise le minimum d'ingéniosité indispensable pour se réaliser efficacement.

20 L'idéaliste égocentrique

C'est un individu essentiellement idéaliste, moins intéressé par le succès personnel que par la connaissance et l'approfondissement des problèmes de l'existence. Puisant ses idéaux dans la culture plus que dans l'expérience personnelle, il a cependant tendance à les libérer de toute abstraction pour les traduire concrètement dans les faits. C'est en effet un extroverti, qui aime se mesurer avec la réalité concrète. Comme tout individu extroverti, il est également ouvert aux rapports humains et se lie facilement. Confronté à une situation nouvelle, en mesure de le stimuler sur le plan de l'idéal, il témoigne aussi d'une audace confinant à l'inconscience. Il est actif, bien que se fiant à son imagination et à sa fantaisie au point de paraître un peu naïf ou brouillon. Attiré par la dynamique de la nouveauté et stimulé par les expériences inconnues, il aspire au progrès. Porté à traduire ses idéaux dans la réalité concrète, il parvient à donner toute sa mesure, avec une intelligence autonome. Il ne tolère, en effet, aucune forme de dépendance et, à cet égard, peut paraître dogmatique, voire autoritaire, car il ne se laisse pas facilement convaincre. Le passé et l'enfance ont cessé de le conditionner. Mûr et sûr de lui, il affiche le plus parfait mépris pour les croyances et superstitions, toujours ennemies de la culture et du progrès. Son esprit d'indépendance est renforcé par la puissance de sa logique et de sa raison, qui lui confèrent un grand équilibre en même temps qu'une assurance un peu orgueilleuse. Réfléchi et responsable, très cohérent, il affronte les circonstances avec une grande sérénité. Il a tout en lui pour réaliser ses idéaux et acquérir une tranquillité enviable. Dans ses attitudes à la fois extroverties et cohérentes, se glisse un brin d'égoïsme, qui lui ôte quelques scrupules. Quand il est convaincu de la validité de son idéal, ce qui lui arrive souvent, il poursuit instinctivement son objectif et son intérêt personnels, au détriment des autres. Cet égoïsme n'est toutefois pas dissimulé, mais naturel et spontané, contredisant dans une certaine mesure ce raffinement idéal où il puise ses intentions.

21 Le réaliste réservé

Il s'agit d'un individu essentiellement introverti, enclin à tout ramener à lui, un peu parce qu'il a une très bonne opinion de lui-même, un peu parce qu'il se sent incapable d'affronter la réalité extérieure avec une conviction suffisante. Malgré ce repli sur lui-même, il est tout à fait réfractaire aux idées abstraites, recherchant de préférence le bien-être et le succès, même s'il a parfois du mal à tirer avantage des situations indépendantes de sa volonté. Il est sans cesse tiraillé entre le désir de s'imposer dans la réalité et sa réserve. Il n'est guère sociable, plutôt réservé, mais sa timidité naturelle se traduit parfois, par contraste, par une certaine agressivité. Ayant également le sens de ses intérêts pratiques, il est concret et efficace, habile à exploiter ses dons de logique et de raison. Cette objectivité sereine est facilitée par

sa culture, qui le conduit à adopter des attitudes réfléchies. Une chose surtout compte pour lui : s'enrichir spirituellement et approfondir continuellement ses propres thèmes de l'existence; car l'on ne saurait rester trop longtemps enfermé sur soi sans avoir au moins des apports et des justifications moraux. Son égoïsme, caractéristique d'un individu raffiné, peut déboucher sur l'altruisme, car il a besoin aussi de se dévouer aux autres. Il peut également mettre son intelligence et sa logique au service de son opportunisme, faiblesse de tous ceux qui rapportent tout à eux. Sur le plan social, c'est un conservateur et un conformiste, qui se méfie des aventures et des idées non confirmées par l'expérience. Ce qui ne l'empêche pas de rejeter les attitudes les moins logiques et les plus instinctives de la majorité, croyances et superstitions par exemple. Enclin à un comportement indépendant et responsable, il ne se laisse conditionner ni par le passé ni par les expériences de l'enfance. Malgré la bonne opinion de lui-même et la confiance en lui qu'il affiche, il connaît des moments de pessimisme, mais ils ne sont jamais très profonds. Comme chez toutes les personnes intelligentes, mûres et libres, son pessimisme foncier peut se traduire par une forme de cynisme qui n'est jamais du parti pris. Il a trop conscience de sa personnalité et de la réalité pour se bercer d'illusions. Le sens de la mesure est probablement sa plus grande qualité, malgré certaines contradictions et un égoïsme parfois excessif. Son caractère est équilibré par une série de contrepoids intelligents qui, aux moments opportuns, lui permettent de fonctionner tel un mécanisme bien huilé.

22 Le guide guidé

Il s'agit d'un individu essentiellement idéaliste, enclin à connaître et approfondir les problèmes de l'existence. Toutefois, il s'efforce, dans la mesure du possible, de sortir des idées abstraites pour se mesurer avec la réalité, car c'est un caractère extroverti, ouvert aux autres et sociable, audacieux même lorsque les circonstances le stimulent. Il a parfois tendance à dépendre d'autrui et à témoigner d'une naïveté excessive. Comme tous les extrovertis et les idéalistes, il se fie beaucoup aux autres. C'est aussi un émotif, parfois instinctif et sentimental, toujours sous tension et nerveux, incohérent par certains côtés. Il lui arrive de perdre toute estime de lui-même, toute force d'idéal, et il se sent malheureux. Il se réfugie souvent dans l'égoïsme qui, chez lui, est spontané et naturel. S'il le pouvait, il ferait toujours payer aux autres le prix de la satisfaction de ses intérêts. Dans ses moments d'égoïsme, il peut paraître fruste, oubliant presque ce raffinement, ce goût de la connaissance, provenant de sa culture.

23 Le soumis réfléchi

C'est un individu introverti qui ramène tout à lui, ne serait-ce que pour éviter une confrontation directe avec la réalité. Pour agir, il a parfois besoin d'un appui extérieur, mais il est toujours à la recherche de son bien-être et du succès. Son comportement est donc logique et réaliste. Il ne se berce pas d'illusions. Modelant ses attitudes sur celles de la plupart des gens, il se met d'une certaine façon à leur service. Sur le plan social, c'est un conservateur et un conformiste, qui ne remet jamais en cause les comportements de type mystique et religieux, ou les superstitions et croyances. Il les prend telles qu'elles sont, espérant y trouver un appui supplémentaire. Il juge commode d'adopter les idées reçues, ainsi que celles provenant des expériences du passé et de l'enfance. Il agit souvent avec une logique concrète, un réalisme efficace, avec équilibre, constance, responsabilité et assurance. Il estime à sa juste valeur ce sens du concret qui lui fait rarement défaut. Son comportement décontracté, sans nervosité, lui procure calme et sérénité, malgré un fond de pessimisme propre aux personnes un peu renfermées et réservées. Au fond, ce repli sur lui-même pour réfléchir à la réalisation de ses intérêts pratiques en mettant toutes les chances de son côté lui confère une attitude détachée, légèrement ironique, parfois même cynique, caractéristique des égoïstes dotés d'un certain raffinement. Le cas échéant, il fait montre d'une agressivité insoupçonnée. Son égoïsme est freiné, parce que toujours habilement contrôlé par la culture et le besoin d'approfondir certains aspects que d'autres jugent négligeables. Le besoin incessant de comprendre et d'approfondir le conduit aussi à des attitudes parfois dictées par la logique plus que par les sentiments.

24 L'idéaliste émotif

C'est un idéaliste qui base son comportement sur des motivations liées à l'homme. Il recherche moins le succès matériel que la connaissance et l'approfondissement des problèmes de l'existence. Il tient en grande estime la culture et la science en général; mais ses expériences étant toujours plus liées à l'esprit qu'au concret, il risque d'apparaître un peu abstrait et théorique. Toutefois, une autre composante essentielle de son caractère le sauve d'un excès d'abstraction: c'est un extroverti. En tant que tel, en effet, il est enclin à mesurer ses idéaux à la réalité. Souvent, il plonge dans le réel, dans l'intention d'exploiter à fond ses idées. Aussi, à ses yeux, le succès n'est-il pas matériel, mais d'opinion et d'estime. Étant aussi un peu égoïste, il cherche à réaliser ses objectifs élevés, parfois au détriment des autres. Il peut alors

oublier sa culture et sa finesse d'esprit, abordant la réalité avec une spontanéité confinant parfois à la grossièreté. Il met tout en œuvre pour ajuster ses idéaux avec la réalité, se montre sociable, ouvert aux contacts humains. Confronté à des situations nouvelles et stimulantes, il fait preuve de courage. En cherchant à réaliser ses idéaux, il est servi par un brin d'optimisme, qui lui vient de son caractère extroverti, et le porte à une confiance un peu naïve. Mais son comportement reste toujours cohérent, frisant parfois un dogmatisme qui n'admet pas la critique. Dans le domaine social, c'est un progressiste, attiré par les idéaux perpétuellement changeants. Il ne se laisse influencer ni par la religion ni par des superstitions ou croyances, de même que le passé ou l'enfance ont cessé de le conditionner. Cet aspect de son caractère, en contradiction avec ses certitudes théoriques, est défini par une certaine émotivité et il réagit avec exagération aux sollicitations extérieures. Il est souvent sentimental, parfois instinctif, mais toujours vif, tendu, sensitif, se laissant souvent dominer par ses émotions.

25 L'émotif contrôlé

C'est un idéaliste, recherchant moins le bien-être matériel et le succès que la connaissance et l'approfondissement des problèmes de l'existence les plus complexes. Pour ce faire, il se tourne activement vers la culture en général, celle-ci l'enrichissant continuellement d'expériences intellectuelles. Négligeant la réalité au profit de ses idéaux, il est parfois enclin à se replier sur lui-même et à tout ramener à lui. Une fois qu'il a assumé ses choix, toujours orientés vers l'enrichissement de l'esprit, il n'a plus besoin de rien ni de personne. Il cherche à exprimer totalement tout ce qu'il a mûri en lui et, à cette fin, il poursuit des idéaux artistiques, scientifiques ou humanitaires d'envergure. Cette indépendance d'esprit ne l'empêche pas d'être également altruiste, car il s'emploie à faire partager ses idéaux aux autres et à les convaincre de poursuivre un dessein commun. A cet égard, c'est un progressiste, hostile aux idées toutes faites de la majorité, qui a tendance à tout remettre en question. Séduit par les grands thèmes de l'existence, principalement ceux axés sur le progrès de l'homme, il se passionne pour toutes les nouveautés, qu'il considère comme la base d'une étude plus approfondie. Il est réfractaire aux croyances et aux superstitions. Il y a, chez lui, une certaine complaisance intellectuelle, hostile aux comportements frustes et intuitifs, le raffinement et le bon goût l'attirant en toutes circonstances. A cet égard, sa culture paraît souvent un peu abstraite et livresque, en ce sens qu'elle ne tient pas compte des réalités. Pour atteindre ses objectifs, il fait preuve de maturité et de confiance en lui, tombant parfois dans l'autoritarisme par son refus de dépendre de quoi que ce soit. Sa cohérence et sa logique frisent le dogmatisme, car il accepte difficilement de renoncer à ses idées. Lorsqu'il s'agit de les mettre à exécution, il se montre un peu brouillon, confiant et ingénu, n'ayant pas l'habitude des réalisations concrètes. Il n'est guère actif, du fait d'un certain pessimisme foncier. Sa faiblesse peut toutefois résider dans son émotivité, très forte, qui lui dicte de temps en temps un comportement intuitif dans la réalisation de ses idéaux.

26 L'égocentrique confiant

C'est un individu égocentrique, qui recherche instinctivement son intérêt personnel, au détriment des autres. Il agit avec sincérité et franchise; toutefois, sa méfiance vis-à-vis des enrichissements culturels et sa crainte d'être détourné de ses objectifs lui dictent parfois des attitudes un peu frustes. C'est naturellement un extroverti, enclin à affronter la réalité extérieure pour en tirer le maximum de profit, sociable, aimant les contacts humains, actif et optimiste. Parfois, il fait preuve de témérité, lorsque l'objectif à atteindre lui paraît particulièrement stimulant. C'est aussi un réaliste, attiré par le bien-être matériel et le succès tangible. Malgré son caractère sociable, il lui arrive de se replier sur lui-même. Dans ces cas-là, il attache un prix excessif aux choses matérielles, les autres représentant à ses yeux des obstacles à sa réussite. Efficace et agressif, il ne dédaigne cependant pas de recourir à la ruse. S'agissant d'un pragmatique attaché au fond plus qu'à la forme dans une situation donnée, il envisage toutes les possibilités sans en exclure aucune. Un peu méfiant, il appréhende les attitudes de ceux auxquels il doit se mesurer. Sur le plan social, c'est un conservateur et un conformiste, préférant évoluer au milieu de situations et d'idées déjà éprouvées, pour éviter les mauvaises surprises. Il pense réaliser des progrès concrets dans une société qu'il connaît bien plutôt que dans une société nouvelle. Il recourt souvent à la logique et à la raison pour satisfaire ses instincts, gardant toujours équilibre et confiance. Il est réfléchi et responsable, serein et tranquille. Toutefois, cette assurance et ce manque d'émotivité dans son comportement sont contredits par une autre composante de son caractère, soit une certaine dépendance des autres.

27 L'émotif peu sûr de lui

C'est un individu qui préfère s'enfermer dans son monde intérieur plutôt que d'affronter la réalité. Il s'efforce, à l'intérieur de ce monde, d'en connaître et d'en approfondir tous les aspects qui, sans être liés au conditionnel, résument les tendances et les finalités de l'existence. En fait, c'est un intellectuel, replié sur lui-même, en quête d'idéaux. Parfois, sachant ne pouvoir agir seul, il se sent peu sûr de lui. Il se raccroche surtout à des idéaux, qu'il tire de la culture plus que de la vie. Il affiche un self-control permanent et cherche à faire coïncider ses propres exigences avec celles des autres. Son attitude à l'égard de la culture lui confère un certain raffinement, un bon goût, qui constituent ses caractéristiques extérieures les plus appréciées. Son introversion se complique parfois d'une certaine émotivité, celle-ci constituant une autre composante essentielle de son caractère. C'est donc un individu émotif, toujours sous pression, en proie à des sentiments intenses, un impulsif. Il en éprouve tout naturellement une insatisfaction, qui le rend parfois malheureux. Son pessimisme solitaire peut le conduire à se laisser conditionner par des attitudes irrationnelles, comme les superstitions, de même que par le passé et les expériences de l'enfance. Quand la logique l'emporte chez lui, en particulier dans ses comportements au sein de la société, il est assez progressiste, en ce sens du moins qu'il capte les tendances nouvelles et d'avant-garde. Son caractère lui complique parfois l'existence, car il ne réussit pas toujours à jouir des aspects les plus concrets de la réalité et devient même parfois esclave de ses méditations solitaires. Il est toujours nerveux et tendu, en raison de sa forte émotivité.

28 L'égocentrique triomphant

C'est l'incarnation de l'égoïste, porté instinctivement à rechercher son intérêt personnel, au détriment des autres, et qui, pour y parvenir, allie extroversion, réalisme, indépendance d'esprit et persévérance. Il se montre naturel et spontané dans cette recherche de son bien-être personnel, qui n'est jamais freinée par des attitudes intellectuelles. Il est peu séduit par la culture, qui à ses yeux édulcore les difficultés de la vie. Il adopte alors des attitudes dépourvues de finesse, mettant en relief son égocentrisme rigide. Pour obtenir le maximum d'avantages concrets, il prend la réalité à bras-le-corps, tirant le maximum de profit des situations auxquelles il est confronté. Aussi reste-t-il ouvert à tout contact avec l'extérieur, qu'il sollicite continuellement, donnant l'impression d'un individu ouvert et sociable. Confronté à des situations nouvelles et stimulantes, il peut faire preuve d'un grand courage. Loin de se soustraire aux difficultés de l'existence, il les accepte avec optimisme. Dans sa recherche du bien-être matériel et du succès, il agit avec réalisme, sans compromission sur le terrain des idéaux. Concret et efficace, il n'hésite pas à recourir à la ruse. Son réalisme, au fond, est empreint d'un brin de cynisme. Il est opportuniste chaque fois que son intérêt personnel est en jeu, et méfiant quand ses contacts avec autrui lui suggèrent de nouvelles expériences. Sur le plan social, il n'apprécie guère, non plus, les aventures et les idéalismes. Conservateur et conformiste, il observe les modèles de comportement de la majorité déjà éprouvés et, de ce fait, mieux connus. En ce qui le concerne, n'aimant pas les risques que comporte la nouveauté, il est plus à l'aise dans les situations qu'il connaît bien. Pour évoluer dans le réel, il recourt le plus souvent à la logique et au raisonnement, qui deviennent des instruments de succès, lui assurant cet équilibre et cette constance qui sont le propre des individus calculateurs. Il agit toujours avec désinvolture, frappe son entourage par son assurance. Ce pouvoir de réflexion et ce sens de la responsabilité lui procurent sérénité et bonheur chaque fois qu'il obtient le succès. Pour exploiter au maximum ses ressources, il est doté d'une intelligence autonome, qui ne se perd pas trop dans les sentiments et les émotions. Il est sûr de lui et mûr, parfois autoritaire. Rejetant superstitions et croyances, et n'étant plus conditionné par le passé et les expériences de l'enfance, il n'a donc pas de complexes et va de l'avant avec désinvolture et assurance.

29 L'idéaliste réfléchi

C'est un individu introverti, qui évite de regarder la réalité en face, jugeant que les seules expériences valables sont celles mûries au sein de son monde intérieur. Il est moins intéressé par le succès matériel que par la connaissance et l'approfondissement des problèmes de l'existence. Ce faisant, il se constitue un bagage d'idéaux, qui sont les véritables forces motrices avec lesquelles il parvient à donner toute sa mesure. Il agit par lui-même, libre de tout conditionnement extérieur, dépendant seulement de ses idéaux, qu'il parvient généralement à réaliser complètement, ne serait-ce que parce qu'il n'admet de compromis avec personne. Il est doté d'une grande rigueur logique, due surtout à l'estime qu'il a pour lui-même et ses idéaux. Son caractère réfléchi lui confère un sens profond des responsabilités. Détaché de son passé et des expériences de son enfance, il éprouve une certaine méfiance envers tout ce qui ne se mesure pas avec le mètre de la logique. Sur le plan social, c'est un progressiste, séduit par les idéaux dynamiques perpétuellement renouvelés. Confiance en soi et maturité sont pour lui les conditions d'une sérénité tranquille, un peu limitée, car, a priori, il préfère renoncer à se mesurer avec la réalité et se contente de son monde clos, qu'il a idéalisé. Il donne ainsi l'impression d'être trop théorique, peu actif, et il paie sa tranquillité par une difficulté de contacts avec les autres, voire une certaine timidité. Il ne se départit jamais d'un fond de pessimisme désenchanté. De même, son égoïsme est souvent marqué par l'indécision. Sa culture et son intelligence, tempérant son agressivité naturelle, le conduisent à une forme d'altruisme. Un altruisme raisonné, bien entendu, et donc peu instinctif, entièrement intellectuel, grâce à quoi il lui arrive de faire preuve d'une grande finesse dans ses rapports avec autrui. Rapportant tout à lui et à son intérêt personnel, il apparaît tour à tour rusé, ingénieux, ou au contraire un peu naïf. Il ne peut toujours esquiver la réalité, aussi, dès qu'il se heurte aux problèmes concrets, éprouve-t-il certaines difficultés à les résoudre. C'est alors que ses contradictions apparaissent au grand jour, et, malgré son esprit logique, il sombre alors dans la confusion et devient froidement calculateur. Ce caractère renfermé et difficile ne s'épanouit que dans l'expression d'un idéal élevé.

30 L'égocentrique velléitaire

C'est un individu qui nourrit de grandes ambitions, mais qui a du mal à les traduire dans les faits à cause d'une forte émotivité et d'une certaine difficulté à agir seul. Foncièrement égoïste, il recherche exclusivement son intérêt personnel, souvent aux dépens des autres. C'est un instinctif, doté de naturel et de spontanéité, mais dont le comportement manque de finesse, du fait d'une méfiance naturelle à l'égard de la culture et des recherches intellectuelles qui, à ses yeux, ne constituent que d'inutiles faiblesses. Pour réaliser ses rêves, il met à contribution son caractère extraverti, affronte avec courage la réalité extérieure, parfois même avec un brin d'imprudence. Il est actif, désireux de pénétrer au cœur du réel. Très sociable, il est également optimiste, chaque fois qu'il prend une initiative. Toutefois, cet optimisme est de courte durée car, lorsque le succès tarde à venir, il finit par se laisser reprendre par ses émotions. Aux prises avec la réalité, il ne ressent guère la nécessité de se fixer des idéaux. Au contraire, c'est un réaliste enclin à mesurer le succès aux réalités visibles et évidentes. Concret et efficace, il se montre parfois agressif et sait recourir à la ruse pour saisir toutes les possibilités qui lui sont offertes. Sur le plan social, c'est un conformiste et un conservateur, ne se fiant qu'à ce qu'il connaît. Aussi les idées de la majorité, même dépassées, lui conviennent-elles parfaitement dans la mesure où elles peuvent lui servir au maximum. Malgré toutes ces qualités d'extroversion et de réalisme égocentrique, il a parfois du mal à attirer le succès, car il est très émotif et ses émotions l'entraînent souvent loin de la logique, lui ôtant la lucidité nécessaire. Sensible et émotif, il manque de constance dans ses projets et devient peu sûr de lui. Il agit alors avec impulsivité, en éprouve de l'angoisse et finit par perdre confiance en ces capacités qui le stimulaient au départ. Son besoin de se réaliser dans le concret et le réel est moins menacé par son émotivité que par une certaine incapacité à agir par lui-même, du fait qu'il est parfois encore conditionné par le passé et l'enfance.

31 Le réfléchi réservé

Il s'agit d'un individu replié sur son monde intérieur. Manquant parfois de confiance en ses capacités, il recherche des appuis extérieurs, qu'il trouve surtout dans les idéaux dont il se nourrit et qu'il s'efforce sans cesse de connaître et d'approfondir. Une fois qu'il a trouvé sa vérité, il s'y tient avec une constance et une logique qui le mettent à l'abri de nombreuses incertitudes et craintes. Foncièrement timide, il ne profite pas des expériences d'autrui. Il n'est pas très réaliste, ses comportements restant liés à son expérience personnelle, toujours forcément limitée et surtout abstraite et théorique. Peu attaché à son bien-être et au succès, il ne se montre guère actif. Il affiche un léger pessimisme dû à un besoin de dépendre d'idéaux pas trop personnalisés. Quand il donne libre cours à son imagination, il devient parfois naïf et brouillon, n'ayant aucune référence à laquelle se rapporter. Il n'atteint son équilibre que lorsqu'il peut se consacrer à la connaissance et à l'approfondissement des vérités de l'existence. Dans ce domaine, il se montre constant, sûr de lui, responsable, voire désinvolte et serein. C'est le genre d'individu rarement appelé à réussir lorsqu'il est confronté avec la réalité, mais qui peut être très efficace dans la recherche intellectuelle.

32 L'égocentrique impatient

C'est un individu plutôt égoïste, aimant affronter la réalité en face, et dont l'attitude apparaît réaliste, intelligent et indépendant. Toutefois, son émotivité lui crée parfois des problèmes. A cet égard, c'est un instinctif, dont le comportement est naturel et authentique, dépourvu de toute hypocrisie de type éthique ou intellectuel. Convaincu que la culture n'adoucit pas les mœurs, il affiche une attitude souvent abrupte, peu raffinée. Dans l'espoir de tirer le maximum de profit des circonstances, il n'hésite pas à s'y précipiter tête baissée. Il

donne l'impression d'un être sociable et aimant les contacts humains. Son enthousiasme frise parfois l'imprudence, ses attitudes reflètent toujours un optimisme qui lui attire la sympathie des autres. Cette escalade vers les sommets du concret et du réel s'opère avec réalisme car, étant essentiellement préoccupé d'activités concrètes, il agit avec efficacité. D'un côté, il est porté vers les autres, de l'autre, il tient à se réserver une part d'intimité et se montre un peu méfiant. Sur le plan social, c'est un conservateur et un conformiste, enclin à exploiter les idées et modèles de la majorité, plutôt que les idées nouvelles et d'avant-garde. Dans ses rapports avec le monde extérieur, il témoigne d'une intelligence et d'une indépendance qui lui permettent de donner librement sa mesure. Son assurance confine à l'autoritarisme quand il veut convaincre son entourage de ses opinions. Son passé et les expériences de l'enfance ont cessé de le conditionner, ce qui, conjugué avec son hostilité à tout ce qui est irrationnel, lui confère une profonde maturité. Un individu aussi lucide et foncièrement réalisateur est freiné dans sa recherche du succès par son émotivité, sa facilité à se laisser dominer par ses sentiments et ses instincts. Il se montre alors peu sûr de ses choix et inconstant dans ses décisions. Son caractère émotif le conduit à suivre ses impulsions, souvent antagonistes, d'où un comportement frisant parfois l'inconscience. Il en résulte par moments un manque de confiance en lui-même, en ses capacités et, de ce fait, une propension à être malheureux. En résumé, l'émotivité est une constante de son caractère, qui le rend humain, plus que les autres traits de sa personnalité. Mais il le paie dans la vie de tous les jours.

Appendice

Jeux destinés à une analyse des relations de couple

Il était indispensable d'ajouter aux analyses précédentes un appendice consacré au couple. En effet, notre personnalité, inévitablement dépendante de nos relations avec autrui, s'épanouit d'une façon particulière dans les rapports à deux. Dans la vie du couple, certaines caractéristiques psychologiques sont dévoilées, qui autrement seraient restées inexprimées ou auraient peut-être dévié vers des objectifs moins naturels, l'attachement excessif pour les animaux domestiques, par exemple, ou encore certaines attitudes mystiques.
Les tests présentés dans ce chapitre portent précisément sur certaines caractéristiques psychologiques intéressant l'individu face à son partenaire. Les deux membres du couple sont invités à s'y soumettre, afin de parvenir à une meilleure compréhension l'un de l'autre, une relation de couple étant, en effet, sur le plan psychologique, particulièrement dynamique. Rien n'est jamais figé et immuable dans les rapports d'un couple, tout évolue continuellement dans un jeu d'alternances et de confrontations très enrichissant.

Test de couple 1

Les proverbes sont l'expression de la sagesse pratique et traditionnelle, exprimés en des formules courtes et imagées. A cet égard, ils peuvent constituer le matériel d'un test, chacun d'entre nous, en fonction de sa personnalité, se référant plus ou moins instinctivement à des types de comportement. Le choix d'un proverbe plutôt que celui d'un autre peut donc indiquer que l'on se rapproche ou que l'on s'écarte de certains modèles individuels ou collectifs.
Le test proposé ici, et qui se joue à deux comme tous ceux qui composent ce chapitre, révèle un trait de caractère, qui ne sera dévoilé qu'à la fin. Lui ou elle, à votre guise, commence à choisir un proverbe, puis note à la fin du test le nombre correspondant à son choix. C'est ensuite au tour de l'autre partenaire de sélectionner un proverbe (à condition qu'il n'ait pas déjà été pris), et ainsi de suite jusqu'à la fin, lorsque chacun aura choisi dix proverbes.
Comme d'habitude, vous devez choisir instinctivement, sans réfléchir, et sans vous influencer réciproquement.

1 Mieux vaut tard que jamais

2 Tout nouveau, tout beau

3 Il faut hurler avec les loups

4 Tant qu'il y a de la vie, il y a de l'espoir

5 Prudence est mère de sûreté

6 A cheval donné on ne regarde point la dent

7 Pierre qui roule n'amasse pas mousse

8 Tout vient à point à qui sait attendre

9 Deux précautions valent mieux qu'une

10 Qui ne risque rien n'a rien

11 Aide-toi, le ciel t'aidera

12 Entre deux maux, il faut choisir le moindre

13 Tel pain, telle soupe

14 Un tiens vaut mieux que deux tu l'auras

15 Il y a un temps pour parler et un temps pour se taire

16 Il ne faut pas vendre la peau de l'ours avant de l'avoir tué

17 La fortune ne repasse pas les plats

18 Parler sans réfléchir est comme tirer sans viser

19 Rien ne sert de courir, il faut partir à point

20 Les voyages forment la jeunesse

Indiquez ci-dessous vos choix respectifs

ELLE _____

LUI _____

(explications du test 1 page 177)

Test de couple 2

Elle et Lui sont invités à répondre aux questions suivantes, en choisissant spontanément une des deux réponses, sans s'influencer réciproquement. Le trait de caractère correspondant est dévoilé à la fin.

1 Comment est votre rire ? ELLE LUI
a cordial et spontané ☐ ☐
b rare et contrôlé ☐ ☐

2 A notre époque vous appréciez davantage
a la liberté sexuelle ☐ ☐
b le progrès technologique ☐ ☐

3 Enfant, vous préfériez recevoir
a une caresse ☐ ☐
b un cadeau ☐ ☐

4 Un seul jour sans votre partenaire
a est triste ☐ ☐
b est stimulant ☐ ☐

5 Laquelle de ces deux images évoque davantage pour vous le mot «liberté»?
a un nid ☐ ☐
b une échelle ☐ ☐

6 Sur le plan de votre sexualité, vos parents ont influé sur vous
a positivement ☐ ☐
b négativement ☐ ☐

7 Vous préférez entendre quelque chose d'incroyable
a de votre partenaire ☐ ☐
b d'un inconnu ☐ ☐

8 Vous prenez un bain de mer. Quelle sensation domine en vous?
a une sensation de santé ☐ ☐
b une sensation de liberté ☐ ☐

9 Lequel de ces deux objets associez-vous instinctivement au mot «moi»?
a une pelote de laine ☐ ☐
b une feuille de papier blanc ☐ ☐

10 Vous préférez faire une escapade avec votre partenaire
a sur une île déserte ☐ ☐
b à Paris ☐ ☐

11 Vous éprouvez un plus grand plaisir
a à être dominé (ou dominée) par votre partenaire ☐ ☐
b à dominer votre partenaire ☐ ☐

12 Dans un groupe d'amis et en compagnie de votre partenaire, vous entendez une plaisanterie très corsée :
a vous vous sentez mal à l'aise ☐ ☐
b vous éclatez de rire ☐ ☐

13 Quelle odeur vous stimule le plus ?
a l'odeur de la pluie ☐ ☐
b l'odeur de l'imprimerie ☐ ☐

14 Tout compte fait, l'amour vous fait davantage
a exulter ☐ ☐
b souffrir ☐ ☐

15 En amour, les plus égoïstes sont :
a les hommes ☐ ☐
b les femmes ☐ ☐

16 Pour vous, les pleurs sont :
a une chose importante ☐ ☐
b rien du tout ☐ ☐

Chacun des deux partenaires s'attribue 1 point par réponse «a» et 0 point par réponse «b». Puis faites le total et portez votre score sur l'échelle graduée ci-dessous.

ELLE 1 2 3 4 5 6 7 8 9 10 11 12 13 14 15 16

LUI

(explications du test 2 page 177)

Test de couple 3

Elle et Lui sont invités à répondre aux questions suivantes, en choisissant spontanément une des deux réponses, sans s'influencer réciproquement. Le trait de caractère correspondant est dévoilé à la fin.

Pour ELLE

1. Si quelqu'un dont vous venez de faire la connaissance vous déclare : « Nous avons tous deux le même caractère », cela vous fait-il plaisir ?   OUI   NON

2. Vous est-il difficile de renoncer à vos habitudes ?   OUI   NON

3. D'après vous, votre partenaire est-il toujours égal à lui-même, en un mot cohérent ?   OUI   NON

4. Êtes-vous curieuse de savoir ce qu'il y a dans une boîte fermée ?   OUI   NON

5. Lorsque vous êtes tous deux libres, vous est-il difficile de faire coïncider vos heures de sommeil avec les siennes, et vice versa ?   OUI   NON

6. Éprouvez-vous une confiance instinctive pour une inconnue, justement parce que c'est une inconnue ?   OUI   NON

7. D'une façon générale, êtes-vous irritée par une opinion contraire à la vôtre ?   OUI   NON

8. Êtes-vous agacée par les choses que vous avez en commun avec lui ?   OUI   NON

9. Les hommes qui vous ont fait la cour jusqu'à maintenant avaient-ils le même genre de caractère ?   OUI   NON

10. Pouvez-vous dire sincèrement de lui qu'il a un « je ne sais quoi » d'unique ?   OUI   NON

Pour LUI

1. Quand elle choisit une nouvelle robe, éprouvez-vous au moins un peu de surprise ?   OUI   NON

2. Aimeriez-vous un monde où tous penseraient la même chose ?   OUI   NON

3. Considérez-vous que vous respectez presque toujours ses idées ?   OUI   NON

4. Aimeriez-vous qu'on vous dise : « Tu as un caractère unique » ?   OUI   NON

5. Vous risqueriez-vous sur une pente dangereuse en tandem, elle devant et vous derrière ?   OUI   NON

6. Est-il difficile de rester toujours égal à soi-même ?   OUI   NON

7. Êtes-vous agacé par les idées ou les attitudes qu'elle a en commun avec vous ?   OUI   NON

8. Êtes-vous souvent en désaccord avec elle sur « où et comment » accrocher des tableaux dans votre maison ?   OUI   NON

9. Quand elle vous donne aussitôt raison, êtes-vous content ?   OUI   NON

(explications du test 3 page 177)

Voici les deux dernières photos concernant le test de la sexualité : sur la page de droite, la photo I, au verso la photo II. Laquelle choisissez-vous ? Notez votre choix à côté de celui fait précédemment entre G et H. Puis reportez-vous à la page 181 pour les explications.

Test de couple 4

Vous êtes invités chacun à répondre aux questions suivantes sans influencer les choix de votre partenaire. Cochez ensuite vos propres choix, a ou b, dans la colonne correspondante.

	ELLE	LUI
1 Selon vous, qui est le plus utile ?		
- un balayeur de rues	a	a
- un détective privé	b	b
2 Quel est le personnage qui vous paraît le plus sympathique ?		
- Othello	b	b
- Hamlet	a	a
3 Votre chat ronronne pour quelqu'un qui vous est antipathique ?		
- vous appréciez qu'il soit sociable	a	a
- vous le chassez de la pièce pour qu'il n'embête personne	b	b
4 Vous êtes en train de manger, et un morceau de fruit tombe de votre assiette ?		
- vous le ramassez	b	b
- vous le balayez	a	a
5 Quelqu'un vous dit avoir mal à la tête :		
- vous compatissez	a	a
- vous lui conseillez un remède miraculeux	b	b
6 Qu'est-ce qui vous fait le plus de mal ?		
- une gifle de votre partenaire	a	a
- un regard d'admiration de votre partenaire pour une personne du sexe opposé	b	b
7 Que préféreriez-vous inventer ?		
- une caméra de télévision invisible	b	b
- un petit moteur à eau de mer	a	a
8 D'une façon générale, vous êtes mieux :		
- à deux	b	b
- à dix	a	a
9 Si quelqu'un vous a fait du tort, vous préférez :		
- vous venger	b	b
- le rayer de votre existence	a	a
10 Selon vous, que font, dans la plupart des cas, deux personnes de sexe opposé ?		
- un brin de causette	a	a
- l'amour	b	b
11 Vous vous apercevez que la branche la plus chargée de fruits de votre pêcher déborde dans le jardin du voisin. Que faites-vous l'année suivante ?		
- vous coupez la branche qui dépasse	b	b
- vous proposez au voisin de faire ensemble une grande confiture	a	a
12 A la place de la *Marseillaise*, on choisit un nouvel hymne national ?		
- vous trouvez qu'il est plus adapté à l'époque	a	a
- cela vous fait quelque chose	b	b
13 Un jeune homme (ou une jeune fille) que vous ne connaissez pas devient votre supérieur :		
- vous pensez qu'il (ou elle) a été pistonné(e)	b	b
- vous pensez qu'il fallait un peu d'air nouveau	a	a
14 Selon vous, la confiance :		
- est une faiblesse	b	b
- est une vertu	a	a
15 On vous présente une personne de votre sexe. Que pensez-vous instinctivement qu'elle deviendra :		
- un ami (ou une amie)	a	a
- un rival (ou une rivale)	b	b
16 Vous préférez avoir de votre partenaire :		
- une photo seul (ou seule) où il (elle) n'est pas à son avantage	b	b
- une photo de groupe où il (elle) est à son avantage	a	a
17 Si vous deviez échouer, comme Robinson Crusoé, sur une île déserte, vous préféreriez :		
- rencontrer un indigène de sexe opposé pour vous faciliter la vie	a	a
- vous débrouiller seul	b	b
18 Le mot «doute» vous fait penser spontanément :		
- au concept de «recherche»	a	a
- au concept de «trahison»	b	b

[19] **Vous surprenez une personne en train de faire un clin d'œil à une autre personne du sexe opposé. A quoi pensez-vous spontanément ?**
- à une entente tacite   b   b
- à un salut amical   a   a

[20] **Vous séjournez dans une maison inconnue et, la nuit, vous vous perdez dans le noir. Que faites-vous ?**
- vous avancez à tâtons   b   b
- vous appelez quelqu'un   a   a

[21] **On vous invite à jouer aux cartes :**
- vous promettez de battre tout le monde   a   a
- vous déclarez que vous ne savez pas   b   b

[22] **Vous vous présentez à un rendez-vous important avec un énorme furoncle :**
- vous essayez de le dissimuler   b   b
- vous déclarez tout de suite avoir eu la veille au soir une indigestion de fraises   a   a

[23] **Vous recevez une carte d'invitation de la reine d'Angleterre :**
- vous téléphonez à l'ambassade   a   a
- vous pensez qu'il s'agit d'une erreur b   b

[24] **Vous préférez que votre partenaire danse avec une autre personne :**
- une danse moderne   b   b
- un tango   a   a

[25] **Vous êtes assis(e) dans votre fauteuil et un moustique vole dans la pièce :**
- vous allez chercher un insecticide   a   a
- vous essayez de l'écraser avec la main tout en restant assis(e)   b   b

[26] **Vous visitez une chambre de Napoléon. A quoi pensez-vous spontanément :**
- à ses nuits avec une de ses maîtresses   b   b
- à ses méditations nocturnes sur la stratégie de combat   a   a

[27] **Quelqu'un vous hèle au coin d'une rue :**
- vous vous approchez tranquillement   a   a
- vous éprouvez un moment de peur   b   b

[28] **Votre huile à bronzer tombe à la mer :**
- vous plongez aussitôt pour la récupérer   b   b
- vous prenez un filet pour la repêcher   a   a

[29] **Vous êtes seul (ou seule) à contempler la lune :**
- vous espérez que votre partenaire, loin de vous, la regarde aussi   b   b
- vous aimeriez avoir un télescope pour mieux voir les cratères lunaires   a   a

[30] **Votre partenaire doit partir en voyage d'affaires sans vous : vous préférez qu'il (ou elle) aille :**
- aux Antilles   b   b
- au pôle Nord   a   a

Chacun des deux partenaires additionne le nombre de réponses « b » qu'il a choisies. Puis il reporte le score obtenu ci-dessous :

ELLE	LUI
1	
2	
3	
4	
5	
6	
7	
8	
9	
10	
11	
12	
13	
14	
15	
16	
17	
18	
19	
20	
21	
22	
23	
24	
25	
26	
27	
28	
29	
30	

(explications du test 4 page 178)

Test de couple 5

Comme dans tous les tests de cet appendice, chacun des deux partenaires du couple est invité à répondre spontanément, sans influencer les choix de l'autre.
Et, comme à chaque fois, le trait de caractère étudié ici ne sera dévoilé qu'à la fin, avec les explications.

1 **Enfant, vous avez chéri davantage :** ELLE LUI
   a   une vieille gouvernante ☐ ☐
   b   une maîtresse d'école ☐ ☐

2 **Votre partenaire vous plaît davantage :**
   a   en habit de soirée ☐ ☐
   b   en robe de chambre ☐ ☐

3 **Par jeu, vous demandez à votre partenaire « Que ferais-tu si je te trompais ? » Quelle réponse aimeriez-vous entendre ?**
   a   je ne te reverrai plus jamais ☐ ☐
   b   j'aimerais connaître mon rival (ou ma rivale) ☐ ☐

4 **Laquelle de ces deux images le mot « couple » évoque-t-il spontanément pour vous ?**
   a   deux beaux corps faisant l'amour ☐ ☐
   b   deux personnes travaillant ensemble ☐ ☐

5 **Dans les contes de fées, vous préférez :**
   a   les princes charmants qui vous réveillent d'un baiser ☐ ☐
   b   les gnomes fantastiques ☐ ☐

6 **Quand on vous présente une personne séduisante du sexe opposé, vous préférez qu'elle vous donne une poignée de main :**
   a   forte ☐ ☐
   b   faible ☐ ☐

7 **L'inévitable, même minime, sentiment de propriété que votre partenaire éprouve à votre égard, provoque en vous :**
   a   un peu d'orgueil ☐ ☐
   b   surtout de l'ennui ☐ ☐

8 **Que regardez-vous en premier chez une personne séduisante du sexe opposé ?**
   a   la bouche ☐ ☐
   b   les yeux ☐ ☐

9 **Shakespeare a fait dire à Hamlet « Fragilité, ton nom est femme » :**
   a   vous êtes d'accord ☐ ☐
   b   vous n'êtes pas d'accord ☐ ☐

10 **Vous préférez que votre partenaire s'arrête :**
   a   à la vitrine d'une épicerie ☐ ☐
   b   à la vitrine d'un libraire ☐ ☐

11 **Vous constatez que votre partenaire est de mauvaise humeur. Vous préférez que la raison en soit :**
   a   un ennui matériel que vous connaissez ☐ ☐
   b   quelque chose d'indéfini que vous ne connaissez pas ☐ ☐

12 **Vous préférez que votre partenaire soit ému(e) :**
   a   par une action en bourse qui monte ☐ ☐
   b   devant un coucher de soleil insolite ☐ ☐

13 **S'agissant d'un cadeau, vous préférez :**
   a   le recevoir ☐ ☐
   b   le faire ☐ ☐

14 **Selon vous, quel est l'obstacle le plus insurmontable ?**
   a   une paroi rocheuse ☐ ☐
   b   un principe ☐ ☐

15 **Selon vous, quelle est la première chose que la fidèle Pénélope demande à son Ulysse revenu au foyer après tant d'années ?**
   a   combien de fois m'as-tu trompée ? ☐ ☐
   b   que m'as-tu ramené de tes voyages ? ☐ ☐

16 **Selon vous, le plus ennuyeux est :**
   a   la pureté ☐ ☐
   b   le péché ☐ ☐

(explications du test 5 page 178)

Test de couple 6

Cette brève étude des rapports du couple s'achève sur une note de poésie.

Le test comporte, en effet, une série de vers qui devront être choisis tour à tour par chacun des deux partenaires, à condition qu'ils n'aient pas été déjà pris.

Chacun choisit donc un vers jusqu'à épuisement des dix-huit vers, sans trop réfléchir. Laissez-vous plutôt guider par l'image qu'ils évoquent spontanément à votre esprit, par la suggestion intérieure qu'ils vous inspirent, ou simplement par la musicalité des mots.

Ces vers, de poètes anciens et modernes, ont pour but de pénétrer l'inconscient de chacun, pour mettre en lumière un trait important du caractère, qui joue un rôle important dans la dynamique de la vie à deux.

1 J'ai tout ce que je ne désire pas
   (Angiolieri)

2 Regarde fixement la beauté
   A en être rassasié
   (Kavafis)

3 C'est bien la pire peine
   De ne savoir pourquoi
   (Verlaine)

4 Au fond de l'Inconnu pour trouver du nouveau
   (Baudelaire)

5 Le mal me poursuit :
   Les pieds englués, je le fuis
   (Ferlinghetti)

6 Ne pas vivre les faits comme des rustres
   (Dante)

7 Qui pourra jamais connaître le monde
   Avant de s'en aller ?
   (Kerouac)

8 Avec douceur je joue de ma cithare bien-aimée
   Et je chante l'amour à ma tendre fiancée
   (Anacréon)

9 J'ai tant fait patience
   Qu'à jamais j'oublie
   (Rimbaud)

10 Ah pourquoi le pouvoir humain
   N'est-il pas infini comme le désir ?
   (D'Annunzio)

11 Qu'il m'est doux de sombrer dans cette mer
   (Leopardi)

12 Rester serein et ne pas parler d'hier.
   Aujourd'hui est si beau
   (Khayyām)

13 Ne demande pas la formule qui t'ouvrirait des mondes
   (Montale)

14 Bâtissons le futur, nous n'avons rien d'autre
   (Zerpass)

15 Je sais bien que je cours après ce qui me consume
   (Pétrarque)

16 Et l'harmonie triomphe de mille siècles sur le silence
   (Foscolo)

17 Où donc est le mieux ?
   Là où nous ne sommes pas
   (Griboedov)

18 Sur les sommets de la pensée, là où les pensées sentent
   bon dans la pluie
   (Thomas)

(explications du test 6 page 179)

Explications

Test de couple 1

Les proverbes 1-4-6-7-10-11-14-17-19-20 valent 1 point.
Les proverbes 2-3-5-8-9-12-13-15-16-18 valent 0 point.

Celui des deux qui a totalisé 10 points ou plus de points que son partenaire est le plus courageux et le plus entreprenant, le moins esclave de ses craintes et de ses préjugés. Davantage de son époque, il va résolument de l'avant. Cependant, dans la vie du couple, celui qui mène n'est pas toujours celui que l'on croit. On a souvent besoin des conseils de son partenaire, ne serait-ce que pour freiner son enthousiasme, les rôles sont alors inversés, ou, mieux, se complètent.

Celui des deux qui a totalisé 0 point ou moins de points que son partenaire est le moins entreprenant, le plus prudent, le moins enclin à prendre des risques. Moins de son époque, il préfère se laisser guider, préférant le rôle de conseiller attentif aux diverses nuances de la réalité. Les rôles sont ainsi harmonieusement répartis dans la vie du couple, celui qui fraye le chemin ayant ensuite besoin de conseils sur la direction à prendre.

Si les deux partenaires ont totalisé environ 5 points, il en ressort qu'ils marchent d'un même pas, faisant preuve de courage ou de prudence selon les circonstances et remplissant à tour de rôle, avec une merveilleuse harmonie, les fonctions de guide et de conseiller.

Test de couple 2

Le but de ce test est de dévoiler lequel des deux partenaires du couple possède la plus grande force affective, souvent indépendante de la situation du moment. En effet, il y a en chacun de nous une affectivité en puissance que ni le temps ni les circonstances ne parviennent à modifier substantiellement, mais qu'ils peuvent développer ou freiner. Ainsi, une personne dotée d'un tempérament passionné peut aimer de tout son être, alors qu'une autre, plus apathique, aimera avec discernement, voire prudence. Ce qui ne signifie pas que la première aime davantage que la seconde. Simplement, la faculté d'émotion est, chez la première, moins contrôlée et plus communicative. Il va de soi que celui des deux partenaires qui a totalisé le plus grand nombre de points possède une affectivité plus forte, alors que celui qui a obtenu un score inférieur se maîtrise davantage dans l'expression de ses sentiments.

Test de couple 3

Ce jeu consiste à découvrir si, s'agissant de la vie à deux, vous êtes attiré(e) par une personne ayant avec vous une communauté de goûts et d'intérêts, ou, à l'opposé, par votre contraire.

C'est un débat vieux comme le monde, et il est difficile d'établir quel est le type de partenaire le mieux adapté à chacun de nous. Pas

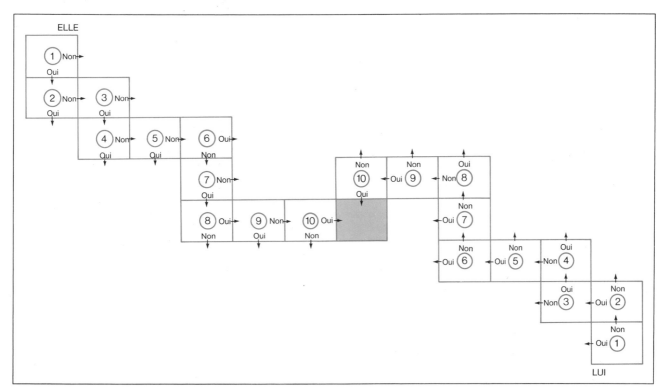

seulement difficile, mais sans doute inutile : en effet, l'âme sœur en mesure de comprendre et, le cas échéant, de compatir présente peut-être des avantages réconfortants sur le plan psychologique. Mais, d'un autre côté, un partenaire dont le caractère est aux antipodes du sien ouvre de nouveaux horizons et peut donc être plus stimulant.

Ame sœur ou caractère opposé, peu importe. Le bonheur en amour est difficile à classer. Quand on aime, et souvent c'est inexplicable, tout peut arriver.
Confrontez vos choix avec le schéma de la page 177, en vous conformant aux instructions. Pratiquement, vous devez poursuivre ou sortir du schéma selon vos réponses OUI ou NON.

A la fin, bien qu'étant partis l'un et l'autre des deux extrémités du parcours, vous pouvez, ou non, vous rencontrer dans la petite case marron.
Si vous vous rencontrez au terme des dix réponses, cela signifie que vous souhaitez tous deux un partenaire à votre ressemblance. En fait, votre idéal commun est l'âme sœur, soit un partenaire partageant toujours vos goûts et intérêts.
Vous souhaitez tous deux à vos côtés une personne qui soit en quelque sorte votre double. Ainsi, du moins en amour, vous évitez les abîmes insondables ou les contrastes stressants, et vous cherchez à éviter les surprises, les inconnues, les aventures échappant à votre contrôle. Marcher à côté d'une personne aimée, la main dans la main, d'un même pas, les yeux regardant les mêmes choses, est pour vous le comble de la félicité. Reste cependant le risque d'aimer moins votre partenaire que vous-même en votre partenaire.

Si vous n'avez pas abouti à la même case, et que vous vous soyez égarés l'un ou l'autre, ou tous les deux, vous êtes convaincus que les différences stimulent et enrichissent, alors que les ressemblances conduisent à l'immobilisme psychologique. En somme, vous aimez le risque, en particulier dans les relations avec autrui ; une personnalité comme la vôtre étouffe dans la solitude, se sent en quelque sorte sacrifiée. Vous avez donc besoin des autres pour vous épanouir, notamment de la tendresse de la personne aimée. Le contraste psychologique contribue à élargir vos horizons, en vous incitant à évoluer psychologiquement.

Test de couple 4

Le test porte sur la jalousie. Son but est, entre autres, d'établir lequel des deux partenaires du couple est le plus jaloux.

Si les lettres « b » choisies ont totalisé de 0 à 5 points, vous n'avez pas un tempérament jaloux, mais, au contraire, tolérant et altruiste. Au fond, vous croyez peu aux sentiments passionnés ou éternels, estimant qu'il vaut mieux freiner les émotions que les stimuler et les exagérer. Vous considérez également que la souplesse est préférable à l'intransigeance. A votre avis, un brin de désenchantement, voire de cynisme, ne fait jamais de mal au milieu de toutes ces émotions provoquées par le choc avec la réalité.

Si les lettres « b » choisies ont totalisé de 6 à 12 points, vous ne semblez pas particulièrement souhaiter conserver ce qui vous appartient, tant sur le plan sentimental que matériel. Cette attitude est le signe, chez vous, d'une certaine froideur instinctive, fruit de votre raison, teintée de cynisme. Vous avez suffisamment d'orgueil

pour croire en vous-même, et vos raisonnements logiques représentent à vos yeux la meilleure garantie. Vous considérez tout le reste comme trop incertain et aléatoire pour valoir la peine de s'y arrêter.

Si les lettres « b » ont totalisé de 13 à 18 points, vos attitudes trahissent doutes et indécisions. Vous affichez un comportement tantôt naïf, tantôt indifférent, voire cynique. La jalousie est pour vous comme le mouvement d'une marée, à certains moments sans justifications sérieuses. Aussi, dans ce flux et ce reflux émotifs, vous finissez par ne plus vous engager. Au fond, vous ne vous fiez pas aux autres, pour la bonne raison que vous ne vous fiez pas non plus à vous-même. Vous cherchez sans doute à protéger votre sensibilité, à ne pas trop l'exposer. Mais, ce faisant, vous vous dissimulez et empêchez les autres de bien vous connaître.

Si les lettres « b » choisies ont totalisé de 19 à 25 points, votre jalousie se manifeste surtout au niveau des idées et des sentiments, tandis que la possession matérielle semble moins vous préoccuper. En somme, votre jalousie est plus instinctive que rationnelle. N'étant pas altruiste, tant s'en faut, vous souffrez de votre jalousie. Il suffit d'un rien pour déclencher ce mécanisme d'autodéfense qui entraîne les soupçons. Vous devez vous efforcer de mieux utiliser ce bon sens foncier, qui vous est si utile dans les situations pratiques et qui peut vous aider à maîtriser cet excès de jalousie.

Si les lettres « b » choisies ont totalisé de 26 à 30 points, vous possédez un sens inné de la propriété, que vous manifestez avec exagération à l'égard des personnes et choses qui vous entourent. Cette attitude contribue à vous mettre un voile devant les yeux, si bien que vous ne voyez plus. Vous préférez conserver que renouveler, et vous risquez de devenir esclave de ce désir furieux de possession, sans parvenir à clarifier vos rapports avec autrui. N'oubliez pas que les jaloux se font du tort d'abord à eux-mêmes.

Test de couple 5

Ce test est conçu pour révéler celui qui, dans un couple, est porté à privilégier les aspects spirituels du rapport affectif, au détriment des aspects matériels. En amour, en effet, comme dans toutes les attitudes psychologiques, coexistent deux tendances opposées : la première porte à une attitude affective plus liée à l'esprit et moins attachée aux choses jugées matérielles ou peu élevées ; l'autre tend à une conception plus charnelle de l'amour, dans lequel n'intervient pas le sens de l'excessivement élevé. Ces deux attitudes se justifient, à condition que l'une ne l'emporte pas démesurément sur l'autre.

Comptez 1 point par lettre « a » choisie et 0 point par lettre « b », puis faites le total.

Celui des deux qui a obtenu de 0 à 5 points attache un plus grand prix aux aspects les plus réalistes du rapport affectif. Cela ne signifie pas que, pour lui, seul compte l'élément charnel. Mais une certaine dose d'égoïsme et la recherche du plaisir relèguent au second plan certaines délicatesses ou élégances spirituelles, qu'il juge inutiles.

Celui des deux qui a obtenu de 6 à 10 points attache le même prix à l'aspect matériel et spirituel du rapport affectif. Il est prêt à toutes les expériences, et se montre parfois même changeant, cherchant à éviter les certitudes absolues.

Celui des deux qui a totalisé de 11 à 16 points est attentif essentiellement aux valeurs spirituelles de l'amour. Il offre et recherche la délicatesse, l'élégance, l'approfondissement et les valeurs absolues. Il risque toutefois de se perdre dans les brumes du possible, sans contacts concrets avec la réalité.

Test de couple 6

Ce test, portant sur l'optimisme et le pessimisme, est destiné à établir lequel des deux partenaires affiche le plus ouvertement l'une ou l'autre attitude psychologique.

L'attitude est plus optimiste si les vers 2-4-6-8-10-12-15-16-18 ont été choisis.
L'attitude est plus pessimiste si les vers 1-3-5-7-9-11-13-14-17 ont été choisis.

Celui des deux qui a choisi le plus grand nombre de vers optimistes, six au moins, est porté instinctivement, plus que son partenaire, à des jugements favorables, chaque fois qu'il se trouve confronté, dans le couple, à une situation nouvelle. Il se trouve donc dans un meilleur état d'esprit pour résoudre les problèmes, mettant toutes les chances de son côté. Plus ouvert au dialogue avec les autres, il apparaît parfois cependant plus désarmé que son partenaire quand il s'agit d'affronter les situations et les personnes qui exigeraient au contraire une plus grande agressivité. Il aime anticiper et force un peu les circonstances par son enthousiasme, courant ainsi le risque de laisser en chemin son compagnon ou sa compagne.

Celui des deux qui a choisi une majorité de vers pessimistes, six au moins, voit davantage le côté négatif des choses. Il se méfie des autres, ne parvenant pas à déceler leurs qualités prometteuses, aussi risque-t-il moins les mauvaises surprises que son compagnon ou sa compagne. Mais, d'un autre côté, il se prive de bien des enthousiasmes. Il a une vision plus réaliste de la vie, plus amère, se berce moins d'illusions, mais il risque, par sa prudence, d'être pris de court par les événements, tandis que son partenaire est déjà loin, emporté par ses enthousiasmes. Mais il n'est pas normal que, dans la vie à deux, l'un joue un rôle moins important que l'autre. Les rôles de figurant ne conviennent pas à celui qui a choisi les vers pessimistes : une personnalité de ce genre possède indiscutablement une intelligence lucide et une prudence raisonnable.

Si les deux partenaires se sont partagés assez équitablement vers optimistes et pessimistes, il en ressort que leur équilibre de couple résulte de leur complémentarité. Ils sont besoin l'un de l'autre, et cette complémentarité peut comporter maints aspects stimulants.

Explications

Un test sur la sexualité, basé sur un matériel comportant seize photographies, tel celui proposé dans ce livre, mérite une brève explication en guise d'introduction. La sexualité est un thème aussi séduisant que complexe, car elle porte sur le patrimoine génétique et les rapports psychiques de l'individu. Ce qui signifie que, dans le comportement sexuel, interviennent en s'influençant réciproquement des facteurs génétiques et des facteurs liés au comportement individuel et social, et que la sexualité joue donc un rôle capital dans la vie de l'homme. Son influence dépasse l'individu pour s'étendre au contexte social, plus vaste. La culture d'une collectivité est influencée par les habitudes sexuelles, au point que la société crée une sexualité de même que la sexualité crée une société. Ce besoin physique et psychique, individuel et collectif, constitue un monde complexe, pas toujours facile à comprendre.

En se basant uniquement sur seize photographies, si belles et suggestives soient-elles, on ne saurait, bien sûr, prétendre couvrir entièrement une étude sur la sexualité. Cela suffit toutefois pour mettre en lumière certains aspects du comportement sexuel, dont les plus stimulants. Ces aspects concernent les rapports, à tendance réaliste ou idéaliste, que chacun entretient avec son partenaire. D'autres aspects ont été soulignés, concernant le rapport avec la réalité sociale: tendance à la liberté sexuelle ou à la réserve. Pour simplifier, les photographies ont été regroupées par séries de quatre (A ou B + I ou II, C ou D + I ou II, E ou F + I ou II, G ou H + I ou II), des réponses étant apportées pour chaque série. Le lecteur a donc la possibilité d'étudier quatre aspects de sa sexualité, qu'il sera en mesure d'assembler aisément. Mentionner toutes les combinaisons possibles aurait été fastidieux, avec le risque de tout embrouiller. Cherchez donc les quatre combinaisons résultant de vos choix. Puis reportez-vous aux explications correspondantes, valables, bien entendu, pour les hommes comme pour les femmes.

A + I
Votre sexualité est de type passionnel. En d'autres termes, vous la vivez avec une grande intensité émotive, sans trop utiliser le contrôle de la raison. Cet abandon à vos instincts vous place souvent dans des situations difficiles, d'où vous avez du mal à sortir. Vous donnez beaucoup à l'être aimé, mais vous payez personnellement un prix très élevé pour maintenir des relations vivantes. La sexualité, ne l'oubliez pas, n'est pas seulement instinct, mais recherche, approfondissement et, pourquoi pas, logique. L'essentiel est de la vivre comme un moment de joie, et non de tension.

A + II
Vous êtes un être très passionné, tout en vivant votre sexualité avec sérénité. Après votre premier élan de passion, vous trouvez ensuite tout naturellement un équilibre. Vous êtes comme un fleuve impétueux qui se calme et fait place à un vaste océan de tranquillité. Par moments, toutefois, vous éprouvez quelque malaise, lorsque certaines de vos contradictions foncières surgissent des profondeurs de votre être, mais vous parvenez à les maîtriser.

B + I
Votre sexualité est surtout «de tête», en ce sens que vous préférez, dans ce domaine, rester dans la zone de la logique. Toutefois, ce contrôle raisonné vous coûte, à tel point que vous en devenez névrosé. C'est que cet aspect logique et raisonneur ne vous comble pas sur le plan sexuel: écouter un peu plus vos instincts, pas forcément condamnables, ne peut que vous être salutaire. Cette défiance résulte souvent d'une éducation trop rigide ou d'une attitude morale tendant à étouffer votre nature.

B + II
Vous aimez recourir à la logique dans votre vie sexuelle, et ce contrôle de vos instincts a un effet apaisant sur vous, vous procure une sorte de sérénité. Porté à des élans passionnés, vous les contrôlez ensuite, sans vous sentir pour autant frustré. Le plaisir que vous éprouvez vous suffit. Cependant, il n'existe pas de mesure rigide de la sexualité. Chacun est seul juge de ce qui lui convient.

C + I
Votre sexualité est résolument extrovertie. Aussi aimez-vous prendre l'initiative. Vous considérez, en effet, que même les plaisirs naturels n'arrivent pas tout seuls, sans effort, mais qu'ils sont le fruit d'une recherche. Selon vous, on risque d'être victime de ses retenues, de ses pudeurs, aussi préférez-vous paraître entreprenant, voire audacieux. De plus, la sexualité est pour vous une justification supplémentaire de votre amour de la liberté, une occasion des plus agréables de renverser les tabous et d'abattre les idoles poussiéreuses.

C + II
Sur le plan sexuel, vous considérez que tout est permis, votre initiative ne connaît pas de limites, votre comportement est d'une liberté absolue, affichant un brin de défi contre les idées reçues. Toutefois, vous préférez que cette liberté de choix s'exerce sur le seul plan personnel, et non dans le but de renverser les institutions ou d'abattre les conformismes au nom d'une liberté sexuelle qui, à votre sens, doit donc se limiter aux seules relations personnelles, sans influer sur d'autres domaines. En résumé, vous êtes pour la liberté sexuelle, mais seulement dans le cadre des relations à deux, et pour un contrôle de cette liberté au niveau des institutions et des coutumes.

D + I
Vous préférez vivre votre sexualité avec retenue et pudeur, sans la moindre hardiesse. Toutefois, vous considérez que votre vie sexuelle peut avoir un effet tonifiant au niveau social, contribuant à faire apprécier la liberté et à créer des valeurs nouvelles. Bref, pour vous, le rapport sexuel doit rester dans un premier temps au niveau du couple, mais ensuite la société doit pouvoir bénéficier de la force régénaratrice qu'il est en mesure d'apporter.

D + II
Vous vivez votre sexualité avec beaucoup de réserve, de retenue et de pudeur, considérant qu'elle doit être limitée à la seule relation du couple, sans déborder dans la vie sociale. Plus encore, selon vous cette pudeur devrait se manifester au niveau de la collectivité, car vous êtes contre tous changements, nouveautés, ou mouvements vaguement révolutionnaires. La sexualité est à vos yeux un moment

particulier, qui doit influencer modérément votre personne et ne pas engendrer un bouleversement des rapports collectifs. Toutefois, trop de prudence peut avoir un effet limitant; en effet, la sexualité, lorsqu'elle est ressentie et vécue dans une juste mesure, constitue un élément capital et constructif également pour la société.

E + I

Vous vivez votre sexualité de façon plutôt égoïste. Uniquement préoccupé de la satisfaction de vos désirs, sans autres motivations, vous en venez à considérer votre partenaire comme un objet. De plus, vous êtes narcissique, et cette admiration que vous éprouvez pour votre personne nuit à l'équilibre d'une relation à deux. En fait, vous exigez beaucoup et donnez peu. Mais à ce jeu, vous ne serez pas toujours gagnant, car, également en amour, le respect de l'autre est capital. Sans un peu d'altruisme, la sexualité n'est que prévarication.

E + II

Vous faites preuve d'un certain égoïsme dans votre vie sexuelle, et si vous prenez beaucoup, vous ne savez pas toujours demander. Une attitude génératrice de nombreuses insatisfactions, car en fait vous aimeriez vous appuyer sur quelqu'un en mesure de vous contenter en tout et pour tout. Mais on ne peut trop exiger d'un partenaire que l'on traite le plus souvent comme un objet. Votre égoïsme, associé à ce besoin de dépendre de votre partenaire, comporte de nombreuses contradictions sur le plan sexuel.

F + I

Votre sexualité est un peu contradictoire: d'un côté, vous êtes enclin(e) d'instinct à beaucoup donner, de l'autre vous êtes un peu narcissique; il peut en résulter une certaine incompréhension entre votre partenaire et vous-même. En résumé, vous préférez donner que recevoir, et votre partenaire est pour vous un compagnon de route, avec lequel partager toutes les sensations qui naissent d'une juste relation à deux. Mais vous perdez trop de temps à vous admirer et, pendant ce temps, le but s'éloigne. Dans le domaine sexuel, tout comportement tendant à exclure le partenaire est toujours une entrave au plaisir.

F + II

Vous vivez la sexualité surtout comme un rapport de confiance réciproque. Toutefois, ce goût du renoncement et de l'altruisme vous laisse par moments insatisfait. L'altruisme peut se justifier sur le plan de la sexualité, mais il ne faut pas dépendre de son partenaire. Votre sexualité est également vécue avec équilibre, sans concessions ni faiblesses, toujours néfastes à une relation sereine à deux.

G + I

En règle générale, vous fondez votre sexualité sur le plaisir des sens. Pour vous, c'est surtout l'aspect physique de la relation à deux qui compte. Cette attitude vous procure toujours paix et sérénité; tandis que, si vous vous laissez dominer par les sentiments, vous finissez par embrouiller vos idées et vous sentir insatisfait. Selon vous, la sexualité est un fruit qu'il faut savourer sans rien laisser. Vous êtes doté d'une grande vitalité, qui sait trouver de justes compensations. Mais vous ne vous préoccupez guère de votre partenaire.

G + II

La sexualité est pour vous un fait physique, qui ne vous comble pas toujours. C'est sans doute qu'un rapport fondé principalement sur le plaisir des sens ne satisfait pas suffisamment certaines de vos aspirations sentimentales, que vous sembliez tout d'abord dédaigner, mais ce n'était qu'une apparence. L'aspect physique de la sexualité peut suffire en soi, à condition de ne pas prétendre en tirer des satisfactions plus profondes de type spirituel. D'autre part, une sexualité, qui exclurait les valeurs sentimentales serait boiteuse.

H + I

Votre sexualité est idéalisée, moins portée sur l'aspect physique du rapport sexuel, dont elle exalte au contraire les valeurs sentimentales. Cette spiritualité que vous recherchez continuellement dans vos rapports avec votre partenaire vous comble. La sexualité est faite un peu de tout, et vous parvenez à en extraire les valeurs qui vous satisfont.

H + II

Votre sexualité a tendance à reléguer au second plan certains aspects physiques, au profit des valeurs sentimentales et spirituelles en général. Ce qui ne vous comble pas toujours. Ainsi, à force d'idéaliser la sexualité, vous la voyez s'évanouir devant vous comme un fantôme inaccessible. La sexualité n'est pas quelque chose d'occasionnel, que l'on peut accepter ou refuser sur commande: elle est profondément liée à notre personnalité, aussi vaut-il mieux la vivre sereinement, en cherchant à la connaître parfaitement, sans idées préconçues.